TRUDEAU
le Québécois

D<small>U MÊME AUTEUR</small>

Le neveu (avec Réal Simard), Montréal, Québec/Amérique, 1987.

Trudeau le Québécois, Montréal, Les Éditions de l'Homme, 1989.

Bourassa, Montréal, Les Éditions de l'Homme, 1991.

Lucien Bouchard, en attendant la suite…, Montréal, Lanctôt éditeur, 1996.

Michel Vastel

TRUDEAU
le Québécois

 LES ÉDITIONS DE L'HOMME

Nouvelle édition

Données de catalogage avant publication (Canada)

Vastel, Michel
    Trudeau le Québécois

    Nouvelle édition

    1. Trudeau, Pierre Elliott, 1919- . 2. Trudeau, Pierre Elliott, 1919- .
Et les Canadiens français. 3. Canada – Politique et gouvernement – 1968-1984.
4. Premiers ministres – Canada – Biographies. I. Titre.

FC626.T7V37   2000   971.064'4'092   C00-941626-9
F1034.3.T7V37   2000

DISTRIBUTEURS EXCLUSIFS:

- Pour le Canada
  et les États-Unis:
  MESSAGERIES ADP*
  955, rue Amherst
  Montréal, Québec
  H2L 3K4
  Tél.: (514) 523-1182
  Télécopieur: (514) 939-0406
  * Filiale de Sogides ltée

- Pour la France et les autres pays:
  INTER FORUM
  Immeuble Paryseine, 3, Allée de la Seine
  94854 Ivry Cedex
  Tél.: 01 49 59 11 89 / 91
  Télécopieur: 01 49 59 11 96
  Commandes: Tél.: 02 38 32 71 00
                Télécopieur: 02 38 32 71 28

- Pour la Suisse:
  DIFFUSION: HAVAS SERVICES SUISSE
  Case postale 69 - 1701 Fribourg - Suisse
  Tél.: (41-26) 460-80-60
  Télécopieur: (41-26) 460-80-68
  Internet: www.havas.ch
  Email: office@havas.ch
  DISTRIBUTION: OLF SA
  ZI 3, Corminbœuf
  Case postale 1061
  CH-1701 FRIBOURG
  Commandes: Tél.: (41-26) 467-53-33
                Télécopieur: (41-26) 467-54-66

- Pour la Belgique et
  le Luxembourg:
  PRESSES DE BELGIQUE S.A.
  Boulevard de l'Europe 117
  B-1301 Wavre
  Tél.: (010) 42-03-20
  Télécopieur: (010) 41-20-24

Pour en savoir davantage sur nos publications,
visitez notre site: **www.edhomme.com**
Autres sites à visiter: www.edjour.com • www.edtypo.com
www.edvlb.com • www.edhexagone.com • www.edutilis.com

L'Éditeur bénéficie du soutien de la Société de développement des entreprises culturelles du Québec pour
son programme d'édition.

Nous remercions le Conseil des Arts du Canada de l'aide accordée à notre programme de publication.

Nous reconnaissons l'aide financière du gouvernement du Canada par l'entremise du Programme d'aide
au développement de l'industrie de l'édition (PADIÉ) pour nos activités d'édition.

Dépôt légal: 4e trimestre 2000
Bibliothèque nationale du Québec

ISBN 2-7619-1595-X

À Geneviève,
Anne, Violaine et Marie,
qui ont bien voulu
partager avec « lui »
tout un été de ma vie…

Avant-propos

Écrire sur Pierre Elliott Trudeau, même après un quart de siècle de chroniques politiques, relève de la même témérité que d'écrire sur Dieu en première année de théologie!

Mais l'idée des Éditions de l'Homme de me commander une première version de cet ouvrage en 1989 avait du bon : aucun des biographes de Trudeau, officiels ou non et presque tous anglophones, ne s'est jamais arrêté à cet aspect particulier de sa carrière politique qui est celui de ses relations avec le Québec et avec les Québécois. Personne ne s'était encore jamais donné la peine de fouiller dans les archives du collège Brébeuf et dans celles de l'Université de Montréal ni de procéder à une analyse systématique de ses écrits des années cinquante, pour remonter à la source même de sa pensée politique.

L'examen en continu de la vie et de la carrière de Trudeau le Québécois révèle une persévérance dans le comportement, une cohérence dans la pensée et une permanence de l'homme tout simplement fascinantes.

En 1989, cinq ans après sa retraite politique donc, Pierre Trudeau avait refusé poliment de collaborer à l'ouvrage. Ses amis et anciens collaborateurs avaient généralement accepté, mais trop souvent à la condition de rester anonymes et, pour certains, après lui avoir demandé la permission. Beaucoup de ses ennemis s'étaient portés volontaires. D'autres enfin s'étaient réservés pour leurs propres Mémoires... Comme s'ils préféraient attendre que l'homme ne soit plus là pour corriger les faits! Onze ans plus tard, aucun ne s'est encore lancé dans cette périlleuse aventure.

De toute manière, Trudeau a tellement parlé et tellement écrit — jusqu'à ce jour de février 1996 où il accusait Lucien Bouchard « d'avoir trompé la population du Québec pendant la campagne référendaire d'octobre 1995 » — et il l'a fait de façon tellement claire, absolue et définitive que la seule question à éclaircir encore serait de savoir pourquoi il n'a jamais voulu réviser, ne serait-ce qu'un tout petit peu, ses opinions sur le Québec.

Ce livre et les deux autres ouvrages que j'ai écrits ensuite m'ont permis de découvrir, à la Bibliothèque du Parlement, un personnel d'un dévouement et d'une patience exceptionnels. Et j'ai constaté qu'il y a dans les bibliothèques des collèges et des universités du Québec des trésors qui mériteraient d'être mis en valeur par le ministère de la Culture et des Communications du Québec.

Un journaliste n'est pas un écrivain, on l'oublie trop souvent. Ce livre n'aurait pas la qualité que des dizaines de milliers de lecteurs et d'étudiants lui ont déjà trouvée si je n'avais bénéficié des lectures attentives de mon épouse Geneviève, des souvenirs personnels et des commentaires de Nicolle Forget, des contributions savantes et de la révision minutieuse de l'équipe des Éditions de l'Homme et de leurs collaborateurs.

Je dois aussi un remerciement particulier aux lecteurs de la première édition qui m'ont écrit en grand nombre pour me faire part de leurs commentaires et surtout me signaler quelques erreurs que le lecteur de la présente édition n'aura pas à subir.

Comme le veut la formule traditionnelle, je porte l'entière responsabilité de mes propos. Et comme il se doit dans mon métier, les faits et les paroles ont été dûment vérifiés, voire — oserai-je le dire ? — confirmés par le silence de M. Trudeau lui-même.

Dans le cas particulier des mots attribués à Pierre Elliott Trudeau, je m'en suis tenu aux discours et aux transcriptions officielles des conférences de presse et entrevues, de même qu'à sa biographie autorisée de George Radwanski.

Montréal, septembre 2000

Le goût
de la cabriole

*C'est merveilleux d'être méprisé si
nous savons que dans le fond, c'est
nous qui avons raison.*

Pierre Elliott Trudeau,
mai 1939

6 avril 1968. Il y a maintenant plus de sept heures que les
2366 délégués du Parti libéral du Canada lancent, d'un tour de
scrutin à l'autre et dans l'atmosphère surchauffée du Centre civique d'Ottawa, deux mots qui, pendant seize ans, de satellite en
satellite, vont faire le tour du monde.

« Trudeau, Canada ! »

Lui, comme absent et plus mystérieux que jamais, laisse flotter son regard au-delà de la foule, le fixe un instant sur le visage
familier d'un ami, ou l'accroche, comme pour un instant de dé-
tente, sur celui d'une jolie femme. Lentement, il porte à sa bouche des grains de raisin qu'il mâchonne distraitement. De temps
en temps, et malgré ces caméras de télévision qui ne le quittent
jamais de la lentille, il lance en l'air une cacahuète qu'il gobe avec
aisance.

« Pierre Trudeau, mille deux cent trois… »

La clameur de la foule couvre la voix du président du Parti et semble porter l'homme au-dessus des chandails de ses partisans et des casquettes des policiers, jusqu'au podium tendu de rouge et de blanc.

« Trudeau, Canada! Trudeau, Canada! Trudeau, Canada! »

Le pays vient enfin de trouver son Kennedy : brillant esprit, souvent entouré de jolies femmes, l'allure sportive malgré ses cinquante ans presque révolus. Et tellement différent de l'imprévisible William Mackenzie King, de l'ennuyeux Louis Saint-Laurent, de l'acariâtre John Diefenbaker et de l'austère Lester Pearson.

Le Canada entre dans son deuxième siècle, à la poursuite du rêve qui l'a vu naître, puis grandir, en compagnie de Sir John et de Laurier. « Trudeau, Canada! » sonne comme une belle certitude. Tout commence, croit-on.

Pourtant, tout est déjà en place.

La Commission royale d'enquête sur le bilinguisme et le biculturalisme a déjà bouclé sa tournée du pays sur un terrible constat. « Tout ce que nous avons vu et entendu nous a convaincus que le Canada traverse la période la plus critique de son histoire depuis la Confédération. Nous croyons qu'il y a crise : c'est l'heure des décisions et des vrais changements. »

Pierre Trudeau, ministre de la Justice, a déjà proposé de lancer la réforme constitutionnelle par l'adoption d'une Déclaration des droits de l'homme et du citoyen, d'une nouvelle formule d'amendement, de meilleures garanties pour assurer la reconnaissance des langues officielles et d'une réforme de la Cour suprême. Mais le président de la Commission sur le bilinguisme et le biculturalisme, André Laurendeau, a chuchoté à l'oreille de son secrétaire, Neil Morrisson : « Je considère que Trudeau est un ennemi. »

De son côté, l'intelligentsia du Québec déplore le style d'un homme qui qualifie la thèse du statut particulier du Québec de « connerie », et de « grande fumisterie intellectuelle ». Le directeur du *Devoir* de l'époque, Claude Ryan, sent déjà, chez cet homme que le Canada anglais vient de choisir comme « *the Quebecker we need* », « une raideur instinctive, une hostilité larvée à l'endroit d'éléments très importants de l'opinion québécoise, un dogmatisme et un manque de sérénité qui sont la marque d'un homme coupé d'avec le milieu qu'il est censé représenter ». Quand Ryan écrit cela, il n'y a pas trente mois que Pierre Trudeau a quitté Montréal.

Au Québec, on remarque à l'Assemblée législative la présence d'un premier député « séparatiste », François Aquin. Et le 18 novembre 1967, René Lévesque a claqué la porte du Parti libéral, rompu avec ses amis de « l'équipe du tonnerre » et fondé le Mouvement Souveraineté-Association.

« Il n'y a aucune raison de penser que les séparatistes sont très forts et qu'ils ont la faveur du peuple, réplique d'un ton cinglant le nouveau Premier ministre du Canada. On verra... Qu'ils donnent des preuves, qu'ils se fassent élire ! Ensuite, on discutera. »

Tout à la fête d'avoir trouvé un sauveur, le pays n'entend pas l'écho de son « Trudeau, Canada ! » qui redescend déjà la vallée du Saint-Laurent et s'apprête à rebondir en un retentissant « Lévesque, Québec ! »

Trudeau a quarante-neuf ans, Lévesque quarante-six. Toute une génération, adolescente pendant la récession, adulte pendant la guerre, s'est fait les muscles dans une révolution pas si tranquille qu'elle en a l'air.

Et déjà, une autre génération surgit de ces années soixante qui ont restauré la démocratie au Québec et permis à Pierre Trudeau d'entreprendre sa propre révolution à Ottawa. Robert Bourassa, trente-quatre ans, prépare sa campagne pour la succession de Jean Lesage et prend ses distances avec les libéraux fédéraux. Un certain Brian Mulroney, vingt-neuf ans, commence à se faire un nom comme organisateur des « bleus » du Québec.

Trudeau-Lévesque, Bourassa-Mulroney : les principaux acteurs de cette « crise » qu'entrevoyaient André Laurendeau et ses collègues de la Commission d'enquête sur le bilinguisme et le biculturalisme sont en place. « La province de Québec n'a pas d'opinions, elle n'a que des sentiments... », prétendait Laurier. Elle va bientôt être obligée de choisir.

Trop occupé à célébrer le printemps du « Magicien », le Canada n'a rien deviné de tout cela. Au lendemain du congrès d'Ottawa, les journaux s'interrogent à peine sur l'énigme Trudeau. «Le Premier ministre ne ressemblera pas au Trudeau qu'on a connu jusqu'ici», promet l'intéressé.

Il a raison: les «trois colombes» ne tiendront pas longtemps dans la volière fédérale. Des serres de faucon ont déjà commencé à pousser aux pattes de l'un d'entre eux. Porté en politique par Jean Marchand et Gérard Pelletier, Trudeau va y évoluer avec Marc Lalonde et Michael Pitfield.

«Je suis entré en politique fédérale précisément pour dire non!» ose maintenant affirmer Pierre Elliott Trudeau.

Émettant le seul bémol dans le concert des dithyrambes de la Trudeaumania, le père Roger Marcotte, un ancien condisciple de Pierre Trudeau en Philo, écrit un court billet sur cet ancien élève du Collège Jean-de-Brébeuf:

«… Dans cet arbitrage délicat entre les hommes, entre soimême et les autres, Pierre dispose heureusement d'un atout qui l'a déjà beaucoup servi. Une aptitude naturelle au réveil brusque "d'une idée qui durait trop", comme disait Valéry, le goût de la cabriole par quoi l'homme se déprend au bord du ridicule, quand la tension ou le malentendu portent les hommes à se buter, au bord du ridicule ou de la tragédie.»

Dieu sait que des cabrioles et des pirouettes, Pierre Trudeau en a fait dans sa vie! Dans le dos de la Reine à Buckingham Palace, sur une piste d'aéroport en visite officielle à l'étranger, aux portes de l'édifice de la presse nationale à Ottawa. Et des pieds de nez à Joe Clark. Et des doigts d'honneur aux gens de Salmon Arms en Colombie-Britannique.

«La parfaite harmonie entre le sérieux et le badin, écrivent les camarades de Pierre Trudeau dans leur journal de 1938. Du reste, on ne peut savoir quand il est l'un ou l'autre. Ce qui est sûr, c'est qu'il est l'un et l'autre… Philosophe, homme de science, tragédien, comédien, sauvage, sociable, studieux, grand sportif… tels sont les paradoxes de notre vice-président. Simple là où les autres sont fats, et fantastique là où les autres sont simples.»

Intellectuellement, la pirouette devient presque un jeu, une «façon de se déprendre» comme dirait le père Marcotte. Ainsi, quelques instants après avoir enfin atteint son but, alors que neuf

Premiers ministres du Canada anglais se sont résignés à se lier à une Charte des droits et libertés et ont accepté le rapatriement de la Constitution avec une nouvelle formule d'amendement, Pierre Trudeau laisse tomber : « C'est un échec pitoyable. »

Ceux qui étaient dans l'auditorium de l'Édifice national de la presse ont bien cru le voir sourire avant qu'il s'éclipse derrière les lourds rideaux. Mais, longtemps après ses adversaires le prendront encore au mot.

Insaisissable, cet homme qui sait sortir de la crise sans laisser voir s'il a envie d'en rire ou d'en pleurer.

En 1941, le monde entier bascule dans la violence et le génocide. Pierre Elliott Trudeau, qui se rebaptise pour les lecteurs du *Quartier latin* « Chevalier True de la Roche-Ondine », se lance dans le cabotinage et semonce les étudiants de l'Université de Montréal qui ont osé s'opposer à la mobilisation.

Alors, est-ce bien le même Trudeau qui, le 25 novembre 1942, sur l'estrade de la salle des fêtes de l'école Lajoie à Outremont, dénonce la conscription et appuie un certain Jean Drapeau, « candidat des conscrits » à la Chambre des Communes ? « Assez de cataplasmes, passons aux cataclysmes !... » Pierre Trudeau s'en tire sans dire s'il pense que la guerre tient du ridicule ou de la tragédie.

Insaisissable, ce masque à l'orientale, ces pommettes saillantes, ce grand nez qui plisse, cette bouche qui se pince et cette voix qui lui monte au nez quand il s'emporte. Seul ce regard que la myopie rend particulièrement changeant, parfois flou comme un horizon, parfois précis comme l'éclat d'une lame, le trahit parfois. Comme si son âme, au fond de ces grands yeux, ne pouvait plus retenir un mouvement de tendresse ou un sursaut de colère.

« J'étais un enfant très sensible, explique Pierre Trudeau à son biographe officiel, George Radwanski, et je crois que si l'on est ainsi, il faut se forger une armure pour ne pas être sans cesse abattu par le moindre froncement de sourcils ou exalté par le plus faible sourire... Je pense que c'est là un élément bien visible de la composition de ma personnalité, que l'accès à mon for intérieur soit si difficile. Me sachant aussi vulnérable que tout autre, je me suis toujours refusé à y laisser entrer n'importe qui. »

C'est au seuil de la cinquantaine que Trudeau entre en politique sur les pas de Wilfrid Laurier. Pas d'opinions, seulement des sentiments ? Pierre Elliott Trudeau accroche aux murs de la résidence officielle des Premiers ministres du Canada une tapisserie où l'on peut lire : « La raison plutôt que le sentiment. » Est-ce pour se rappeler à l'ordre ? Comme s'il se méfiait du sang québécois qui lui coule dans les veines…

Septembre 1989. Au collège Brébeuf, Roger Marcotte enseigne l'histoire des religions et la philosophie aux enfants de Pierre Trudeau. Le jour des inscriptions, le « père » Trudeau fait patiemment la queue, comme les autres parents, et refuse l'invitation du directeur de passer avant tout le monde.

« Revoilà enfin celui que nous avons connu, soupirent, un peu émus, les jésuites de Brébeuf, le garçon timide qui ne faisait pas l'étalage de ses privilèges. »

Mais au cours de l'été, alors qu'il voulait faire visiter l'Asie à ses trois fils, Pierre Trudeau a demandé à la compagnie aérienne Canadien de lui offrir les quatre billets. Va pour la simplicité et la modestie…

Qui donc est le vrai Trudeau ? Celui que ses amis adulent et que ses ennemis abhorrent, parfois avec le même aveuglement. Toujours lancé dans quelque pirouette, l'homme se dérobe avant qu'on ne le saisisse. Chacun peut ainsi choisir de ne voir que les aspects de sa personnalité qui lui conviennent.

Tantôt cajoleur, tantôt rude, parfois mesquin, souvent arrogant et toujours distant, le jeune un peu bohème qu'on surnommait Piotr, le Pierre-Philippe un peu agaçant qui finit par s'appeler Pierre Elliott, celui dont les Anglais retiendront les initiales — PET —, celui que ses adversaires nomment sèchement Trudeau, que tant de femmes n'ont sûrement pas eu le temps de connaître pour oser parler de « Pierre », celui que ses enfants ont d'abord appelé Dad, celui qui signait la correspondance officielle du Premier ministre Pierre E. Trudeau a rarement été Pierre Elliott Trudeau tout simplement.

Transplanté à Ottawa, Trudeau le Québécois a joué les sophistes, a pris le masque de l'arrogance et s'est parfois permis le coup de main. Pour cacher sa vraie nature?

Ce qui est sûr, c'est qu'il n'aurait jamais été ce qu'il a été si le Canada anglais ne l'avait découvert. Pour se servir de lui? À moins que ce ne soit le contraire!

Trudeau n'a passé que vingt ans de l'autre côté de la rivière des Outaouais. Dans la force de l'âge. Et au moment où il peut enfin prendre le temps de regarder grandir ses enfants, il «revient au Québec», sans trop savoir si Justin, Sacha et Michel, dans cette langue paternelle qu'ils apprennent enfin, se diront Québécois, Canadiens français, Canadiens ou citoyens du monde.

Cette société dont Pierre Trudeau ne voulut jamais qu'elle soit «distincte» se fait de plus en plus distante. On le hue quand il vient s'incliner devant la dépouille de René Lévesque, le vieil adversaire qu'il respectait sans doute, tant il dut s'acharner à le vaincre. Et ses disciples, gênés, n'osent plus parler avec lui de ce Québec où ils trouvent, les uns et les autres, tant de plaisir à vivre.

Il se sent trahi, lui qu'on a si souvent appelé «le traître». Et il s'accroche au dernier pan de pouvoir encore disponible, le Parti libéral du Canada. Il supplie Marc Lalonde de le reprendre en main, pose ses conditions à Jean Chrétien.

Au crépuscule de sa vie, il a peur d'être encore une fois obligé de dire non!

Quand Trudeau se sent à court d'arguments, il cite volontiers les grands esprits, comme Charles Péguy, par exemple: «Je ne juge pour ainsi dire jamais un homme sur ce qu'il dit, mais sur le ton dont il le dit.»

Et Trudeau a beaucoup dit. Sur tous les tons…

Le bel indifférent

(1919-1949)

«… mon esprit de rivalité à moi
était né, non pas du désir de prendre les devants, mais de la peur de
rester en arrière. »

Les blagues
de bourgeois

Quand Gérard Pelletier présente « *Pierre Trudeau, un Québécois canadien* », le 16 février 1968, il ne mentionne pas son âge. Et pour cause, personne n'en sait rien ! Suzette, la sœur du ministre de la Justice et candidat à la succession de Lester Pearson, prétend qu'il est né en 1919. Charles, le benjamin de la famille, pense que c'est plutôt en 1920. La biographie officielle de Trudeau dans le *Guide parlementaire* affirme que Pierre Trudeau est né à Montréal le 18 octobre 1921.

Il aura fallu qu'un recherchiste de *Time Canada* aille fouiller dans les baptistaires de la paroisse Saint-Viateur, à Outremont, pour qu'on découvre enfin le pot aux roses : après avoir « triché » de deux ans jusqu'au bord de la cinquantaine, le Premier ministre du Canada finit par avouer qu'il est né non pas en 1921 mais en 1919 : « Je n'aime pas être trop précis à propos de mon âge, explique-t-il, comme ça, je ne suis pas obligé de répondre aux cartes d'anniversaire et je ne lis pas les horoscopes. » Trudeau est Balance.

La biographie officielle du Parti libéral du Canada a été corrigée. On y explique que « bien avant de faire l'objet d'une enquête par une commission royale, le bilinguisme et le biculturalisme régnaient dans un foyer confortable de la rue McCulloch à Outremont, dans la ville de Montréal [sic]. C'est dans ce milieu biculturel que naissait, le 18 octobre 1919, Pierre Trudeau, premier fils d'une famille de trois enfants. »

Si Pierre Trudeau se rajeunit ainsi, dans les premières années de sa vie, c'est peut-être aussi qu'il n'est pas un enfant prodige. Il est « plutôt gringalet », affirment ses camarades de classe, « timide », se souvient sa sœur, « de santé délicate », explique Trudeau lui-même. C'est un bûcheur plutôt qu'un fort en thème : « Il me fallait travailler plus fort pour ne pas rester en arrière. » Le Barreau à vingt-quatre ans : il n'y a pas, en effet, de quoi crier au génie.

En octobre 1919, le monde vient de sortir officiellement de la guerre, et le Canada, ayant signé le Traité de Versailles, accède à la souveraineté internationale. Sur le plan intérieur, la coalition unioniste que dirige Arthur Meighen à Ottawa commence à s'effriter. Wilfrid Laurier est mort en février et Mackenzie King, qui lui a déjà succédé, s'apprête à ramener les libéraux au pouvoir.

Le Québec, exclu du pouvoir à Ottawa, et dont l'économie éprouve de la difficulté dans un contexte de paix, se replie sur lui-même. Trente ans plus tard, dans une analyse magistrale sur « la Province de Québec au moment de la grève de l'amiante », Trudeau va expliquer :

« Pour un peuple vaincu, occupé, décapité, évincé du domaine commercial, refoulé hors des villes, réduit peu à peu en minorité, et diminué en influence dans un pays qu'il avait pourtant découvert, exploré et colonisé, il n'existait pas plusieurs attitudes d'esprit qui pussent lui permettre de préserver ce par quoi il était lui-même. Ce peuple se créa un système de sécurité, mais qui en s'hypertrophiant lui fit attacher un prix parfois démesuré à tout ce qui le distinguait d'autrui, et considérer avec hostilité tout changement (fût-ce un progrès) qui lui était proposé de l'extérieur.

« C'est pourquoi, contre une ambiance anglaise, protestante, démocratique, matérialiste, commerciale et plus tard industrielle, notre nationalisme élabora un système de défense où primaient toutes les forces contraires : la langue française, le catholicisme, l'autoritarisme, l'idéalisme, la vie rurale et plus tard le retour à la terre. »

En 1919 cependant, Jean-Charles Émile Trudeau, Charlie pour les amis des tables de poker, Charles tout simplement pour la famille, constitue une exception à la situation que décrit Trudeau. Descendant d'une famille de fermiers de Saint-Michel de Napierville, il est le premier à fréquenter l'université et à se lancer dans le droit et les affaires. « La bourgeoisie ne remonte pas très loin chez Trudeau », remarquent les amis d'enfance qui se souviennent du plaisir qu'il prenait à visiter la ferme de ses grands-parents paternels.

Le club automobile que fonde Charles Trudeau à Montréal, en 1927, compte, cinq ans plus tard, quinze mille membres et trente stations-service. En plus de l'essence, l'Association des automobilistes de Montréal offre, en échange d'une cotisation de dix dollars, des cartes routières gratuites, le remorquage en cas de panne et des pintes d'huile à prix réduit. L'affaire va bien et Champlain, une filiale d'Imperial Oil, met la main dessus. En 1933, Charles Trudeau sort de la récession avec plus d'un million de dollars en poche.

Il l'investit dans les mines (Hollinger), la sidérurgie (Algoma), les loisirs (le parc Belmont) et même les sports, avec une franchise du club de baseball Royals.

« C'était, voyez-vous, un homme que j'admirais en tout parce que, du moins aux yeux du monde où je vivais, il avait réussi, explique Trudeau. Il avait beaucoup d'amis, la maison en était toujours remplie. »

Mais c'est aussi un Canadien français qui fréquente le club Saint-Denis plutôt que le Saint-James, et qui s'est installé à « Outremont-en-haut » plutôt que sur la montagne de Westmount. Bon vivant, il part souvent le soir, après avoir surveillé les devoirs de ses enfants, faire une partie de poker avec les amis. Les weekends, il emmène la famille à Mont-Tremblant et initie ses fils à la boxe et à la chasse.

Grace Elliott, l'épouse de Charles, vient quant à elle d'une vieille famille écossaise. Sa mère, une Canadienne française, lui a tout de même appris le français mais, de son éducation au pensionnat de Dunham, dans les Cantons-de-l'Est, elle garde les manières des grandes bourgeoises anglaises de Montréal.

Son frère, qui vit en France, lui fait rencontrer Braque, l'un des pères du cubisme. Grace Elliott ramène d'Europe quelques petites toiles qu'elle accroche aux cimaises de vieux chêne de la grande maison de briques, au 84 rue McCulloch, à Outremont. Ceux qui ont visité cette demeure en gardent un souvenir austère et plutôt intimidant. « Il y avait du brun et des dentelles partout, se souvient Margaret Trudeau, un grand piano en acajou et des chaises recouvertes de tapisserie au petit point. »

Délicate, « spirituelle et douée d'un solide sens de l'humour » se souvient Gérard Pelletier qui l'a beaucoup fréquentée, Grace Elliott donne à son fils le goût des belles lettres et de l'aventure. C'est elle aussi qui initie Pierre aux longues randonnées en canot dont il sera si friand.

Suzette, l'aînée, étudie au couvent du Sacré-Cœur, une institution tenue par des religieuses francophones et que fréquentaient les jeunes filles de bonne famille. Elle se querelle à l'occasion avec Pierre, le plus âgé des deux fils Trudeau, qui est aussi le préféré de son père. Le jeune Pierre étale sa science à l'occasion et, déjà un peu macho, tient à montrer à sa sœur qu'il en sait plus long qu'elle : un jour, il démonte sa poupée pour découvrir comment diable cette « chose » peut bien parler !

Charles junior, d'un an le cadet de Pierre, vit un peu dans son ombre, surtout au collège Brébeuf. C'est « l'autre Trudeau », qui se tiendra toujours loin de la vie publique de son frère. Architecte, il prend sa retraite assez tôt, à Morin Heights, dans les Laurentides.

Pierre Elliott étudie d'abord à la section anglaise de la petite école de la rue Querbes, à Outremont. « Je lui ai pété la gueule une ou deux fois », se souvient Michel Chartrand qui fréquentait la section française. Jusqu'à l'adolescence, Pierre Trudeau va et vient de l'anglais au français. Il est en fait l'un *ou* l'autre, souvent par goût d'emmerder les autres.

« Lorsque j'arrivai au collège, raconte-t-il à Peter Gzowski en 1962, il y avait un autre Pierre Trudeau, et j'ajoutai Philippe, un de mes noms de baptême, à ma signature. Mais plus tard je commençai à employer Elliott, le nom de ma mère, qui est aussi un de mes noms de baptême, et j'avoue que c'était en partie pour vexer les nationalistes. Il faut se souvenir que les années trente étaient une époque de grande ferveur patriotique. Le professeur nous racontait, avec tout le pathos voulu, les beaux passages de notre histoire et, lorsqu'il arrivait à des morceaux de choix telle la bataille de Carillon, les étudiants se mettaient à applaudir. Cela m'amusait et lorsqu'on étudiait des batailles où triomphaient les Anglais, c'était mon tour d'applaudir!»

Alors que le jeune Trudeau visite l'Allemagne avec ses parents, en 1932, son père l'envoie demander s'il y a des chambres libres dans un hôtel. C'est instinctivement l'anglais, plutôt que le français, qu'il mélange à l'allemand en s'adressant à la réceptionniste : «Well, look, haben Sie drei zimmer frei?» Pourtant, les Allemands avaient déjà envahi la France et se préparaient à le faire encore. Et s'ils avaient «conquis» une langue c'était bien le français, et non l'anglais.

Les amis d'enfance se souviennent d'un petit gars «timide, gringalet, émotif». Un rien le faisait pleurer. Un compliment le faisait rougir. Et mon Dieu que ces longues jambes maigres avaient l'air drôles au bout des culottes courtes du collégien!

Les batailles avec les copains de la petite école font toutefois vite comprendre au petit Trudeau, que son père trouve d'ailleurs un peu frêle, qu'il a «besoin de discipline physique pour être en aussi bonne santé que le petit voisin». Il fait consciencieusement, chaque matin, les 5BX des Cadets de l'Air.

«C'est probablement de là, explique-t-il lui-même, que viennent mon amour du sport et mes exploits physiques, mon désir d'apprendre la boxe pour avoir la force de me défendre contre les autres gars, mon envie d'apprendre la lutte et mon désir d'être habile à me colleter.»

Le «délicat», à qui son père apprend la boxe pour le dégourdir un peu, devient bagarreur. Un camarade qui insiste pour l'appeler Toto se fait casser le nez au beau milieu d'un cours de latin.

Au retour d'une équipée en canot de Montréal à la baie d'Hudson, Trudeau savoure les joies de l'effort physique : «Elles n'ont rien à faire avec la satisfaction de l'esprit qui contraint le corps aux travaux pénibles. Satisfaction d'ailleurs souvent mêlée d'orgueil, et dont le corps ne manque jamais de se venger : dans un long portage accablant, j'ai parfois senti ma raison en déroute me fuir honteusement, alors que mes jambes et ma nuque tenaient courageusement le coup ; les vers dont, mâchonnant, je scandais mes pas du début, étaient devenus de brutaux han ! han ! han ! han ! ; et l'esthétique était absente de cette recherche bestiale de la lumineuse éclaircie qui marque toujours la fin d'un portage. »

Pierre Trudeau a beau prétendre « qu'il n'y a peut-être qu'une distinction de fortune entre les canoteurs du parc Lafontaine et les autres qui osent traverser un lac, faire un portage, coucher une nuit sous la tente et revenir épuisés sous l'œil paternel du guide », sa situation de fils de millionnaire, au moment de la Grande Dépression, fait de lui un privilégié.

C'est dans la limousine paternelle, conduite par un chauffeur, que les deux frères Trudeau remontent l'avenue Côte-Sainte-Catherine vers le Collège Jean-de-Brébeuf. Certains de leurs amis, comme Michel Chartrand, marchent quelques kilomètres pour économiser les quatre cents que coûte le billet d'autobus.

À la rentrée, se souviennent Chartrand et Pelletier, « on comptait les absents, comme à la fin d'une longue guerre ». Du jour au lendemain, des familles étaient ruinées et les jeunes devaient quitter le collège pour retourner sur la ferme ou entrer à l'usine. Pierre Trudeau, quant à lui, ramenait de ses vacances des souvenirs exceptionnels pour l'époque, comme ce long voyage dans une Europe lointaine dont tous les enfants de son âge rêvaient.

L'Italie qu'il visite est déjà sous le pouvoir absolu de Mussolini et l'Allemagne s'apprête à nommer Hitler, le chef du Parti national socialiste, chancelier fédéral. Il faut croire que la montée du fascisme frappe l'adolescent qu'est encore Pierre Trudeau puisque à son retour, ce n'est pas de la balkanisation du Canada dont il parle à ses condisciples de Brébeuf, mais bien de celle de l'Europe : « Il parlait toujours de la Silésie (partagée entre la Pologne et l'Allemagne en 1921) et disait que le nationalisme conduit à l'émiettement des États », se souvient Roger Marcotte.

Un an plus tard, en 1933, Charles Trudeau accompagne les Royals de Montréal à leur camp d'entraînement, en Floride : il y attrape une mauvaise pneumonie et meurt subitement. Le jeune Pierre est bouleversé.

C'est un nouveau Trudeau qui retrouve ses camarades de Brébeuf après quelques jours d'absence. Il a maintenant le goût d'épater les copains du collège avec des vêtements excentriques ou des sorties brutales contre les professeurs ennuyeux. Il met le paquet pour vaincre sa timidité. « Mais c'était trop marqué et trop excessif pour que cela ne paraisse pas systématique », rappelle Roger Marcotte.

« Il nous étonne avec ses cravates cubistes et ses « brosses » [ils parlaient bien entendu de ses coupes de cheveux], écrivent les potaches de Brébeuf dans leur journal de juin 1940. Chez Trudeau, le « je-m'en-foutisme » découle d'une philosophie de la vie dans laquelle les propositions de l'opinion publique sont ramenées à leur juste valeur. »

Car le Trudeau de l'époque est avant tout un anticonformiste. En 1939, dans un essai intitulé *Pour réhabiliter Pascal* (que les jésuites de Brébeuf n'aiment pas beaucoup), l'étudiant de Philo I affirme que « l'originalité n'est autre chose que le rare effet d'une personnalité vraie… »

« A priori, l'originalité (extravagante) ne peut pas être rare, car tous nous sommes assez intelligents pour faire des bizarreries indifférentes de temps à autre : c'est clair qu'il faut s'entraîner à passer pour des détraqués, si nous aspirons à poser des actes franchement honnêtes. »

Pierre Trudeau n'est jamais à court d'idées pour se faire remarquer. Il suggère à ses amis de se promener avec un lacet de bottine à la place de la cravate, de porter des culottes courtes (ce qu'il fait effectivement, passé la trentaine, devant les grévistes de Murdochville) ou de se faire raser la tête et de se laisser pousser la barbe.

Pierre Trudeau a toujours le bon mot, terrible parfois, mais sans malice. On est encore bien loin du politicien qui cherche à blesser dans ses reparties. À vingt ans, Trudeau n'essaie pas d'écraser. Il veut seulement attirer l'attention.

Quand un professeur se montre un peu trop prétentieux, Trudeau se lève et ouvre la fenêtre, comme pour montrer que « c'est du vent tout ça » ! Il regimbe volontiers contre l'autorité des bons pères jésuites. Un jour que la discipline lui pèse un peu trop — la barbe lui pousse au menton tout de même! — Trudeau trempe sa plume dans le vinaigre : « Les timorés font de mauvais pompiers, écrit-il. Ils voudraient mobiliser les pompes à incendie, les dévidoirs et les grandes échelles pour éteindre un feu d'allumette... »

C'est que Trudeau n'accepte que la discipline qu'il s'impose à lui-même. « Résolu à me débrouiller seul et ne recherchant que ma propre approbation, confie-t-il à son biographe, j'ai soudainement pris un malin plaisir à être ce qu'on appelait en ce temps-là un original, dans ma façon de me vêtir, dans mes lectures et mes goûts artistiques. »

D'original, l'homme devient systématiquement anticonformiste et s'en fait une gloire. Il admoneste ceux qui refusent de le suivre sur le chemin de la contestation : « Nous sommes trop bêtes pour réaliser que nos propres jugements sont dictés et dépendent des en-têtes de journaux, des bribes de conversation et des qu'en-dira-t-on... On voit l'humanité entière courber le dos sous des modes ridicules de vivre et de penser, sous prétexte qu'il est plus facile d'agir mal en foule, que de réagir seul. »

Celui dont ses camarades de classe affirment qu'il représente « la parfaite harmonie entre le badin et le sérieux » peinturlure, comme il dit, ses écrits d'humour, de poésie et de sophismes, mais livre rarement ses idées. Pour un étudiant de Philo, et en des temps pour le moins troublés, Trudeau s'habille, dans ses textes comme dans la vie, de façon excentrique.

« Il vaut encore mieux avoir une plume ébréchée qu'une plume desséchée », s'excuse-t-il.

« Vous n'avez pas d'idées ? écrit le rédacteur en chef du *Brébeuf* à ses camarades. Forgez-en. Vous ne pouvez vous en forger ? Empruntez-en ; la vérité vous appartient. Vous ne voulez pas en emprunter ? Sabre de bois ! écrivez sans idée. On vous prendra pour un poète, ou un rédacteur en chef, ou un politicien... »

Le premier de classe qui décroche tous les prix de latin — versification, version, thème — et ceux de littérature, d'histoire, d'anglais et de physique, et qui reçoit une Mention honorable de la Banque d'épargne « pour son esprit d'ordre et d'économie » se défend bien d'être un intellectuel pédant.

«Les Penseurs, voyez-vous, sont des gens qui prennent tout au sérieux, déplore-t-il en 1938, et ce qui est pire, qui se prennent eux-mêmes au sérieux… Par malheur, s'entendant dire lourds et profonds, ils ont refusé de comprendre épais et creux.»

Trudeau n'a pas peur de braver la raillerie des autres s'il pense avoir raison. À la fin d'un éditorial, il n'hésite pas à écrire : «C'est du moins ce que je pense. Et je pense que j'ai raison : c'est pour ça que je me suis publié!»

Du jour au lendemain — «je devais avoir quatorze ou quinze ans» —, se rappelle-t-il, Trudeau décide de passer au français international. «À ce moment-là, je commençais à lire Racine, Corneille, Molière, et Dieu sait que les mots que je disais n'étaient pas vraiment ceux qui étaient écrits. Je me suis alors dit : Ou bien je change d'auteurs, ou bien je me mets à parler un peu plus comme il faut.» Sa famille et ses amis eurent beau l'accuser de «se donner des airs», rien n'y fit.

Aussitôt après la mort de son père, Pierre Trudeau emprunte le nom de sa mère et se met à parler comme un Français de France. Veut-il ainsi se détacher des racines québécoises que Charles-Émile Trudeau lui a laissées, et se greffer sur la branche anglo-saxonne que lui tend Grace *Elliott*?

Au moins doit-on au jeune étudiant piqué de bonne rhétorique quelques textes savoureux où, devenu Chevalier True de la Roche-Ondine, il surnomme les copains «Monsieur Hilfet de Lafrase», «Jean Féïtou», «Sassonne Lecreux», «A. Lhume Lalumière», ou son «cher Shé Taclé».

Dans la même page du *Brébeuf* d'avril 1939 où Charles Lussier, futur mandarin du gouvernement fédéral, traite fort sérieusement de l'élection de Georges Duhamel à l'Académie française, Pierre Trudeau se laisse aller à un mélange d'humour et de poésie pour raconter comment il s'est cassé une jambe en ski!

> «… La montée en ski est toujours une réalité. Au début, on peut se plaire à calculer l'angle d'élévation et la valeur de son sinus ; un peu plus haut, on évalue le poids du havresac et la distance parcourue ; puis si la côte se

prolonge, on s'encourage de l'imperturbabilité (sic) de son ombre sur la neige.

«Dès que l'ascension achève, l'idée de la descente illumine l'esprit et la réalité se fait moins brutale. Scrutant la forêt qui barre le passage vers la terre promise, je trouvai une brèche. Nous entrâmes.

«C'était le silence et l'ombre.

«Nos premiers pas furent timides; puis je m'étonnai de la hardiesse de mes skis qui battaient la neige vierge.

«Cependant, notre couloir prenait de l'ampleur et bientôt nous nous arrêtâmes dans une immense crypte lumineuse, voûtée d'azur et tapissée d'hermine. Près du sommet, un écureuil se déplaça; d'un geste large, une branche de pin sema une poussière d'argent qui étincela dans un rayon de soleil. Un oiseau pépia…

«Par curiosité, j'explorai un couloir entre deux conifères badigeonnés de blanc. J'ai vu qu'il conduisait à une clairière, où viennent danser les fées; j'ai vu leurs traces sur le sol et je me suis retiré précipitamment.

«Arrivés à l'orée du bois, nous nous crûmes perdus dans quelque pays imaginaire. C'était l'heure bleue. Le ciel se défaisait de son voile d'azur qui tombait délicatement sur la terre…. Mais les grands pins effilés perforant le firmament çà et là avaient fait quelques trous d'étoiles; un fluide lourd et obscur coulait déjà au fond de la vallée. Il fallait se hâter.

«… Une bosse a suffi pour me projeter dans les cieux d'où l'on ne voyait ni montagne, ni vallée, mais les lumières du village qui gisaient comme une poignée de perles au fond d'un lac, et la Croix du Nord suspendue comme un signe dans le ciel, et les étoiles innombrables comme des flocons de neige.

«Heureux celui qui termine son envolée céleste par une chute dans la neige froidement réelle mais molle.

«À d'autres, il échoit de choir autrement. Votre jambe encercle amoureusement un érable, puis reste quarante jours dans un pin. Skis de frêne et béquilles de chêne. Et ça n'est plus de l'utopie.»

Quelquefois, l'humour de Trudeau devient plus scabreux mais, vice-président du Conventum et rédacteur en chef de la revue du collège, il échappe à la censure. On lui doit ainsi un conte satirique sur l'aventure d'un nouveau pensionnaire dont le voisin de lit, dans le dortoir du collège, avait la fâcheuse habitude de ronfler.

Un soir que le rhume de cerveau «n'enjolivait guère le son», un potache se leva et saisit, «entre le pouce et l'index la proéminence faciale du délinquant et... "Sale cochon!" poursuit Trudeau. Mes doigts avaient rencontré une matière molle et gluante qui laissait une impression écœurante. Le nez, le rhume... Ah! mes aïeux, quelles sensations! Comment pouvais-je deviner que le ronfleur, fatigué de se faire tirer le nez, se l'était enduit de vaseline?»

Il faut croire que ce genre de littérature amusait les élèves de Brébeuf puisque, de la douzaine de textes que Pierre Trudeau publie dans le journal du collège, en huit ans, aucun ne fait allusion aux grands débats de l'heure, encore moins au drame qui secoue l'Europe. Tout au plus trouve-t-on, ici et là, quelques allusions qui laissent déjà deviner le politique.

En 1939 par exemple, Adélard Godbout vient d'arracher le pouvoir à Maurice Duplessis et Trudeau laisse tomber: «Rien n'empêche que les gens du Québec s'attachent aveuglément à l'opinion des anciens, et qu'il est de fort mauvais aloi de fonder un parti qui ne soit ni bleu, ni rouge. Question de ne pas changer ses habitudes...»

Dans le même numéro de novembre 1939 — le Canada vient de déclarer la guerre à l'Allemagne —, Trudeau écrit: «Les guerres ne s'expliquent pas autrement que les modes ridicules, car assez peu de gens préfèrent la guerre à la paix. Passe encore pour les petites guerres entre amis où l'on se réunit pendant quelques jours pour hisser des drapeaux et jouer du tambour, quitte ensuite à arrêter après avoir pris un coup et tué trois ou quatre hommes — simple formalité. Mais les vraies guerres où les soldats se fâchent et où les bombes tuent jusqu'à la mort, personne n'aime ça. Pourtant, les soldats n'osent pas dire qu'ils préféreraient arrêter, après quelques années, parce que ça fait mal d'être fusillé. Et les généraux n'osent pas demander la paix de crainte d'être mal vus des soldats.»

Antimilitariste, Pierre Trudeau ?

«Un planqué», insinueront les conservateurs de John Diefenbaker pour le discréditer auprès des anciens combattants. Mais ce mot peut-il avoir un sens quand tous les Canadiens français ont voté contre la conscription ?

Hitler, à cette époque-là, n'impressionne pas Trudeau. Il s'en sert au contraire pour railler les compatriotes qui gueulent contre les Anglais. «Si le monstre de Berlin est victorieux, nous n'aurons plus la vie si facile», lance Trudeau dans *Le Quartier latin* d'avril 1941, imitant la rhétorique des politiciens de l'époque. «Coloniaux de la perfide Allemagne, poursuit Trudeau comme s'il s'agissait de l'Angleterre — la «perfide Albion» —, nous trouverons en elle une maîtresse implacable qui tentera l'assimilation par tous les moyens. Détruire notre foi, imposer la langue allemande et abêtir notre culture : visées qui nous vaudront seules ses funestes attentions. Elle dominera notre vie économique, elle nous réduira dans l'industrie aux emplois subalternes. Nos campagnes seront vidées, nos ressources naturelles accaparées. Et c'est alors que nous connaîtrons l'écœurante moquerie d'une presse qui trahit, d'une oligarchie qui écrase, d'un gouvernement qui exploite le peuple qu'il est censé protéger.»

Pas étonnant qu'avec des propos pareils Pierre Trudeau soit congédié du *Canadian Officers' Training Corps* — «pour indiscipline», précise-t-il lui-même —, et qu'il finisse la guerre aux Fusiliers Mont-Royal, ce qui est tout de même plus tranquille que les plages de Bernières en Normandie où se retrouvent, à la même époque, «les gars du Régiment de la Chaudiète».

On imagine la réaction des âmes bien-pensantes de Sainte-Agathe, au nord de Montréal, lorsque, au beau milieu de la guerre, Trudeau, en compagnie de son ami Roger Rolland, pétarade sur sa Harley-Davidson, coiffé d'un casque à pointe de l'armée prussienne!

«Ils faisaient des blagues de bourgeois qu'ils étaient, commente Gérard Pelletier. Je pouvais trouver ça drôle à l'occasion mais cela ne m'intéressait pas. Je trouvais cela très gratuit, dans un temps où les nécessités étaient plus pressantes…»

En 1940, quand Trudeau sort de Brébeuf, la plus belle chose qu'il emporte, c'est l'amitié. Pour des hommes avec lesquels il va jouer les fêtards, à Paris, comme Roger Rolland. Et pour d'autres avec lesquels il va rompre, comme Pierre Vadeboncœur. Les compagnons d'armes, comme Gérard Pelletier, les intimes des années de pouvoir, comme Marc Lalonde, ceux qui suivront d'autres routes vers le succès, comme Jean de Grandpré, tous ceux-là sont encore fort occupés ailleurs.

Les plus belles pages que Trudeau ait écrites concernent d'ailleurs l'amitié. Au retour d'un voyage en canot : « Une école d'amitié, retient-il, où l'on apprend que le meilleur ami n'est pas la carabine, mais bien celui qui vous partage chaque nuit son sommeil, après dix heures d'aviron à l'autre bout du canot. »

« Mettons maintenant qu'il faille remonter un rapide à la cordelle, explique Trudeau, et que ce soit à votre tour de rester dans le canot pour le diriger : voyez votre ami trébucher sur les billots, glisser sur les roches, caler dans la glaise, déchirer ses jambes et boire une eau dont il n'a pas soif, mais ne lâche jamais le câble alors que vous, en sûreté au milieu de la cataracte, vous abreuvez le haleur de railleries. Lorsque ce même homme vous aura aussi nourri de l'exacte moitié de sa pêche et fait portage double à cause de votre blessure, vous pouvez vous vanter d'avoir un ami pour la vie et qui en sait long sur vous-même. »

Trudeau n'a ainsi, à vingt et un ans, qu'un réseau de connaissances avec qui il a remonté la Harricana, échangé des coups de poing dans la cour d'école ou des bons mots dans les joutes oratoires.

Son pays, il l'a dans le corps, plutôt que dans les tripes. La seule définition du nationalisme qu'on lui connaisse encore s'est gravée dans ses chairs au long des défis qu'il a lancés à la nature : « Je connais un homme à qui l'école n'a jamais su enseigner le nationalisme, écrit-il comme s'il parlait de lui-même, mais qui contracta cette vertu lorsqu'il eut ressenti dans sa chair l'immensité de son pays, et qu'il eut éprouvé par sa peau combien furent grands les créateurs de sa patrie. »

En fait, hormis un « esprit sain dans un corps sain », ce qui satisfait fort bien l'ambition des jésuites de Brébeuf, Pierre Elliott

Trudeau, qui fut un temps Pierre-Philippe, puis Piotr, puis Elliott, puis Pierre, ne sait plus très bien où il en est quand vient le moment d'entrer à l'université.

« Si vous êtes médecin, l'on vous croit assassin. Si vous êtes moine, l'on vous dit paresseux. Si vous faites de la politique, vous êtes un bandit. Restez enthousiastes, et vous serez écervelés ; assagissez-vous et vous serez une « jeunesse vieillotte » ; soyez artiste ou penseur, et vous passerez pour inabordables. Je ne sais plus où donner de la tête, moi ! »

Et puisqu'il est tout juste majeur, que seul le continent américain a été épargné par la guerre, Pierre Trudeau s'inscrit à l'Université de Montréal, sa façon à lui de remettre à plus tard « le temps des choix ». La seule chose dont il est sûr, c'est qu'il ne veut pas s'engager. Pas plus dans les mouvements politiques que dans l'armée canadienne…

En 1939, Gérard Pelletier, déjà militant à ce moment-là aux Jeunesses Étudiantes Catholiques, met ses camarades des autres collèges au défi de s'engager. « Je demande donc que, sous le patronage de JEC qui les relie tous, chaque journal étudiant définisse son attitude, par la plume de son responsable étudiant, dans l'éditorial de son prochain numéro. »

Or il se trouve que, cette année-là, le responsable du *Brébeuf*, c'est Pierre Elliott Trudeau lui-même. Il rédige donc un texte qu'il intitule pompeusement « Ceci est l'éditorial ».

« Le journal a une attitude bien définie, réplique Trudeau d'un ton sans appel : elle consiste à n'avoir aucune attitude bien définie ! »

« Il s'était payé ma tête », convient un Pelletier qu'une longue amitié a rendu indulgent.

N'empêche qu'un jour, lorsqu'il aura besoin de se sentir dans le coup, Trudeau se souviendra des militants de la JEC, comme des syndicalistes, comme des gauchistes. Mais ce n'est pas encore le temps…

La « *mauvaise* » université

« Pierre détestait l'étude du droit, confie sa sœur Suzette, et je pense que s'il l'a terminé, c'était uniquement parce qu'il s'y était engagé. Il n'aimait pas ses classes. » L'intéressé lui-même nie du bout des lèvres et reconnaît qu'il n'a pris goût au droit qu'environ deux ans après le début de ses études.

Quand il quitte le Collège Jean-de-Brébeuf avec son baccalauréat ès arts en poche, Pierre Trudeau est indépendant de fortune. Les deux millions de dollars que Charles Trudeau a légués à sa veuve et à ses trois enfants lui permettent de fréquenter les meilleures universités, sinon les plus coûteuses.

Grace Elliott n'est pas femme à imposer un choix à son fils aîné. Elle part souvent en voyage autour du monde avec des amies et, de toute façon, voudrait-elle dicter sa volonté à Pierre que l'esprit d'indépendance de celui-ci le conduirait à faire tout le contraire.

Pierre Trudeau choisit l'Université de Montréal, alors qu'il aurait pu se payer Harvard. Les raisons d'une telle décision demeurent mystérieuses ; peut-être le fait que les jésuites ne lui avaient guère parlé que des grands maîtres français l'éloignait-il des États-Unis ? Quant à l'Europe, à l'époque, elle était coupée de l'Amérique par la guerre.

Pour des raisons sentimentales autant que par goût sans doute, Pierre Trudeau aurait préféré s'engager dans les disciplines de l'esprit, la psychologie en particulier. Mais en 1940, la psychologie n'est pas encore enseignée à l'Université de Montréal.

Enfin, Charles Trudeau avait tenu à son fils les propos que tous les pères canadiens-français de l'époque tenaient : « Étudie le droit, ça te fera un bon fond et tu pourras ensuite faire d'autres choses comme moi. »

En dépit de la volonté de leurs pères, le droit avait le don d'ennuyer les jeunes Canadiens français prometteurs. « Les études de droit dégagent un ennui mortel, déclare René Lévesque à la même époque sur les bancs de l'Université Laval. D'un ton monocorde, un juge répète ce cours de droit romain qu'il a concocté il y a un quart de siècle et qui, depuis lors, n'a pas varié d'un soupir — pas plus que le droit romain lui-même… »

Bref, à vingt et un ans, Trudeau entre, à reculons, dans une université « minable à l'époque », se souvient Gérard Filion, alors que parmi les facultés et les écoles affiliées de l'Université de Montréal, seule l'École des hautes études commerciales avait droit à des professeurs à temps plein.

D'autres diplômés du même Conventum 1938 de Brébeuf, comme Jean de Grandpré — futur président des Entreprises Bell Canada —, décident de fréquenter la prestigieuse Université McGill, riche, bien cotée. En choisissant son université, Pierre Trudeau, pourtant « biculturel », prend une tangente qui le conduit tout droit vers la bourgeoisie canadienne-française plutôt que vers l'élite du Canada anglais, comme il l'a fait en entrant à Brébeuf.

Indépendant de fortune, Pierre Trudeau aurait pu s'inscrire à la seule faculté qui trouvera grâce à ses yeux, l'École des sciences sociales de l'Université Laval, fondée en 1932, dont le père Georges-Henri Lévesque vient de prendre la direction.

« Ce dominicain, explique Trudeau, offrait alors l'exemple plutôt rare chez nous d'un homme qui, dans sa maturité, n'interdit pas à la réflexion et à la recherche scientifique de renverser des idoles de jeunesse. Esprit devenu libéral, le père Lévesque organisait l'enseignement sur une base rationnelle, soignait la préparation de ses professeurs en leur facilitant des études à l'étranger, acceptait que la science évince les préjugés, et reconnaissait que l'enseignement de la morale sociale catholique ne peut pas se dispenser d'intégrité intellectuelle.»

Il est donc surprenant que Pierre Trudeau échoue littéralement dans une université qu'il méprise profondément, comme les commentaires qu'il publie en 1956 dans son étude sur «la Province de Québec au moment de la grève de l'amiante» en font foi de façon cruelle à l'égard d'Édouard Montpetit, du frère Marie-Victorin et de bien d'autres.

À l'époque où Trudeau la fréquente, l'Université de Montréal fonde son Institut de sociologie. «Fausse représentation, commente Trudeau : le prétendu Institut ne fit guère de sociologie qu'à la manière des compilateurs d'annuaires téléphoniques!»

«Il ne vaut même pas la peine de s'arrêter à nos facultés de droit canadiennes-françaises. Des avocats pressés y venaient enseigner aux étudiants comment se retrouver dans les différents codes de la province de Québec. Toute notion de sociologie juridique en était scrupuleusement écartée, les grands courants de la philosophie du droit y étaient inconnus, les rares cours de droit public ne valaient pas une galéjade, et on ignorait jusqu'aux noms de Jean Bodin et de Jeremy Bentham...»

Si Trudeau pouvait tenir de tels propos sur son *alma mater* en 1956, c'est qu'à Cambridge, comme à Paris et à Londres, d'autres facultés, plus prestigieuses mais aussi plus anciennes, l'avaient mis en contact avec des ouvrages comme les *Six livres de la république* (Bodin) ou le *Traité de la législation civile et pénale* (Bentham).

Trudeau souligne que la proportion de Canadiens français dans les professions libérales et parmi les cadres de l'industrie et du commerce est très inférieure à ce qu'elle devrait être en fonction de leur poids démographique. «En somme, les Canadiens français sont toujours les scieurs de bois et les porteurs d'eau de la révolution industrielle ; et sur une période de vingt ans, nos institutions d'enseignement n'ont pas fait avancer notre pourcentage de techniciens plus vite que notre pourcentage de manœuvres.»

Les recteurs, pas plus que les professeurs titulaires, ne souhaitent à l'époque que les universités deviennent des instruments de changement social. « Le rôle d'une université est de conserver et de transmettre la science beaucoup plus que de l'accroître », prétend toujours l'Université de Montréal dans son mémoire à la Commission royale d'enquête sur les problèmes constitutionnels en 1954.

Mais en 1940, Pierre Trudeau semble fort bien s'accommoder de cette situation. On ne lui connaît pas à l'époque un seul écrit, ou un seul discours, qui la dénonce.

Présentant son ami au moment du lancement de sa campagne à la direction du Parti libéral du Canada, Gérard Pelletier explique que, « de ces années de jeunesse, le souvenir le plus précis qui [lui] revient est celui d'articles au *Quartier latin* : incisifs, polémiques, nourris d'humour féroce et d'ironie cinglante et qui abordaient avec une fougue rare les problèmes politiques du temps ».

Tout cela fait sans doute une belle biographie officielle pour le candidat de la « Société juste », mais un examen systématique des microfiches de la Médiathèque de l'Université de Montréal révèle que cela tient de la légende : en tout et pour tout, et sur les trois ans qu'il passe dans cette université, Pierre Trudeau publie moins d'une demi-douzaine de textes, dont une lettre de lecteur dans la chronique « En gueuleton », la critique d'un traité scientifique sur *Les Origines de l'homme américain* — dont il s'acquitte d'ailleurs avec le plus grand scrupule, « car il est des gens qui lisent toutes les critiques et aucun ouvrage : c'est ainsi que le prestige de mon grand nom aura contribué à faire connaître quelques phrases de l'obscur professeur Paul Rivet » —, et une ode demeurée célèbre à motocyclette !

Pierre Trudeau a toujours aimé se faire remarquer par ses véhicules autant que par ses atours : la Harley-Davidson, la Jaguar, la Mercedes... Michel Chartrand a beau grogner : « On est assis à terre, c'est un tape-cul ce machin-là ! », rien n'y fait. Pierre Trudeau parle de ses véhicules comme Richard III de son cheval.

Dans le numéro du 30 mars 1944 du *Quartier latin*, Pierre Trudeau se porte donc à la défense de sa chère motocyclette et fustige les rétrogrades « anachronisants » qui ne comprennent pas que la motocyclette puisse être autre chose qu'un « banal moyen de locomotion ». « *Pritt zoum bing* », titre la page huit...

« Parfait outil d'évasion ! Regardez contre le jour le profil de cette moto, et vous serez dans l'admiration de cette structure légère et ramassée. Deux roues, parce que l'une serait instable et lente, et que trois surcharge. Le moteur, parce que les muscles ont mieux à faire que de tourner des pédales. Le réservoir, pour l'essence et non, comme vous le croyiez, parce qu'il fallait offrir au cavalier une selle qui remplisse harmonieusement cet espace entre les roues. Et jusqu'à ces deux sacs de côté, seul bagage possible, et vite comblés, qui interdisent les départs calculés et languissants.

« De cette machine prête à bondir à la seule contraction d'un doigt, l'organisation est si savante et si simple qu'un excès de logique parfois me convainc que l'homme a été imaginé en vue du motocyclisme : les narines ouvertes vers le bas, les oreilles frôlant la tête permettent l'accélération optime sans entonnement de vent et de poussière. Pour parler candidement : la moto se contrôle par deux poignées, aussi avons-nous deux poignets…

« Vous qui vantez les jeux d'équipe, observez le motoïste et son croupier… Faut-il gravir une montagne ? passer un terrain sablonneux et difficile ? Ils serrent tous deux des genoux leur monture, sentent la même chaleur contre les mollets, voient ensemble surgir la plaine par-dessus le sommet, ou la route se redresser par-delà la courbe. L'un tient le guidon, et l'autre a donné le coup de reins pour écarter le cahot sournois ; l'un voit un champ de sarrasin et l'autre remarque le sent-bon ; l'un a une envie de nager, mais c'est l'autre qui arrête la moto au bord de la plage… »

Trudeau, le bohème, semble en définitive parler de lui dans cet article et il n'est pas difficile de l'imaginer, dans ses courses sur les pelouses léchées des hôtels et des squares, à travers les bosquets, sur les plages, au bout des quais et jusque sur les plaines d'Abraham. Pierre Trudeau, l'ancêtre des motards, un *Hell's Angel* doublé d'un poète !

Pendant que Trudeau étudie à l'université, c'est la guerre, « ce conflit qui était la grande aventure de notre génération », prétend René Lévesque. Mais Pierre Trudeau n'a jamais eu tellement l'intention de s'en mêler.

Au début des années quarante, au moment où un « coupon de rationnement du consommateur » donne droit à une livre de sucre, à deux onces de thé ou à une demi-livre de café ou de beurre, Pierre Trudeau tient salon et vit en aristocrate.

C'est entre autres grâce à ces soirées de débats littéraires et philosophiques qui se tiennent dans le sous-sol de la maison familiale, à écouter des disques de musique classique, que Gérard Pelletier commence à se rapprocher des « gars de Brébeuf ». François Hertel, un jésuite hors série et un formidable maître de philosophie pour les jeunes de l'époque, fréquente alors le groupe et anime les débats. Certains soirs, Pierre Trudeau lui-même se lance dans la lecture d'extraits de *L'Équipée,* une œuvre posthume du poète breton Victor Segalen.

Trudeau se sent un peu mal à l'aise dans sa peau de « fils de riche ». Il sait très bien, et le déplore, que 48 p. 100 des « immatriculés » à l'Université de Montréal viennent de milieux professionnels, alors que ceux-ci ne représentent qu'un peu plus de 10 p. 100 des salariés. « Ces chiffres nous invitent à croire, écrit Trudeau, que l'état de fortune et l'état social sont de prime importance pour déterminer l'accès aux études universitaires. En très grande majorité, les enfants nés pauvres doivent se contenter de quelques années d'école primaire, où leurs manuels de lecture et leurs problèmes d'arithmétique font la louange des vertus bourgeoises et illustrent la gloire de la libre entreprise. »

Mais Trudeau n'écrira ces lignes qu'en 1956, quand il militera dans les mouvements de gauche et dans les centrales syndicales. En avril 1941, dans le *Quartier latin,* il parle plutôt de sa condition avec humour : « Ma profession vénérable et ma haute valeur personnelle assurent mon accès aux milieux très distingués de notre Dominion. Je fréquente à l'envi les réfugiés de luxe, les hommes d'État, d'affaires et d'ailleurs. L'université et le haut clergé ne me sont point étrangers. Et je n'étonnerai personne à dire que mes familiers, en grand nombre, en sont, au décès et au métal près, à laisser couler leur immortalité en des statues de bonze (sic!).»

Au-delà de l'ironie, transpire une conscience aiguë d'appartenir à une classe privilégiée. Pierre Trudeau ne fait d'ailleurs pas étalage de ses privilèges. Les copains de Brébeuf ne parlaient-ils pas du «copain chic et dévoué»?

Le ton désinvolte des écrits et des rares interventions publiques de Pierre Trudeau contraste avec l'engagement des Gérard Pelletier et autres Maurice Sauvé dans les mouvements catholiques, et avec les tirades enflammées d'un André Laurendeau. Dans un numéro spécial du *Quartier latin* sur le fédéralisme et le nationalisme canadien-français, on ne trouve aucune trace de Pierre Trudeau.

Sa seule incursion dans le domaine politique viendra, brièvement, au moment du débat sur la conscription. Depuis 1941, les grands journaux du Canada anglais comme le *Winnipeg Free Press*, le *Globe & Mail* et le *Ottawa Citizen* demandent qu'on mette le Québec au pas et accusent les Canadiens français d'être des lâches, des traîtres et des racistes parce qu'ils refusent d'aller se battre aux côtés des Anglais pour défendre la mère patrie. Le directeur du *Devoir* de l'époque, Georges Pelletier, ainsi qu'André Laurendeau, Gérard Filion, Jean Drapeau et d'autres forment la *Ligue pour la défense du Canada*.

Les effectifs de l'armée canadienne en Europe comptent 125 000 hommes tous volontaires. Le service militaire obligatoire existe, mais pour la défense du Canada seulement.

L'entrée en guerre des États-Unis et l'extension du conflit à travers le monde obligent le Canada à grossir son contingent en Europe. Malgré les promesses du gouvernement fédéral, il y aura donc conscription et Ottawa fait approuver sa décision par référendum.

Quand le Canada se prononce en avril 1942, le Québec part d'un côté et le Canada anglais de l'autre. Et Trudeau est du côté du Québec. En moyenne, les Québécois votent à plus de 71 p. 100 contre la conscription, tandis que les provinces anglaises lui sont favorables à plus de 80 p. 100.

«Voici le phénomène le plus étonnant, remarque André Laurendeau : sans presque avoir été rejointes par la propagande de la Ligue, les minorités françaises du Canada ont donné, partout où elles forment un groupe important, une majorité au NON. Cela ressemble à un réflexe instinctif.» «L'instinct» de Trudeau le pousse, un soir de novembre 1942, aux côtés de Jean Drapeau, de Michel Chartrand, de D'Iberville Fortier et d'autres, sur l'estrade de la salle des fêtes de l'école Lajoie, à Outremont. «On fait à Ottawa une politique d'après-moi-le-déluge. Elle est imbécile, quand elle n'est pas écœurante. Le Gouvernement a déclaré la guerre au moment où l'Amérique n'était pas menacée d'une invasion, au moment où Hitler n'avait pas remporté ses foudroyantes victoires.»

«Je crains que mes motifs n'aient pas été très nobles : je pense que c'était un peu pour emmerder le Gouvernement», confiera Trudeau un quart de siècle plus tard. Mais il est vrai qu'il s'intéresse alors à la direction du Parti libéral du Canada…

Ce sacré Trudeau a la manie de la contradiction… «Il ne faut pas chercher d'autre constante à ma pensée que celle de s'opposer aux idées reçues : du temps où j'étais collégien, j'avais déjà pris le parti de ramer contre le courant.»

Dans les années quarante, «le contenu rationnel de nos débats électoraux et parlementaires est si exigu qu'il n'oblige en rien les politiciens à faire l'éducation de leurs électeurs québécois : les élections se livrant alternativement à coups de nationalisme et de "whisky blanc" dans nos arènes politiques, les passions sont maîtresses et les moins avouables d'entre elles s'infiltrent dans l'administration de la chose publique».

Alors, puisque le Canada anglais et les partis politiques veulent enrôler la province, Trudeau prêche l'insurrection !

C'est finalement un Pierre Trudeau frustré, amer, dégoûté de la vie et méprisant son peuple qui est admis au Barreau de la province de Québec en 1943.

Neil Morrisson, qui milite avec les étudiants de McGill au Canadian Youth Congress, se rappelle les Pelletier et Claude Ryan dans les grandes conférences nationales. «Trudeau ? On ne le voyait jamais à cette époque-là.»

André Laurendeau s'en prendra lui-même, quelques années plus tard, aux attaques virulentes de Trudeau contre les universités québécoises. «[Trudeau] prononce un jugement, il réclame des têtes et nous avons déjà vu que sa guillotine fonctionne un peu trop arbitrairement… Je crois sentir chez Trudeau les signes d'une amère déception.»

Gérard Filion acquiesce: «Il est bien possible que Trudeau ait eu le sentiment d'avoir fréquenté la mauvaise université.»

De fait, quand Jean de Grandpré, par exemple, sort de McGill à la même époque et voit les portes des plus prestigieux bureaux d'avocats s'ouvrir devant lui, Trudeau s'ennuie, après quelques mois de pratique. «J'ai exercé un an et j'ai trouvé cela tout simplement insupportable.»

Et puis, en 1943, à quoi un yuppie de vingt-quatre ans, célibataire et riche de surcroît, pouvait-il bien occuper ses loisirs? «Ce n'était plus tenable, raconte Lévesque dans ses mémoires: à moins d'être en uniforme, c'est bien simple, on ne trouvait plus de filles à sortir.»

Pas Trudeau…

Le mariage manqué

Une des légendes les plus tenaces à propos de Pierre Trudeau en fait un tombeur de jolies femmes. Et quand le célibat s'est un peu trop prolongé, certains ont cru deviner chez l'homme quelque penchant homosexuel!

Les frasques de Trudeau ont tellement alimenté la chronique mondaine que, lors de ses visites officielles à l'étranger, on s'intéressait davantage à ses soirées intimes qu'à ses tête-à-tête avec les grands de la politique. Aux États-Unis, par exemple, le Premier ministre du Canada avait plus de chances de se retrouver dans la rubrique des spectacles du prestigieux *Washington Post*, au bras de Margot Kidder, que dans les chroniques politiques.

En fait, Pierre Trudeau fut pendant longtemps un «oiseau-mouche» — l'expression est d'une femme — qui butinait çà et là, l'instant d'un éclair et sans jamais se poser sur une fleur.

«Il cherche sa voie», disaient ses intimes. «Il résistait à tout ce qui aurait pu l'attacher, y compris le mariage», se souvient Gérard Pelletier.

«Je suis resté célibataire si longtemps que j'ai oublié pourquoi j'ai décidé de le devenir! confia Trudeau lui-même à Norman DePoe en 1965. Je suppose que vous diriez que je suis un "coureur". Je ne me vois pas casé : il y a tellement de jolies femmes à Montréal… Pardon! je devrais dire jolies et intéressantes.»

Pourtant, deux femmes ont bien failli changer le cours de l'histoire, aux deux extrémités de sa vie d'adulte et à trente-cinq ans de distance : Thérèse Gouin en 1941 et Margaret Sinclair en 1976.

Dans les années trente, les femmes ont beau porter la taille basse, raccourcir leurs jupes au-dessus du genou et ruer du talon sur un rythme de charleston, les mœurs sont autrement plus strictes qu'aujourd'hui. Tant au collège que dans ses loisirs, Pierre Trudeau vit dans un monde d'hommes. Son plus grand plaisir, c'est de se lancer dans quelque expédition lointaine, de se colleter à une nature hostile et de ressentir, dans ses blessures et dans sa fatigue, « les joies de la vie dure ».

Quand il ne descend pas les rapides d'une rivière capricieuse, Trudeau privilégie la lecture de quelque livre religieux — en latin au besoin — que lui recommande le père Robert Bernier. Les femmes qui ont connu Pierre dans la vingtaine se souviennent d'un gars « négligé, mauvais teint et plein de boutons… Et qui vit chez sa mère en plus. » Pas de quoi faire tourner la tête aux jeunes filles d'Outremont !

Au moment où il fréquente l'Université de Montréal cependant, il est officiellement « fiancé » à Thérèse Gouin. Même si tous ceux qui les ont connus à l'époque n'en parlent qu'à mots couverts, il semble bien que Trudeau en était alors à sa première fréquentation sérieuse et qu'il envisageait le mariage.

Thérèse fréquente alors régulièrement la grande maison de la rue McCulloch où l'on prend le thé en se parlant à voix basse et où l'on vous regarde d'un air sévère si vous faites un peu de bruit en tournant la cuiller dans la tasse de porcelaine fine.

C'est au cours d'un de ces ennuyeux après-midi que Thérèse Gouin a commencé à se détacher de Pierre Trudeau. « Ma chère, lui dit-il soudain devant les autres invités, ne prenez pas encore de ces petits fours parce que vous risquez de voir vos formes s'arrondir un peu trop. »

L'incident peut paraître anodin. Il n'en demeure pas moins que Trudeau est resté célibataire et que Thérèse Gouin a finalement épousé Vianney Décarie. Elle a poursuivi une carrière de professeur de psychologie à l'Université de Montréal. En 1968, c'est le couple Décarie qui a organisé dans la province une pétition de personnalités québécoises demandant à Pierre Trudeau de poser sa candidature à la succession de Lester Pearson.

Que serait-il arrivé si, à l'époque, Pierre Trudeau s'était montré un peu plus galant envers sa fiancée ? Il serait probablement devenu un sage professeur d'université ou, comme son père, un avocat et homme d'affaires.

En avril 1968, sur le plancher du Centre civique d'Ottawa où Pierre Trudeau venait d'être sacré Premier ministre du Canada, Alec Pelletier confiait à une journaliste du *Toronto Star* : « [Thérèse] a dit non et cela a peut-être changé la vie [de Pierre]. Presque du jour au lendemain et sans qu'on s'en rende compte, les Canadiennes françaises venaient de passer à travers une période de libération. Cela a toujours été un mystère qu'il ne se soit pas marié et je suppose qu'on interprétera cela de diverses façons. »

Les femmes du Québec venaient en effet d'obtenir le droit de vote ; la société québécoise sortait à peine du matriarcat. Le côté rural qui sommeillait encore en Pierre Trudeau aurait volontiers accepté la vie rangée d'un petit bourgeois d'Outremont. D'autant plus que Thérèse Gouin montra, en le laissant tomber, qu'elle avait du caractère !

Donc en 1941, malgré lui, Pierre Trudeau « garde sa liberté de mouvement », comme il le dira souvent aux amis qui veulent l'entraîner dans quelque aventure politique. Célibataire, riche, brillant esprit, il se console bien vite puisque, comme en témoignent tant d'entre elles, toutes les femmes lui courent après.

Quelques années plus tard, Michèle Juneau a l'occasion de connaître le Trudeau-canaille qui défraie alors la chronique des années cinquante. Lorsqu'il s'était rapproché des militants de la JEC, Pierre Trudeau s'était lié d'amitié avec Pierre Juneau, dont il fera plus tard un mandarin du pouvoir fédéral et un président de Radio-Canada. C'est ainsi qu'il avait connu Michèle. Elle-même poursuivait à l'époque une carrière d'actrice à la télévision.

La « bohème » de l'époque se réunissait souvent à L'Échouerie, un bar à la mode où on pouvait croiser le sculpteur Armand Vaillancourt, le poète Leonard Cohen, et toute la faune du spectacle. Un soir, Trudeau y entre avec une de ces blondes qu'il avait le secret de découvrir — « elles étaient toutes plus blondes les unes que les autres », raconte Pelletier.

« Michèle, tu m'emmènes dans une boîte : je veux m'encanailler », chuchote alors Trudeau à l'oreille de Michèle Juneau.

Un autre endroit à la mode, mais beaucoup plus populaire, était le bar de l'hôtel Plazza, place Jacques-Cartier. « C'était un trou, mais la bière n'y était pas chère », se souvient Michèle Juneau. Et puisqu'il voulait « s'encanailler », autant lui faire connaître la vraie canaille, se dit-elle.

La bande s'en va donc dans le Vieux-Montréal et s'installe à une table du bar, devant d'immenses pots de bière. Trudeau observe du coin de l'œil quatre marins, les bras pleins de tatouages, assis à une table voisine.

« Tu les invites à notre table ! ordonne soudain Trudeau.

— Mais, Pierre, je les connais pas les mecs…

— Si, si ! Je paie la bière, insiste Trudeau. Tu les invites à notre table. »

Avec quelque appréhension, Michèle Juneau se dirige vers les quatre hommes.

« Le gars, à côté, vous invite pour une bière », leur dit-elle. Il faut croire que les marins trouvent l'invitation un peu équivoque puisqu'ils se retournent lentement sur leur chaise, toisant Trudeau, sans rien dire.

Comme s'il voulait s'abaisser à leur niveau, mais avec une telle maladresse que cela fait pouffer de rire les deux femmes qui l'accompagnent, Trudeau lance aux marins, de cette voix nasillarde qu'il prend lorsqu'il cherche une bagarre :

« Heye ! les gââârs. Quessé qu'vous faites icitt ? »

Le ton était tellement faux, se souvient Michèle Juneau, que, ce jour-là, Pierre Trudeau a bien failli se faire casser la figure par quatre gars du port.

Même si elle ne le porte pas dans son cœur, Michèle Juneau reconnaît que toutes les femmes rêvaient de sortir avec ce fin causeur qui roulait en Jaguar : « Quand Pierre Elliott nous invitait à prendre une bière, on était bien fières. »

Quand il n'était pas d'humeur canaille, Trudeau fréquentait plutôt les bars anglais, du côté des rues de la Montagne, Bishop ou Stanley, comme la Casa Espagnol ou le El cortijo. «C'était un gars assez tranquille, qui se tenait à l'écart, sans mot dire, raconte Marie Choquet, qui l'a fréquenté à Montréal et à Ottawa. Il y avait autour de lui comme un halo de mystère qui fascinait les femmes.»

Et l'homme pouvait se montrer jaloux à l'occasion!

Un soir, alors que Marie Choquet rentre chez elle avec un ami, le couple s'aperçoit que Pierre Trudeau les suit jusqu'aux abords de l'appartement qu'elle occupe alors au coin des rues Guy et Sherbrooke.

Tôt le lendemain matin, lorsque l'homme quitte l'appartement, quelle n'est pas sa surprise de constater que Trudeau est encore là, à faire le guet. Et lorsqu'il s'arrête pour attendre l'autobus, Pierre Elliott se dirige vers lui, menaçant:

«Elle est à moi», dit-il brutalement, en l'empoignant par la cravate...

Chaque fois qu'il trouvait une jolie femme, Trudeau s'approchait et on les voyait engagés dans quelque interminable conversation. Lors d'un colloque à la maison Montmorency, près de Québec, Pierre Trudeau se dirige vers la cabine où une grande blonde s'épuise à traduire les débats. Galant, il lui offre de la remplacer pour lui permettre de se reposer la voix.

La jeune femme apprécia le geste mais les anglophones, qui avaient besoin de la traduction simultanée pour comprendre ce qui se disait, le furent beaucoup moins. Au bout de quelques minutes, en effet, Trudeau laissa échapper à son micro: «Merde! Ce que l'anglais est une langue pauvre!»

Si la plupart des femmes qui l'ont connu autrefois sont malgré tout assez fières d'avoir été remarquées à ses côtés, Trudeau serait sans doute perçu aujourd'hui comme un effroyable macho et un terrible égoïste.

Lorsqu'il décida de se marier avec Margaret Sinclair, Madeleine Gobeil, sa compagne de l'époque, lui demanda de la prévenir pour qu'elle ait le temps de s'éloigner de la capitale afin de fuir les questions embarrassantes des journalistes. En fait, c'est Gérard Pelletier qui hérita de la corvée de prévenir madame

Gobeil, à la dernière minute, alors que Trudeau était déjà dans l'avion pour convoler en justes noces à Vancouver.

Même en politique, Pierre Trudeau entretenait des rapports ambigus avec les femmes. Celles qui siégeaient au Cabinet, par exemple, étaient mal à l'aise face à un Premier ministre qui ne les traitait pas exactement comme leurs collègues masculins. Monique Bégin raconta un jour à un collègue qu'elle ne s'était sentie vraiment acceptée par Pierre Trudeau que le jour où il l'avait traitée de « conne » en pleine réunion. Être l'égale de Trudeau, en politique, c'était aussi se faire parler comme un homme.

Tous les anciens adjoints de Pierre Trudeau, comme ses ministres, ont quelque anecdote à raconter sur sa vie privée. C'est qu'ils avaient à dénouer des situations parfois délicates. Jean Marchand lui-même s'en était plaint à un ami : « Trudeau amène ses filles ici, leur "fait des accroire", et on est poignés avec... »

Curieusement, le Premier ministre prenait, avec des femmes journalistes, des risques qui auraient pu lui coûter très cher politiquement. Pour Trudeau, une jolie fille était une jolie fille ; elle avait beau être journaliste, il ne résistait pas à la tentation d'un flirt innocent.

Pendant la campagne de 1980, il eut ainsi l'occasion de faire de la motoneige dans les Territoires du Nord-Ouest avec une journaliste de Toronto. Quelques semaines plus tard, quelle ne fut pas la surprise de la jeune femme d'être invitée à un souper intime à la résidence officielle du Premier ministre !

Ses collègues de la Tribune nationale de la presse parlementaire, s'attendant à quelque chronique savoureuse, restèrent sur leur faim. Le Premier ministre fut d'une galanterie irréprochable, conversa fort bien et risqua quelques pas de danse sur une piste que Maureen McTeer avait eu l'idée de faire construire dans le salon du 24 Sussex pendant le court passage de Joe Clark. À la fin de la soirée, Trudeau accompagna la jeune femme à la porte et la laissa sur un baiser fort chaste, avant d'ordonner à son chauffeur de la reconduire chez elle.

Le goût particulier de Trudeau pour la compagnie des jeunes et jolies femmes inspirait d'ailleurs, de temps à autre, quelque directeur de journal un peu moins scrupuleux que les autres à tenter de tirer avantage de la situation. Après qu'il eut mis fin à sa carrière politique, le *Ottawa Citizen* eut ainsi l'idée de lui envoyer l'une de ses plus jolies journalistes avec mission de lui arracher une interview.

La jeune femme s'organisa pour rencontrer l'ancien Premier ministre « par hasard », dans l'ascenseur conduisant à son bureau d'avocat, boulevard de Maisonneuve. Ce fut un jeu d'enfant pour elle d'obtenir une invitation à déjeuner mais, devant les soupçons qu'elle éveilla, elle dut bien lui avouer les vraies raisons de son intérêt pour lui. Le *Citizen* en fut quitte pour une chronique mondaine et dut faire son deuil de la belle manchette politique qu'il avait espérée.

Une jeune débutante du *Sherbrooke Record* eut plus de succès, pendant la campagne électorale de 1980. Pierre Trudeau et les journalistes qui le suivaient étaient descendus au Holiday Inn de l'endroit. Comme d'habitude, Trudeau profitait d'une pause pour faire, seul mais surveillé de loin par ses gardes du corps de la GRC, quelques longueurs de piscine.

La jeune Carole Treiser, sans doute de connivence avec le gérant de l'hôtel, réussit à se glisser dans la piscine, pourtant fermée aux clients. Après quelques longueurs, sur un ton badin, Trudeau lui proposa de l'accompagner au sauna.

« Mais je n'ai pas de serviette, objecta la jeune fille.

— Qu'à cela ne tienne », répliqua Trudeau d'une telle façon qu'elle n'osa refuser.

La jeune fille était assurée de passer à la gloire, éphémère d'ailleurs, puisque Trudeau, en pleine campagne électorale, était accompagné d'une centaine de journalistes qui s'arrachèrent le *Sherbrooke Record* le lendemain matin. Il ne s'était d'ailleurs rien passé d'inconvenant entre le Premier ministre du Canada et cette jeune femme de vingt-quatre ans qui « se sentit attirée malgré elle. C'était un bouffon insaisissable qui nous défiait de l'attraper et se riait de nos efforts », écrivit-elle le lendemain dans son journal.

C'est souvent ainsi que se terminèrent les prétendues aventures de Trudeau avec les femmes. «Trudeau, c'est un gars qui n'arrive pas à se décider», chuchotaient entre elles les amies de Simone Monet-Chartrand.

Les maris jaloux avaient parfois bien tort de s'inquiéter. Un soir qu'il visitait un groupe d'amis dans une maison splendide construite par l'architecte Arthur Erickson, à Aylmer, non loin d'Ottawa, Trudeau s'assit à l'écart, sur les marches du balcon, avec l'une des invitées.

Le Premier ministre venait de divorcer. Le mari de la jeune femme fut pour le moins intrigué par cette conversation qui dura plus de quarante-cinq minutes. Ce fut d'ailleurs la seule personne à laquelle Trudeau parla de toute la soirée. Loin de se lancer dans ses galanteries habituelles, Trudeau avait longuement et fort sérieusement discuté avec elle de la difficulté d'élever trois enfants lorsqu'on est célibataire…

Les amateurs d'histoires d'alcôves sont toujours restés sur leur faim avec Pierre Trudeau. Même les «confessions» de Margaret Trudeau, dans son livre *À cœur ouvert* comme au cours de ses entrevues avec les journalistes de *People* et de *Playgirl*, ne réussirent qu'à rendre Trudeau plus sympathique aux yeux du public, en particulier au Québec où ses histoires de cœur n'ont jamais défrayé la chronique autant que dans la presse anglaise.

C'est finalement le penchant de Trudeau pour l'exhibitionnisme — «il s'est toujours affiché, même avec les femmes», rappelle Michèle Juneau — qui a contribué à la légende. Il aimait la compagnie des jolies femmes, comme il aimait les belles voitures, les tenues un peu excentriques et cette maison art déco que l'architecte Ernest Cormier a conçue, avenue des Pins, à Montréal.

Profondément croyant, ayant reçu une stricte éducation chez les jésuites, Trudeau n'est certes pas un débauché. «Tout au plus, suggère une amie, le jésuite qui sommeille en Pierre l'a-t-il poussé à choisir une femme de trente ans plus jeune que lui et au passé déjà mouvementé: il espérait la "réformer", en échange de quoi elle lui ferait des enfants sains.»

Toujours est-il que ses plus profondes amitiés, Trudeau les a partagées avec des hommes. Gérard Pelletier a même prétendu, en 1968, que l'intérêt de Pierre Trudeau pour les femmes venait de son goût de la découverte plutôt que d'un penchant pour le vice.

À ceux qui affirmaient que «Trudeau est un signe de contradiction», Gérard Pelletier lança: «Que dirait-on, maintenant que cet homme, devenu ministre et toujours célibataire, présente un bill omnibus où l'on propose des lois sur le divorce, l'homosexualité et l'avortement? Personnellement, je ne vois là rien de contradictoire, ni qui puisse prêter à la rigolade: François d'Assise connaît mieux le péché que Roger Vadim (le metteur en scène qui, «avec Dieu», créa Brigitte Bardot!); et François de Sales connaissait mieux les femmes que Don Juan. Tout au plus y a-t-il paradoxe, mais le paradoxe est signe de santé…»

En bonne santé donc, et libre comme l'air, il n'y a pas que dans le cou des jolies femmes que l'oiseau-mouche va boire sa jouvence. En 1944, le jeune homme de vingt-cinq ans, encore timide et un peu boutonneux, part à la conquête de l'univers.

Et le Québécois mal dans sa peau, à qui les jésuites avaient donné le goût de l'excellence, mais qui avait l'impression d'avoir raté ses études, pose une nouvelle plaque sur la porte de sa chambre d'étudiant: «Pierre Trudeau, citoyen du monde.»

Citoyen du monde

La biographie officielle du Parti libéral du Canada indique qu'«une licence en droit et l'admission subséquente de P. E. Trudeau au Barreau de la province de Québec mettent fin à son éducation québécoise en 1944 et, jusqu'au début des années cinquante, il est presque toujours absent de chez lui».

En 1944, Trudeau est essentiellement un «parlant français» à la recherche d'une identité, et même «un provincial sans métropole», selon le mot de Jean LeMoyne, son ami intime, qui rédigera plus tard ses discours.

À l'époque, on ne se pose même pas de questions sur la nature du Québec. Encore moins sur son destin. Une province existe, qu'il s'agit de gérer «comme du monde», avec compétence. On s'inquiète bien plus de la qualité du gouvernement en place que de la quantité de ses pouvoirs. Trudeau, un Québécois? Personne, et surtout pas lui, n'utilise le mot, sinon pour désigner les habitants de la ville de Québec.

Quelques mois de pratique ont déjà convaincu Trudeau que ses études à l'Université de Montréal l'ont préparé tout au plus à être un bon clerc dans quelque étude légale, mais sûrement pas à flotter au milieu des grands courants d'idées auxquels les jésuites de Brébeuf l'ont initié.

«J'ai probablement lu plus d'œuvres de Dostoïevski, de Stendhal et de Tolstoï que l'homme d'État moyen, reconnaît Trudeau lui-même. Et moins de Keynes, de Mill et de Marx.» Il ajoute que jusqu'à son séjour à Cambridge et à Londres, il lit « surtout en français et en latin ».

Les jésuites ont donc fait de lui un classique et les grands courants de la pensée moderne ne l'ont pas encore atteint. Quant à ses études de droit, elles l'amènent à mesurer la distance entre les horizons que lui avaient ouverts les François Hertel et Robert Bernier et les limites de la pratique d'un petit avocat de province. En somme, Trudeau n'est encore, avec tout le dédain qu'il pouvait mettre dans ce mot lorsqu'il l'utilisait à propos de ses adversaires politiques, qu'un « provincial ».

Plus important encore, Pierre Trudeau ne sait probablement toujours pas s'il veut être Canadien français ou *Canadian*. Peu de temps après la mort de son père, l'un de ses professeurs de Brébeuf, le père Vigneault, lui avait d'ailleurs dit : « Pierre, un jour vous aurez une grande décision à prendre : vous devrez décider si vous voulez devenir un Canadien de langue française ou un Canadien de langue anglaise. »

Pourtant, les Lionel Groulx, Monseigneur Paquet, François-Xavier Garneau, Édouard Montpetit, Esdras Minville et autres Maximilien Caron avaient commencé à publier. Mais ce n'était pas le genre d'auteur qu'on mettait au programme des étudiants de Brébeuf. Et Pierre Trudeau regardait de haut les camarades qui s'arrachaient le dernier numéro de *L'Action*. Lancé à Québec, le journal défendait avec zèle les valeurs religieuses et jouait un peu trop, à son goût, de la corde nationaliste.

Quant à l'histoire, du moins celle qu'on enseignait dans les collèges classiques de l'époque, elle s'arrêtait en 1837. Alors, puisque le Canada n'existait pas, pourquoi Trudeau se serait-il donné la peine de savoir s'il y en avait deux, et si l'un valait mieux que l'autre ?

Plus tard, Pierre Trudeau devait lui-même reconnaître qu'il ne s'intéressait pas beaucoup à ce qui se passait dans le monde pendant ses années à l'université : « Le présent m'ennuyait. Je m'étais astreint à lire tout ce qui s'était écrit sur les grands courants politiques, de l'Antiquité à nos jours. J'avais fini par tomber sur Hitler, Mussolini, Lénine, etc., mais cela restait abstrait et je ne faisais pas le lien avec la situation du moment. »

C'est dans cet état d'esprit que Pierre Trudeau fuit Montréal et la pratique du droit. Ce qu'il en dit plus tard, devant des journalistes ou des auditoires du Canada anglais, donne l'impression d'un homme qui se gonfle la poitrine et la tête, d'une grande bouffée d'oxygène. Comme si, pour se nettoyer de la pensée de l'abbé Groulx, Pierre Trudeau devait prouver que, de Harvard à la London School of Economics, en passant par la Sorbonne, il a été mis au monde par de Tocqueville, Montesquieu et John Locke.

Comme tous les Canadiens français de sa génération, Trudeau aurait d'abord dû se rendre à Paris. Mais en cet été de 1944, les Alliés piétinent encore en Europe et Paris n'est même pas libérée : il est en quelque sorte prisonnier du continent.

« Les étudiants en sciences politiques de Harvard connaissaient mieux le droit romain et Montesquieu que moi, qui étais pourtant avocat. Je me suis alors rendu compte qu'au Québec, le droit était enseigné comme un métier, non comme une discipline. »

Mais si Trudeau n'avait pas vraiment besoin d'un métier, il n'en était pas moins un esprit curieux. « Si je suis allé à Harvard, explique-t-il d'ailleurs dans une interview reprise dans sa biographie officielle, c'était pour en apprendre davantage sur l'organisation de la société. Je voulais connaître les lois qui régissent l'économie, les banques et les systèmes monétaires, et étudier les sciences politiques. Je voulais savoir comment fonctionnent les gouvernements. »

À Cambridge, Trudeau fréquente Joseph Schumpeter et Wassily Leontiev. Et, comme gêné devant ses camarades américains « qui connaissent Montesquieu mieux que lui », il avale pour un temps son certificat de baptême et inscrit sur sa porte « Pierre Trudeau, citoyen du monde ».

Pendant deux ans, il perd tout contact avec le Québec. Gérard Pelletier, qui l'avait connu en 1941, admet « le perdre complètement de vue ». Trudeau fait bien de rares visites à Outremont, pendant l'été, mais Pelletier, qui milite dans les mouvements étudiants, parcourt la province pour travailler ou faire du recrutement.

C'est à Paris que plusieurs amis québécois de Pierre Trudeau, comme Pelletier ou Roger Rolland, vont renouer avec lui après la fin de la guerre. Et pour cause...

Pierre Trudeau garde de la Sorbonne, à Paris, une opinion à peine plus flatteuse que celle qu'il a conservée de l'Université de Montréal. « À peine sorti de Harvard, j'avoue en toute modestie que je connaissais mieux ces sujets que la plupart de mes professeurs. »

Au cours de l'année qu'il passe à l'École des sciences politiques et à la Faculté de droit, Pierre Trudeau n'est donc pas un étudiant très assidu. Il n'en tirera d'ailleurs aucun diplôme.

Ayant retrouvé son inséparable compagnon de bamboche, Roger Rolland, il se livre de temps à autre à quelques tours pendables qui rappellent les virées dans les Laurentides, du temps de Brébeuf et de l'Université de Montréal. Il a même droit aux honneurs du « panier à salade », ces fourgons « tape-cul » dans lesquels la police de Paris entassait les étudiants lorsque leurs « monômes » prenaient des proportions dérangeantes pour les bourgeois des Champs-Élysées.

Pierre Trudeau arrive en Europe au cours de l'été 1946 alors que Gérard Pelletier est installé à Genève — secrétaire du Fonds mondial pour le secours aux étudiants, « à distribuer de l'argent aux peuples en voie de décolonisation pour les aider à devenir communistes », comme disait Trudeau —, depuis le mois de janvier.

Les deux hommes ne se voient que quatre ou cinq fois pendant l'année mais Pelletier, déjà plongé dans l'action, apporte des nouvelles fraîches du Québec, tandis que Trudeau, fort d'une science universelle fraîchement acquise, prononce ses premiers jugements sur le peuple canadien-français.

« De Paris, se souvient Pelletier, Pierre voyait un très grand déséquilibre dans la fédération canadienne : le Québec n'y jouait pas son rôle, il n'était pas entré dans l'ère moderne. »

C'est à Paris que, pour la première fois, il aurait défendu la thèse qu'il développera longuement, des années plus tard, dans *Cité libre* : « Si l'on excepte Laurier, je ne vois pas un seul Canadien français, depuis plus d'un demi-siècle, dont la présence au sein du Cabinet fédéral puisse être considérée comme indispensable à l'histoire du Canada telle qu'elle s'est faite — sauf sur le plan électoral, évidemment, où la tribu a toujours réclamé ses sorciers. »

L'année suivante à Londres, où il découvre que les archives nationales britanniques — au *Public Record Office* — sont plus riches sur l'histoire du Canada que la bibliothèque de l'Université de Montréal, Pierre Trudeau complète sa réflexion sur le Canada et conclut, à partir de l'histoire des chemins de fer, que « les Canadiens français se sont fait fourrer ».

À la London School of Economics, Trudeau s'entiche du *Léviathan* de Thomas Hobbes, se plonge dans les *Essais* de Lord Acton et devient surtout un disciple d'Harold Laski, un communiste, certes, mais surtout « un professeur extraordinaire, avec un esprit très organisé ». Laski fait de Pierre Trudeau un homme de gauche, celui qu'on retrouvera, comme on le verra plus tard, à la tête du Rassemblement démocratique, aux côtés de l'écologiste Pierre Dansereau. Celui qui promit un jour à Michel Chartrand, peu de temps après son retour d'Europe : « On va bâtir le socialisme. Pour un petit peuple, il n'y a rien d'autre que ça. » Celui dont les socialistes québécois vont espérer, l'espace d'une saison, faire leur chef.

Ce sont sans doute ses études aux États-Unis et à Londres, plus que le sang écossais qui lui coule dans les veines, qui ont fait de Pierre Trudeau un « Anglo-saxon ». L'admiration qu'il porte désormais aux philosophes britanniques et aux économistes américains renforce encore, comme s'il en était besoin, le mépris qu'il porte aux élites canadiennes-françaises de l'époque.

Ce n'est peut-être pas un hasard s'il profitera, sept ans plus tard, d'un long séjour à Londres pour rédiger son fameux chapitre sur « La Province de Québec au moment de la grève de l'amiante », véritable procès de la société québécoise des années quarante.

Trudeau ne rentrera pas directement au Canada. Il va encore prendre le temps de parcourir le monde pendant quinze mois. Il faut croire qu'il attache la plus grande importance à ce voyage puisqu'on a pris soin de noter, dans la biographie officielle du

Premier ministre Pierre Elliott Trudeau : « Ses études et ses voyages ont renforcé sa méfiance croissante envers le nationalisme. »

Trudeau avait dit plusieurs fois, dans sa jeunesse, comment il concevait les voyages. Avant de remonter la Harricana, en 1943, il explique que « le canot, l'aviron ; la couverture, le couteau ; le lard salé, la farine ; la ligne de pêche, le fusil : voilà à peu près toute la richesse. En retranchant ainsi de l'héritage humain tout l'inutile bagage matériel, l'esprit est en même temps libéré des calculs, des souvenirs, des préoccupations oiseuses. »

Et dans son ode à la motocyclette, il souligne la présence de « ces deux sacs de côté, seuls bagages possible et vite comblés, qui interdisent les départs calculés et languissants ».

C'est donc un Pierre Trudeau en sandales et en vieux jeans, « crotté comme un mendiant » prétendent ceux qui l'ont croisé à l'époque, équipé des seuls vêtements qu'il a pu entasser dans son havresac, qui quitte Londres, à la fin de l'été 1947. Il prétend avoir bouclé un tour du monde avec huit cents dollars en poche et avoir traversé bien des frontières sans visa.

« J'étais passé par l'école et l'université et je m'étais prouvé, jusqu'à un certain point, que je pouvais y réussir, confie Trudeau à son biographe. Mais le monde réel, lui ? Est-ce que je pouvais y réussir tout aussi bien ? Comment pourrais-je m'en tirer, par exemple, au beau milieu de la Chine, n'en sachant pas la langue, tout seul et incapable de compter sur nul autre que moi-même ? »

L'homme ne se mettait pas seulement à l'épreuve, ne courait pas seulement les émotions fortes, il se prouvait aussi à lui-même qu'il n'avait pas manqué la Grande Guerre par lâcheté. « Ayant raté la Grande Guerre, plutôt par inadvertance que par étourderie, je voulais voir d'autres batailles. »

Il en vit.

De l'Allemagne occupée à l'Autriche puis aux pays d'Europe de l'Est, il passe en Turquie et, après un pénible voyage à bord d'un camion rempli de réfugiés arabes, il se retrouve en Palestine au moment de l'assassinat de Bernadotte. Il était barbu, les pieds nus et vêtu d'un burnous, plus à l'aise en anglais qu'en arabe : on le prit donc pour un espion de la Haganah, les services secrets israéliens !

Du Moyen-Orient, il se dirige vers le Pakistan où il entre illégalement. Il est à Shanghai quand les troupes de Mao Ze-dong pénètrent dans la ville ; il se sauve avec les Américains. Il traverse la Birmanie en pleine guerre civile et doit demander la protection des Français quand il arrive au Viêt-nam.

À l'exception de ce qui s'appelait encore l'Indochine à l'époque, c'est un véritable tour de l'Empire britannique en pleine décolonisation que Trudeau effectua cette année-là. De l'Europe ravagée par Hitler et Mussolini, et divisée en deux blocs, à l'Asie et au Moyen-Orient où des peuples, parfois des tribus, se massacrent au nom de la religion ou de la race, l'homme revient avec une véritable obsession dont il reparlera, vingt ans plus tard, en déclarant la guerre au séparatisme :

« Je suis opposé à toute politique fondée sur la race ou la religion. Toutes ces politiques sont réactionnaires et, depuis cent cinquante ans, le nationalisme est une notion rétrograde. Par un accident de l'histoire, il se trouve que le Canada possède environ soixante-quinze ans d'avance sur le reste du monde dans la formation d'un État multinational et j'estime que l'espoir de l'humanité réside dans le multinationalisme. »

Pierre Trudeau a très peu parlé de ses voyages. Seuls quelques intimes ont profité de ses souvenirs qu'il égrène, au hasard des conversations, dans les salons d'Outremont. Sans le savoir, en 1949, le Canada pouvait au moins compter sur un jeune intellectuel érudit, bien au fait des systèmes de gouvernement, l'esprit habité de nombreux souvenirs de voyages.

Dans les réunions de son Conseil des ministres à Ottawa comme dans ses visites à l'étranger, Trudeau va, par la suite, toujours impressionner ses interlocuteurs par l'étendue de ses connaissances.

Le jeune homme timide qui avait quitté Montréal en 1944 revient, presque six ans plus tard, sûr de lui et conscient, jusqu'à l'arrogance voire au dédain, de sa supériorité.

À deux reprises seulement, Trudeau signe des chroniques de voyage. En 1961, il publie avec Jacques Hébert le récit d'un autre voyage en Chine. Mais étant donné la rapidité avec laquelle *Deux innocents en Chine rouge* a été rédigé à leur retour, on peut penser que Jacques Hébert, professionnel de l'édition et plus habitué au genre du reportage, en a écrit la majeure partie.

En revanche, Trudeau a rédigé lui-même en 1952, pour *Le Devoir*, le récit d'une visite à Moscou à l'occasion d'une rencontre économique internationale. La conférence avait été organisée, de Copenhague, par un « Comité d'initiative internationale » groupant des personnalités d'opinions fort diverses. L'Union soviétique ayant promis d'accorder un visa, sans discrimination, à tout participant, ce que d'autres gouvernements n'étaient pas prêts à faire, on décida donc de la tenir à Moscou.

Certains avaient dissuadé Trudeau de conclure un tel pacte avec le diable mais il n'allait tout de même pas refuser, comme il l'expliqua, « de discuter avec les plus éminents économistes, d'applaudir Lepechinskaïa et Ulanova au Bolshoï, et de bouffer le caviar à pleine cuillerée ! »

C'est ce qu'il fit, mais à sa manière…

Plutôt que de prendre l'avion Paris-Prague-Moscou, comme tout le monde, l'homme monte sur un train qui le fait échouer aux limites de l'Allemagne occupée. Bien obligé de s'en remettre aux Soviétiques, Trudeau arrive à Moscou avec quatre jours d'avance sur les autres participants de la conférence. Décidément, se dit-il, les Soviets ne sont pas aussi attardés qu'on le dit dans l'Amérique de McCarthy.

On lui offre un chauffeur et une Ziss, mais il réclame un plan de la ville. Découragés, les Soviétiques le laissent s'aventurer dans les lignes de métro et d'autobus, et s'étonnent à peine quand il fait un pied de nez au flic qui le suit d'un peu trop près.

Quand il annonce son intention de se rendre à la messe le dimanche, les hôtes de Trudeau s'empressent de respecter son désir. Mais quand il multiplie les demandes spéciales d'assister à des procès, de parler avec des prêtres, d'étudier les bases économiques du Gosplan, de rencontrer des universitaires, « on commence à [le] trouver haïssable, voire insolent », reconnaît Trudeau.

Un jour, fatigué de voir partout le portrait du Petit Père du Peuple, Trudeau lance, « affectueusement » prétend-il, une boule de neige sur la statue de Staline. « J'expliquai qu'à Ottawa j'avais l'habitude de lancer des boules de neige aux statues des Premiers ministres canadiens, ce qui est rigoureusement vrai, et on me relâcha après m'avoir réprimandé.»

Toujours aussi anticonformiste, le délégué canadien s'installe, après la conférence, dans un hôtel plus central et plus modeste, et ne mange que dans les petits restaurants de quartier. «Dans les trains, les théâtres, les cafés, je découvris un peuple loquace et énergique quand il est jeune ; sérieux, même guindé quand il n'a point bu ; stoïque quand il n'est pas heureux ; tranquille quand le mot d'ordre n'est pas à l'emballement ; et en tout temps généreux, mais conventionnel jusqu'à la nausée.»

Trudeau profite de la rédaction de cette série de sept articles pour détruire quelques mythes sur le bolchevisme et vanter les réussites du régime. Il ne se sent pas du tout damné aux yeux de ses compatriotes pour si peu, dit-il, «car les Canadiens français, pour antibolchevik qu'ils sont, entretiennent toujours une saine méfiance à l'endroit de leurs bons voisins *over the border,* et je pense qu'au pire on me prendra pour un flâneur qui, après avoir suivi sa bohème autour du monde, a succombé à la tentation d'un nouvel inconnu !»

Dans la Russie des années cinquante, au plus fort de la guerre froide, Trudeau remarque que les meilleures autos sont des répliques exactes des modèles américains, qu'on bâtit des gratte-ciel sur les collines de Lénine et que *Tarzan* est à l'affiche d'une demi-douzaine de cinémas. Devin, il ajoute : «À quand le Coca-cola ?»

Finalement, à force d'insister un peu trop pour voir Leningrad, Trudeau se fait expulser d'Union soviétique. Après y avoir passé quatre semaines toutefois. Et l'on se demande ce qu'il faut regretter le plus : que Trudeau ne soit pas devenu reporter ou que Staline n'ait jamais prononcé le mot *glasnost* ?

Quand Trudeau revient de son premier tour du monde, le Québec s'est donné un nouveau drapeau à fleurs de lys depuis le 21 janvier 1948. «Oncle Louis» Saint-Laurent gouverne à Ottawa. Maurice Duplessis s'accroche au pouvoir à Québec, plus solide que jamais.

Et surtout, les élites québécoises sorties de ces collèges et de ces universités que Pierre Trudeau méprise tant sont engagées dans l'action. Jean Marchand s'impose comme un adversaire co-riace du régime Duplessis. René Lévesque, rentré des champs de bataille d'Europe, s'apprête à repartir pour la Corée. Gérard Pelletier secoue le Québec avec ses articles sur les conflits ouvriers.

Quant à Trudeau, ses longues absences « avaient fait de lui un universitaire un peu décollé de la réalité canadienne », constate Pelletier à son arrivée à Montréal.

Le lendemain de son retour au pays, le 22 avril 1949, Trudeau lui téléphone et lui demande, anxieux et gourmand à la fois : « Il faut que tu m'emmènes voir ça ! »

« Ça », c'était l'interminable grève des mineurs de la Canadian Johns-Manville, à Asbestos.

Le vrai révolutionnaire

(1950-1965)

«… Nationalisme, autonomie, bilinguisme, cléricalisme, socialisme, centralisation : autant de mots qui nous font bondir d'enthousiasme ou d'indignation, sans raison. »

La grande noirceur

«… Il y a eu d'autres grandes grèves au Canada français avant celle de l'amiante, et il y en aura d'autres par la suite, convient Pierre Trudeau en écrivant l'histoire de celle d'Asbestos. Mais celle-ci fut significative parce qu'elle s'est produite alors que nous vivions la fin d'un monde, précisément au moment où nos cadres sociaux — vermoulus parce que faits pour une autre époque — étaient prêts à éclater.»

Il s'est donc trouvé qu'en 1949, c'est dans l'amiante que le feu a pris. Et Trudeau a bien failli arriver trop tard pour souffler dessus. Ou pour l'éteindre.

Quand il rentre au Québec après six ans d'absence, les mineurs de la Canadian Johns-Manville Company Ltd sont en grève depuis neuf semaines déjà. Dans la nuit du 13 février, ils ont refusé l'arbitrage que voulait leur imposer la compagnie américaine.

«Grève illégale», conclut le Gouvernement. Les mineurs dressent aussitôt des lignes de piquetage et sont prêts à tout pour les défendre. Une semaine plus tard, cent cinquante policiers envahissent la ville d'Asbestos.

Dès le premier jour du conflit, Gérard Filion, directeur du *Devoir*, y affecte un jeune journaliste à temps plein. Celui-ci s'appelle Gérard Pelletier. Son chef des nouvelles est un certain Pierre Laporte.

Le conseil municipal d'Asbestos, plutôt sympathique à la cause des grévistes, se plaint de la violence des policiers. Un jour, ils arrêtent un mineur sorti sans son permis de conduire. Ils le font choisir entre retourner au travail et payer une amende de trente dollars !

Depuis le 19 avril, la compagnie américaine a remis son usine en marche. La veille même de la visite de Pierre Trudeau, la Johns-Manville a menacé d'expulser les grévistes des logements qu'elle leur fournit. Pour y loger des « scabs » ! Même le gouvernement Duplessis se sent obligé de « regretter la décision ».

« Curieusement, se rappelle Gérard Pelletier, Trudeau en savait assez long sur ce conflit pour que ça l'intrigue. » L'homme avait pourtant couru le monde dans des lieux où les journaux canadiens ne se rendaient pas. En eût-il trouvé, à Londres ou à Hong-Kong, qu'il n'en eût pas appris davantage : les journaux anglais du Québec, la *Gazette* en particulier, boycottaient le conflit ou n'en parlaient que pour dénoncer la sauvagerie des syndicats du Québec.

Toujours est-il que Pierre Trudeau est impatient « d'aller voir ça ». Dès le lendemain de son retour au Québec, il insiste pour que Gérard Pelletier l'emmène.

C'est jour de manifestation à Asbestos. La compagnie a commencé à engager des briseurs de grève et la tension monte. Gilles Beausoleil raconte :

« Le 22 avril, de bonne heure le matin, au moment où les briseurs de grève entraient au travail, une longue parade de grévistes défila dans les rues pour tenter de les impressionner. Monsieur Gérard Pelletier, correspondant du journal *Le Devoir*, et deux amis, G. Charpentier et P.-E. Trudeau, qui assistaient à cette manifestation, furent arrêtés par les policiers provinciaux et sommés de quitter la ville en moins de trente minutes. Devant leur refus, ils furent amenés au Club Iroquois où un officier supérieur du nom de Gagné les interrogea. Quand ce dernier se rendit compte qu'il s'agissait d'un correspondant de presse et de citoyens peu intimidables, l'arrogance fit place à la politesse... »

« Peu intimidable », cela ne fait pas de doute que Trudeau l'est, à cette époque-là. Il vient de faire face à la police arabe de Palestine, à l'Armée du Peuple de Mao et aux maquisards d'Indochine : il en a vu d'autres !

Trudeau montre bien son goût pour la bravade : il se présente à Asbestos en vêtements délavés et en sandales. Une longue barbe blonde allonge son visage émacié. D'emblée, les mineurs de l'amiante le surnomment « saint Joseph ».

C'est Pelletier qui présente Trudeau à Jean Marchand. Un jeune avocat, qui a étudié à Harvard, à la Sorbonne et à la London School of Economics, qui vient de traîner ses savates autour du monde, c'est une aubaine pour le secrétaire général de la Confédération des travailleurs catholiques du Canada, la CTCC.

Les mineurs ont quitté le chantier depuis trop longtemps. Le Gouvernement, la police et même une bonne partie de l'opinion publique sont contre eux. Le conflit entre dans une phase violente. Jour après jour, il faut remonter le moral aux grévistes, et la moindre personnalité capable de leur tenir un long discours et de renforcer leur détermination est la bienvenue.

Marchand souhaite que Trudeau leur parle de leurs droits et des recours légaux qui s'offrent encore à eux. Mais l'homme vient de traverser tant de révolutions qu'il invite plutôt les mineurs à résister à l'oppression.

« La compagnie est comme une vache malade qui a une plaie contagieuse, lance Trudeau. Il faut mettre de l'onguent sur la plaie, mais n'allez pas y toucher : il faut lui lancer l'onguent ! »

Le soir même, les vitres des bureaux de la Johns-Manville volent en éclats. « Tout de même ! maugrée le secrétaire général de la CTCC, un peu inquiet. Les mineurs ne sont pas des enfants d'école… »

Les policiers entrent dans la ville par camions entiers, on est à la veille d'arrestations massives, le Gouvernement s'apprête à proclamer l'Acte d'émeute : ce n'est pas tout à fait le temps de jeter de l'huile sur le feu.

« Mais, raconte Gérard Pelletier, Pierre se sentait un peu comme un intellectuel dans sa tour d'ivoire et il nous voyait plongés dans l'action jusqu'au cou. Son idée était de travailler avec n'importe quelle équipe qui entreprendrait de moderniser le Québec. Il s'est trouvé que c'était la nôtre, et il faisait de grands efforts pour y participer. »

Trois mois plus tard, les mineurs retournent à leur poussière d'amiante. Pour dix sous de plus!

L'archevêque de Montréal, qui s'est rangé du côté des victimes dans les sanglants combats de rue qui opposaient les policiers aux mineurs, est «muté» à Vancouver, pour raisons de santé. Et Pierre Trudeau est désormais interdit de séjour à l'Université de Montréal.

Cela n'empêchera pas le même Pierre Trudeau, au début des années cinquante, barbu mais roulant en Jaguar, de se présenter, parfois sans s'annoncer, sur les lignes de piquetage. Michel Chartrand se souvient encore de sa visite à Murdochville, alors que les policiers lancent des grenades lacrymogènes sur les grévistes et que le cliquetis des culasses de leurs fusils laisse présager un drame.

Trudeau arrive en culotte courte, appareil photo en bandoulière. Les grévistes trouvaient ça drôle et appréciaient, tout compte fait, la visite de cet étrange intellectuel qui partageait avec eux, pour une demi-journée, le coup de matraque des policiers.

Pierre Trudeau défendit quelques causes de grévistes devant les tribunaux de la province. Mais c'est du nom d'autres avocats, de celui de Jean Drapeau en particulier, dont on se souvient. S'il réussit malgré tout à associer son nom à l'événement historique que deviendra «la grève de l'amiante», c'est en écrivant son histoire. Avec sept ans de retard!

Car Trudeau « est toujours parti », se souviennent tous ses amis. Vers la fin de 1951, il passe près de six mois en Afrique. En 1952, on le retrouve en Union soviétique. En 1955, il participe à une autre conférence internationale à Lahore, au Pakistan, et c'est en revenant de là qu'il s'arrête six mois en Europe, à Londres en particulier, pour écrire son fameux chapitre d'introduction à *La Grève de l'amiante* publié par les éditions Cité libre. En 1957, il profite d'une autre conférence internationale des Services universitaires mondiaux au Nigeria pour entreprendre un tour d'Afrique. Pas étonnant qu'il lui faille deux ans pour réagir, en avril 1959, à une critique de son livre publiée dans la revue *Relations* par le père Cousineau!

Pierre Trudeau est d'ailleurs passé bien près de reconnaître, dans ses récits à son biographe officiel, qu'il était à l'époque une sorte de déraciné. «J'étais, je crois, comme le héros de Melville: quelque temps après mon retour, je sentais qu'il me fallait reprendre la mer, sans quoi j'allais descendre dans la rue distribuer des taloches... Je suppose qu'on pourrait faire analyser cela par un psychologue.»

Si Pierre Trudeau écrit si peu et avec tant de retard sur les événements, c'est qu'il donne à l'écrit une importance extrême. «Je n'ai jamais vu Trudeau faire un texte par-dessous la jambe, explique Gérard Pelletier. D'abord, il écrit difficilement: il y met un soin extrême. C'est pour cela que sa préface au livre sur la grève de l'amiante a constitué une sorte d'événement.»

Si les textes de Pierre Trudeau ont tant d'impact, c'est aussi parce qu'ils sont rares. Il commence à écrire en juin 1950 sur la «politique fonctionnelle», mais la suite de cette thèse ne paraît qu'en février 1951, huit mois plus tard.

Jacques Hébert a créé en 1954 un petit hebdomadaire appelé *Vrai*. Dans ses colonnes, les noms de Gérard Pelletier, Victor Barbeau, Roland Parenteau et l'abbé Pierre côtoient celui de Pierre Trudeau. Les textes de Trudeau arrivaient souvent à la dernière minute et il n'était pas rare qu'au milieu de la nuit, alors que les pages de sa chronique sur *Les cheminements de la politique* allaient sous presse, l'homme se présentât, dévoré par l'angoisse d'un mot de trop ou d'une phrase mal construite, et demandât des changements de dernière minute.

En 1956, Trudeau publie son premier long texte — quatre-vingt-dix pages de texte serré sur *La Province de Québec au moment de la grève*. En aucune autre occasion cet intellectuel brillant ne publiera un livre ou un traité politique, comme s'il ne pouvait entreprendre un travail de longue haleine. Cela fera d'ailleurs dire à ses critiques qu'il est un «dilettante», ce qui a le don de mettre ses amis en furie.

Si ce livre sur la grève de l'amiante — auquel participent huit autres auteurs, dont l'abbé Gérard Dion, le sociologue Fernand Dumont, le syndicaliste Jean Gérin-Lajoie, Charles Lussier, Gérard

Pelletier et Maurice Sauvé, le futur ministre libéral — fait tant de bruit, c'est que la thèse développée par Trudeau lui attire les critiques de plusieurs intellectuels, dont celle d'André Laurendeau.

Personne cependant ne conteste sa prémisse : les institutions québécoises ne se sont pas adaptées à la révolution industrielle qui a bouleversé la province depuis le tournant du siècle. Le Québec est comme une marmite sous pression dont, d'une manière ou d'une autre, le couvercle va sauter.

Laurendeau est aussi d'accord avec la conclusion : « Le phénomène de la révolution industrielle posait à la province de Québec des problèmes qui restaient toujours sans réponse. » Il lui sait gré de reconnaître en passant que « des expériences "hors cadres" avaient été tentées dans certains domaines » et que « la Seconde Guerre mondiale — cette interruptrice de traditions — a engendré [un] état d'éveil ».

Mais rien ni personne ne trouve grâce aux yeux de Trudeau dans ce procès en règle contre la société québécoise et ses élites. Et Laurendeau laisse tomber ce terrible jugement qui va poursuivre Trudeau tout au long de sa carrière politique : « Il a l'air d'un Canadien français déçu par son propre peuple. Sa recherche le conduit à un face-à-face avec une société idéologiquement monolithique qu'il rejette intellectuellement, mais qui le blesse au plus profond de son être. Je pense qu'il a honte d'avoir eu de tels ancêtres. » Incidemment, Pierre Trudeau ne fera jamais appel d'un aussi terrible verdict.

Trente ans plus tard, les élites nationalistes du Québec font toujours écho à ces paroles de Laurendeau. Encore meurtrie des batailles qu'elle a perdues contre lui, aux côtés de René Lévesque, Michèle Juneau lance rageusement : « C'est le hasard qui a fait que Trudeau soit Québécois. Et il doit être en maudit contre le hasard ! »

Que « les dés soient pipés » ou non, comme dit Laurendeau, il n'en demeure pas moins que l'analyse de Pierre Trudeau est magistrale. « Une pièce de résistance, un texte de haute valeur, quoique moins effronté que sa lettre sur le lac Meech (de mai 1987) », se souvient Arthur Tremblay.

Le problème du « livre » de Pierre Trudeau n'est pas tant son contenu que le fait qu'il arrive sans doute trop tard. De cette bataille de l'amiante et de beaucoup d'autres conflits ont surgi des élites qui n'en sont plus au premier coup de force contre Maurice Duplessis et qui, endurcies par l'action, ne sont pas prêtes à rejeter leurs ancêtres.

Après tout, cette grande noirceur qui enveloppait le Québec, ce « conservatisme qui imprégnait les idéologies sociales » de l'époque et même ces universités que Trudeau méprisait tant n'en ont pas moins produit toute une génération d'intellectuels québécois dont il fera les mandarins durant ses années de pouvoir à Ottawa.

La grève de l'amiante, qui a mobilisé une nouvelle élite contre le régime Duplessis et qui « arrivait comme un point de cristallisation dans un liquide saturé (dont) la province de Québec devait sortir revêtue de formes nouvelles » comme l'a écrit Trudeau, n'a pas pour autant poussé ce dernier à s'engager. Pierre Elliott pratique ainsi une sorte de *hit and run* de la politique. Cela devient une « taloche » inutile et ses compagnons d'armes, comme Michel Chartrand, se retrouvent seuls en prison ou au ban d'une société dominée par le « tyran ».

Quelques mois après la fin de la grève, Trudeau accepte un emploi au Conseil privé à Ottawa. Le prestige de l'endroit — le saint des saints de la stratégie fédérale au moment des escarmouches entre Louis Saint-Laurent et Maurice Duplessis — va inspirer les biographes officiels du futur Premier ministre du Canada.

Son patron de l'époque, Gordon Robertson, l'un des grands mandarins de la bureaucratie fédérale et parmi les plus respectés, conserve tout au plus le souvenir d'un *« junior officer »* : en jargon de fonctionnaire, un jeune professionnel sans influence réelle sur le cours des événements et les grandes politiques de l'État.

« Il avait trente et un ans et rentrait d'un long séjour à l'étranger, se souvient l'ancien secrétaire du Cabinet pour les relations fédérales-provinciales. C'était un jeune homme qui avait étudié les sciences politiques et le droit, et qui avait une bonne connaissance théorique des systèmes politiques : on lui confiait de petites recherches. »

« En 1949, rappelle encore Robertson, on étudiait toute la question du rapatriement de la Constitution et de la formule d'amendement. Mais on en était au stade du débroussaillage et les grandes questions des années soixante-dix et quatre-vingt, en particulier celle du droit de veto du Québec, n'étaient même pas soulevées. »

C'est à cette époque que Pierre Trudeau reconnaît avoir « lancé des boules de neige aux statues des Premiers ministres canadiens », et que certains le voient marcher sur les mains dans les sombres couloirs de l'austère bureau du Premier ministre à Ottawa.

La vie de « junior officer » ne semble pas emballer Trudeau. Il profite du moindre congé pour sauter sur sa Harley-Davidson et rentrer à Montréal. Jean Marchand offre donc un poste de permanent syndical à ce jeune avocat qui l'a impressionné. « On le considérait comme un précieux atout intellectuel, confia l'ancien secrétaire général de la CTCC à Radwanski, mais pas comme un chef. Je ne me rappelle pas que personne lui ait jamais demandé de mener un groupe. Nous étions bien contents de l'avoir avec nous, mais pas comme chef. »

C'est donc un poste de simple conseiller que Marchand offre à Trudeau en 1951. L'homme refuse. « Pour garder sa liberté de mouvement », explique Pelletier. Mais le fait demeure qu'à cette époque, Trudeau refuse toujours de travailler pour les autres.

Pour l'heure, il se lance plutôt, avec un groupe d'amis, dans la publication de *Cité libre*. L'accouchement est long et difficile : les fondateurs sont dispersés dans la province quand ce n'est pas, comme dans le cas de Guy Cormier, dans un autre coin du pays, au Nouveau-Brunswick.

Les bonzes du journalisme doutent de la valeur du projet. « Ça relève d'un prurit d'écriture dont vous devriez vous méfier », dit Claude Ryan à Gérard Pelletier.

Et l'équipe, plutôt disparate, a du mal à se former. En fait, l'un des fondateurs — s'agissait-il de Pierre Vadeboncœur ou de Maurice Sauvé ? — ne voulait pas de Trudeau. Le noyau de *Cité libre* est en effet constitué d'anciens militants de la JEC, dont un laisse tomber : « Je ne veux pas voir Trudeau. Il n'est pas avec notre peuple ; il ne sera jamais avec notre peuple. »

Dans le premier numéro, daté de juin 1950 — les fondateurs célèbrent en fait sa sortie le 14 juillet, à l'île Perrot, où le couple Pelletier habite —, Pierre Trudeau annonce sa couleur : « Nous voulons témoigner du fait français et chrétien en Amérique. » Il ajoute aussitôt que l'équipe va « faire table rase de tout le reste : il faut soumettre au doute méthodique toutes les catégories politiques que nous a léguées la génération intermédiaire ».

Un universitaire québécois, alors en stage en France, se rappelle ce premier numéro qu'un professeur français, profitant d'un passage à Montréal, lui avait rapporté. « Cela nous avait paru un peu adolescent. Mais on se disait aussi que quelque chose allait sortir de là. »

Si la fondation de *Cité libre* est si laborieuse, c'est entre autres raisons parce que le groupe n'a pas d'argent pour faire imprimer les quelques centaines d'exemplaires du premier numéro, encore moins pour en assurer la distribution. L'histoire officielle de la revue veut que chacun des membres de l'équipe y soit allé d'une contribution de trois cents dollars.

En fait, une telle somme dépassait les moyens de plusieurs. Et selon un proche de la famille Pelletier, la fondation de *Cité libre* met en évidence un autre trait de caractère de Pierre Trudeau : sa répugnance à sortir le moindre sou de sa poche.

En ce printemps de 1950, lorsque l'équipe de rédaction fait ses comptes, elle constate qu'il faut près de deux mille dollars pour assurer la sortie du premier numéro. Certains regards se tournent alors vers Pierre Elliott, que l'on sait en moyens. Mais c'est Alec Pelletier qui offre finalement de garantir un prêt de la Caisse populaire.

On a inventé toutes sortes de légendes sur la parcimonie de Pierre Trudeau. En fait, l'homme donne facilement de son temps : à ses amis, comme Jacques Hébert, qu'il défend longuement lorsque son livre — *J'accuse les assassins de Coffin* — risque de l'envoyer en prison ; à des Québécois à Paris, qui se retrouvent sans le sou ; aux syndiqués de la Johns-Manville et à d'autres, dont il défend la cause sans jamais se faire payer.

Mais il est vrai que l'homme a horreur de sortir un sou de sa poche, la plupart du temps vide d'ailleurs. Si on lui reprochait, lorsqu'il faisait de la politique, de ne pas connaître le prix d'une livre de beurre, ce n'est pas seulement qu'il n'allait jamais à l'épicerie. S'il avait eu tout à coup l'idée d'entrer dans un magasin, il eût été bien embarrassé en arrivant à la caisse. Il lui est souvent arrivé d'emprunter quelques dollars à un adjoint ou à sa secrétaire pour régler quelque note personnelle urgente. Et la plupart du temps, il oubliait de rembourser.

Quelles que soient les circonstances de la naissance de *Cité libre*, la revue représente pour Trudeau un «point d'attache», sans qu'il soit jamais tenu de s'engager. Une lettre personnelle que Gérard Pelletier publie dans ses Mémoires en dit long sur les hésitations de Pierre Trudeau à se lier à quelque groupe que ce soit, et sur son désarroi de globe-trotter coupé de l'action.

Les centrales syndicales, dans la foulée de la bataille de l'amiante, envisagent à l'époque de présenter quelques candidatures syndicales dans des comtés ouvriers comme Asbestos, Shawinigan, Thetford. Et Marchand, qui n'a pu enrôler Trudeau comme permanent syndical, pense à lui pour cette élection de 1952.

«L'idée me séduirait d'une candidature au provincial, probablement dans l'amiante, avec l'entier appui des forces syndicales et des copains, bien entendu, écrit Trudeau en mars 1952. Elle me séduirait parce que de ma vie je ne me suis jamais trouvé dans un état d'aussi grande disponibilité physique et morale ; parce que je suis prêt aux pires bêtises ; parce que, somme toute, je suis actuellement plutôt pitoyable.»

Pierre Trudeau est en effet en route vers l'Union soviétique pour la Conférence économique internationale — il signe sa lettre «Trudienko» ! — et il a déjà fait le projet, à son retour, «d'aller végéter et écrire au soleil de Sicile», son histoire de la grève de l'amiante sans doute.

Le projet de Marchand tombe à l'eau mais la lettre de Trudeau à son ami Pelletier révèle à quel point il se sent désemparé, voire inutile. Il se demande même si les projets politiques de Marchand mettent fin à sa proposition de faire de lui un aviseur technique de la CTCC.

Il faut aussi ajouter qu'à plusieurs reprises, on interdit à Trudeau d'enseigner à l'Université de Montréal. « Parce que j'étais — paraît-il — anticlérical et communiste », explique-t-il. Et le désœuvrement lui pèse. Comme il dit, il doit partir à l'étranger s'il ne veut pas se mettre à « distribuer des taloches » autour de lui.

Au fil de ses allées et venues, Pierre Trudeau traîne donc son ennui d'un groupe à l'autre, sans jamais s'y intégrer. Il avance dans la trentaine et, sent Pelletier, « il est en tentation permanente ».

Mais Trudeau cultive aussi l'art du paradoxe. La seule constante de sa pensée, c'est, répète-t-il souvent, « s'opposer aux idées reçues ».

Alors, à l'époque où le Québec « considère le socialisme comme une trahison et une apostasie », Trudeau se fait socialiste...

Le flirt avec la gauche

«On va bâtir le socialisme», promet Trudeau à Michel Chartrand. Et il essaie, longuement. Mais à sa manière, avec son propre parti.

Quand Trudeau s'intéresse — enfin, diront certains — à la politique canadienne, il a trente ans et guère d'autre choix que de devenir marginal. Mais à cette époque-là, toute une génération de Québécois fait dans le marginal.

Les deux grands partis traditionnels, libéral et conservateur, ne sont pas plus «buvables» l'un que l'autre. Les élections se gagnent avec des équipes de fiers-à-bras qui cassent les jambes, quand ce n'est pas la gueule du moindre contestataire. Les candidats préfèrent ne pas savoir qui remplit leur caisse électorale, sûrs d'y trouver le nom de quelque «pégreux» plus fait pour la potence que pour le Sénat ou l'Ordre du Canada.

D'anciens journalistes comme Gérard Pelletier, René Lévesque ou Pierre Laporte se rappellent avec dégoût l'époque où chaque chroniqueur parlementaire recevait, au moment d'une élection, une enveloppe contenant de cinquante à soixante dollars, alors qu'il en gagnait à peine quarante par semaine.

Alors, quand ces gens-là succombent à la tentation de la politique, dans les années cinquante, cela procède d'un réflexe démocratique contre le pouvoir abusif de Maurice Duplessis. La collusion entre les grands patrons — étrangers comme les Américains de la Johns-Manville — et la police de l'État pousse littéralement

Pierre Trudeau dans les bras de ceux qui s'opposent aux uns et aux autres : les militants syndicaux.

Comme il se mêle à toutes sortes de gens dans toutes sortes de causes, il côtoie aussi bien ceux des syndicats catholiques, les Jean Marchand et Michel Chartrand, que ceux des unions internationales, les Louis Laberge et Fernand Daoust.

Il travaille souvent pour eux : à préparer des mémoires qu'ils présenteront devant la Commission provinciale sur les problèmes constitutionnels, dans lesquels il se fait le champion de l'autonomie des provinces ; à organiser la lutte aux projets de loi antisyndicaux ; à présider des conseils d'arbitrage, comme celui qui lui a permis de faire réintégrer à la CSN un Michel Chartrand un peu trop « anarcho-syndicaliste », de l'avis de Jean Marchand qui voulait le mettre à la porte.

Tout ce beau monde se retrouve à l'occasion avenue Mount-Pleasant, dans le confortable salon de Thérèse Casgrain, sur la montagne de Westmount. Elle est aussi une amie de Grace Elliott, la mère de Trudeau, avec qui elle fera un voyage en Asie pendant que Pierre Elliott jette les bases d'un mouvement socialiste vraiment québécois.

Thérèse Casgrain promène, au milieu de ces jeunes épris de justice sociale, une tête encore tout auréolée de ses luttes de suffragette. Si cette petite femme entêtée avait réussi à faire entrer les femmes dans l'isoloir des bureaux de scrutin, en 1940, les jeunes Québécois qui se pressaient dans son salon parviendraient bien à démocratiser le Québec. Car c'est de cela qu'il s'agissait surtout : sortir le Gouvernement des griffes des partis et mettre les institutions de l'État au service du peuple.

Le groupe n'avait pas seulement une marraine de guerre : il avait aussi une tribune, l'Institut canadien des affaires publiques qui, depuis 1954, réunissait dans quelque hôtel des Laurentides tout ce que le Québec comptait alors de progressistes.

C'est dans ce bouillonnement démocratique que Pierre Trudeau commence à flirter avec la gauche. Personne ne remarque toutefois que cette liaison repose sur un malentendu.

Ce qui réunit les « nationaux » et les « sociaux », comme on les appelle à l'époque, c'est leur désir de voir un État moderne s'occuper un peu mieux des intérêts de son peuple, plutôt que de perpétuer les privilèges d'une minorité dominante… «Car, n'est-ce pas, souligne un Trudeau sarcastique, les bailleurs de fonds doivent toujours conserver leurs droits.»

L'ambiguïté des rapports entre Pierre Trudeau et la gauche québécoise ne vient pas du fait que lui et les autres croient à une plus grande, et meilleure, intervention de l'État, mais de ce qu'ils ne parlent pas du même État.

Dès 1953, Pierre Trudeau lèvera le nez sur la gauche québécoise…

L'effort de guerre justifiant bien des moyens, l'État fédéral est en pleine adolescence. En 1940, Ottawa lance l'assurance chômage. Avant la fin de la guerre, les allocations familiales sont instituées, le Gouvernement se lance dans la lutte contre l'analphabétisme, ouvre des instituts de formation professionnelle, crée des emplois, bâtit des maisons, laisse le syndicalisme prendre son essor, contrôle les prix, reconnaît timidement le droit à la retraite pour récompenser les anciens combattants. Ottawa se lance…

Le socialisme canadien, né de la Dépression en Saskatchewan, préside à la création de nouveaux partis. Les socialistes prennent le pouvoir à Regina, forment l'opposition officielle au Manitoba, en Nouvelle-Écosse, en Colombie-Britannique et même en Ontario, où ils passent à quatre sièges seulement de la majorité.

Mais au Québec, la vague socialiste se brise sur le coriace rocher du nationalisme: aux élections provinciales de 1944, le Bloc populaire, parti de la gauche nationaliste québécoise, ramasse 15 p. 100 des suffrages populaires tandis que la Canadian Commonwealth Federation (l'ancêtre du Nouveau Parti démocratique fédéral) se contente d'un pitoyable 2,8 p. 100 des voix.

En 1953, contre toute attente, «Oncle Louis» Saint-Laurent conserve le pouvoir aux dépens des conservateurs de George Drew. Le Parti libéral s'est pourtant présenté comme le plus conservateur des trois partis en lice. Les conservateurs ont beau parler d'assurance santé, le CCF de sécurité sociale, les libéraux ne promettent rien. Et ils gagnent, grâce aux voix du Québec: soixante-six députés libéraux contre quatre conservateurs seulement!

Trudeau explose: «Sur le Québec alors, le CCF peut-il fonder quelque espoir? demande-t-il. Après avoir pris 2,8 p. 100 du vote en 1944, il est tombé à 0,5 p. 100 en 1948, 1,1 p. 100 en 1949 et en 1952, et à 1,6 p. 100 en 1953. Quantités négligeables, même pas de quoi faire un noyau. Les Canadiens français sont fidèles à leur histoire. Ils n'auraient jamais été du Parti conservateur, n'eût été Cartier; ni du Parti libéral, n'eût été Laurier, Lapointe et Saint-Laurent. Ils n'ont jamais vraiment adhéré à un parti canadien; ils se sont alliés plutôt (et pour des motifs bien à eux) à des partis dont ils formaient une aile semi-détachable.»

Il ne peut donc y avoir de gauche québécoise.

Au moment de son entrée en politique en 1965, Trudeau s'expliquera sur son flirt avec la gauche. Le sentiment de répugnance qu'il éprouve à l'égard de toute injustice «vient peut-être du fait que j'ai été gâté par la vie et que je n'ai jamais eu à me priver pour terminer mes études. J'ai vu des camarades d'université préparer leurs examens sur un coin de table de cuisine, avec une douzaine de frères et de sœurs qui leur tournaient autour, alors que je pouvais travailler tranquillement dans une chambre personnelle, à la maison.»

Certes, ceux qui ne lui pardonnent rien relèvent que les petits employés du parc Belmont — dont la famille Trudeau est un actionnaire important — ne sont pas mieux payés que les autres. Et puis, tout riche qu'il était, Pierre Elliott n'a jamais payé sa cotisation au Parti Socialiste Démocratique, le PSD de madame Casgrain. «On le croyait sincère, reconnaît malgré tout un ancien secrétaire des Jeunesses socialistes. Il flirtait avec tout le monde, mais sa "gauche" était bien rosée.» On le sentait à l'aise avec le mouvement ouvrier et on ne lui en demandait pas plus.

D'ailleurs madame Casgrain, qui tient le parti socialiste à bout de bras depuis des années, l'offre à Pierre Trudeau sur un plateau d'argent. «Prenez-le donc! Vous êtes le seul à pouvoir le faire. Prenez-le, Pierre», supplie-t-elle. C'est finalement Michel Chartrand qui va se dévouer.

Comme l'a souvent dit Marchand, bien des groupes considéraient Trudeau comme un précieux atout intellectuel. Et cela, même s'ils le savaient trop oiseau-mouche pour prendre la responsabilité d'un mouvement.

En 1954, avec son *Manifeste au peuple du Québec*, l'ancienne FTQ donne le signal du départ vers l'action politique. Pierre Trudeau, qui n'est pas loin, saute sur l'idée et élargit sa portée. Il veut rassembler toutes les forces démocratiques, et pas seulement le groupuscule de la Ligue d'Action Socialiste, la LAS.

En septembre 1956, alors que Maurice Duplessis vient une fois de plus d'humilier les libéraux et que les intellectuels québécois désespèrent de jamais sortir de cette grande noirceur, il participe à la fondation du Rassemblement démocratique. Groupe de pensée plutôt que mouvement politique où, son nom le dit, on se rassemble en faveur d'une démocratisation de l'appareil de l'État plutôt qu'en vue de préparer de grands chambardements sociaux.

Dès le congrès de fondation, l'ambiguïté éclate au grand jour. La présidence de Pierre Dansereau ne pose aucun problème. L'homme a parcouru le monde en remplissant des herbiers, il a les bonnes manières des grandes familles d'Outremont, il est un professeur de calibre international et on ne lui connaît pas d'attaches politiques.

La vice-présidence oppose en revanche Arthur Tremblay, qui jouit de l'appui de Jean Marchand et des syndicats catholiques, et Pierre Trudeau, derrière qui se rassemblent les vrais socialistes du CCF et des syndicats affiliés au Congrès du Travail du Canada.

Deux thèses s'affrontent au sein du Rassemblement: celle de Trudeau, qu'on surnomme «le rêveur» et qui pense à un socialisme à l'européenne, et celle d'Arthur Tremblay, à la recherche de solutions plus concrètes et qui s'attaquent plus directement aux problèmes posés par le régime Duplessis.

Gérard Pelletier prétend que la fondation du Rassemblement démocratique à l'automne 1956 marque, plutôt que son élection au Parlement en 1965, la véritable entrée de Pierre Trudeau en politique. C'est peut-être vrai, mais il s'est trompé de porte.

En mai 1958, Pierre Trudeau se lance dans une longue analyse de l'élection fédérale qui, deux mois plus tôt, a permis aux conservateurs de John Diefenbaker de balayer le Canada. Les campagnes électorales ont toujours provoqué, chez Pierre Trudeau, des réactions importantes et des textes marquants. Du moins jusqu'à ce que sa propre carrière politique soit en jeu!

Déçu de voir les deux grands partis se disputer la ferveur nationaliste sans rien proposer de concret sur le plan économique, Trudeau se demande comment on pourrait «tirer le Canada de sa position lourdement dominée par l'étranger».

Son programme, directement inspiré des théories du *Labor* britannique, ne serait sûrement pas renié par les socialistes canadiens. Les capitaux étrangers, propose Trudeau, doivent être soumis à deux grandes priorités. D'abord, la rentabilité sociale doit prendre le pas sur l'économique: les maisons, les écoles et les hôpitaux doivent passer avant les usines et les manufactures. Ensuite, les ressources qui ne se conservent pas doivent être exploitées avant celles qui peuvent attendre que nous en ayons besoin, par exemple les chutes d'eau et les forêts avant les pétroles et les mines.

Trudeau évoque quelques exigences qui se retrouveront plus tard dans les politiques de son gouvernement: embauche de techniciens et de travailleurs spécialisés canadiens; lotissement de terrains miniers suivant le système de l'échiquier; transformation des matières premières au Canada; perception de droits d'exploitation proportionnels aux avantages que nous détenons sur nos concurrents.

En 1958, Pierre Trudeau avait donc déjà tracé, un quart de siècle avant Marc Lalonde, son futur ministre de l'Énergie et des Ressources naturelles, les grandes lignes du programme énergétique national et de la politique minière qui devait suivre. Si les magnats de Bay Street et de New York avaient lu le français, et *Cité libre*, ils n'auraient pas été aussi surpris vingt-cinq ans plus tard.

On peut leur pardonner puisque, au Québec non plus, on ne remarque pas ce texte. À l'exception de Gilberte Côté-Mercier, la papesse des créditistes, qui croit avoir trouvé pire que l'enfer: «Se ramasser pour l'éternité en compagnie de Pierre Elliott Trudeau.»

À l'époque, on remarque surtout un texte de *Cité libre* publié cinq mois après le programme de Trudeau pour tirer le Canada de la domination économique : *Manifeste démocratique* qu'il rédige seul. Et autour duquel il ne parviendra jamais à faire consensus.

Déjà, en mai 1958, Pierre Trudeau avait laissé tomber, comme en passant, que « les Québécois ont trop souvent tendance à croire que la domination économique est un phénomène dont ils sont victimes uniquement en raison de leur état de minorité clinique ».

Subtilement, et sans que personne ne s'en rende compte, Trudeau vient de faire entrer le mot « Québécois » dans son vocabulaire. Mais c'est pour illustrer que ses perspectives socio-économiques à lui sont plus larges et que celles de ses amis « nationaux » ou « nationaleux » sont étriquées.

Pour l'heure, Trudeau n'a qu'une préoccupation en tête : débarrasser le Québec du régime Duplessis. Mais il est loin de penser que l'homme va mourir subitement, à Schefferville, onze mois plus tard.

« Il importe de revaloriser l'État provincial », dit Trudeau, convaincu que son peuple « a hérité à la naissance de traditions autoritaires (l'Église, la monarchie absolue, le système féodal), et [qu'il] a poursuivi son développement, sous le régime "anglais", avec une mentalité d'état de siège : rien d'étonnant dès lors à ce que la démocratie ne nous colle pas au corps ».

Pierre Trudeau aurait bien aimé pouvoir bâtir une sorte d'union démocratique à partir d'un noyau de socialistes, fussent-ils un peu rosés comme lui. Mais, se fiant aux résultats des élections provinciales, il conclut que « la pensée sociale-démocratique n'a guère pénétré dans notre province ».

Et, à trente-neuf ans, Trudeau est pressé. Chaque élection amène de nouveaux visages sur les listes de candidats socialistes, mais « il ne s'agit pas d'équipes nouvelles qui viennent s'ajouter aux anciennes, plutôt d'équipes successivement brûlées, les unes après les autres ». Il pense sans doute alors à des amis chers, comme Pierre Vadeboncœur, pour qui il a fait campagne dans Beloeil.

Enfin, Trudeau a tellement peu confiance dans l'administration provinciale — même dirigée par un éventuel gouvernement libéral —, qu'il « n'est pas autrement pressé de réclamer les nationalisations et les contrôles : l'incompétence, la fraude et l'oppression caractérisent déjà l'administration de la chose publique à tous les degrés chez nous et la population s'avère incapable d'y apporter les correctifs».

Alors, *Démocratie d'abord,* souligne Trudeau dans son manifeste. Il connaît, pour s'y être collé à un moment ou l'autre de son interminable adolescence politique, le dynamisme des groupes d'action catholique, des arts, du journalisme, du syndicalisme, de la coopération, etc.

Il voit soudain surgir de ce bouillonnement d'idées et de ce grouillement d'hommes quelque chose qui pourrait bien ressembler à une révolution. Mais il ajoute: «Les forces politiques réformistes dans cette Province sont trop pauvres pour faire les frais de deux révolutions simultanément: la libérale et la socialiste, sans compter la nationaliste… Regroupons les hommes libres autour d'un objectif commun, la démocratie.» Et il répond à l'avance aux objections qu'on pourrait lui faire.

Le Bloc populaire a échoué? Son objectif était le nationalisme, pas le socialisme. Beaucoup de démocraties libérales, comme l'anglaise et la suédoise, ont évolué vers le socialisme: pourquoi pas la québécoise? Au Québec, nous pourrions, selon lui, tenter d'achever la révolution démocratique amorcée par Papineau, continuée par Laurier, et éviter qu'elle ne s'embourbe dans les querelles nationalistes et les intérêts partisans de la bourgeoisie.

Pierre Trudeau a réponse à tout. À une objection surtout, qui vient de ses amis du Rassemblement démocratique: ils se sentent lâchés. À juste titre! C'est que, l'année où il assure la présidence du congrès, il saborde le mouvement. «Comme un tyran», accusent ses anciens alliés de la Ligue d'action socialiste. Au lieu d'envoyer l'ordre du jour du congrès qu'il est censé organiser aux membres du Rassemblement, il leur annonce que le mouvement «doit prendre une année sabbatique». Et il disparaît, pour plusieurs mois, en Scandinavie.

«De toute façon, prétendent ceux qui ont milité avec Trudeau dans le Rassemblement, encadré dans un mouvement politique, Pierre n'était plus l'oracle qui subjuguait les foules d'ouvriers. Et on s'est rendu compte qu'il était très mauvais coucheur.»

Amertume de gens qui se sentent trahis? Jugement réaliste sur un homme qui n'a jamais beaucoup aimé la discipline de parti quand il ne la faisait pas lui-même ? La remarque fait étrangement écho aux propos désabusés que les libéraux tiendront, trente ans plus tard, lorsqu'ils s'apercevront que leur chef ne leur a laissé du Parti libéral du Canada que son nom, des dettes et des militants désabusés.

À sa défense, il faut reconnaître que le Rassemblement n'était en fait qu'un mariage de raison entre des libéraux et des sociodémocrates qui ne pensaient qu'à récupérer le mouvement au profit de leur propre formation politique. Cette coalition ne tenait que pour et par la lutte à Maurice Duplessis.

« N'y a-t-il pas moyen de nous unir contre la dictature larvée de l'Union nationale ? » demande presque pathétiquement Pierre Trudeau dans son Manifeste d'octobre 1958. Au moins, pense-t-il, un objectif à court terme — battre Duplessis — les retiendra plus facilement qu'un objectif à long terme — instaurer la démocratie.

Le calcul n'est pas mauvais et séduit, pour quelques mois, bien des intellectuels. Des réunions sont organisées, on tente de négocier des accords entre les groupes et les partis pour opposer, dans chaque comté, un seul adversaire *bona fide* au candidat de l'Union nationale.

Car, conclut Trudeau en citant (en anglais) Khalil Gibran : « Si c'est un despote que vous voulez détrôner, voyez d'abord si son trône en vous est bien détruit. »

Eh bien, c'est le destin qui débarrasse le Québec du despote en question. Trudeau, amer, découvre que le Québec n'a plus besoin de son parti de gauche. Et les forces vives de la province n'ont d'autre hâte que de se précipiter à l'assaut du trône laissé vacant.

Trudeau aurait pu poursuivre la lecture du *Prophète* de Gibran et citer, pensant à lui-même : « Ainsi votre liberté, lorsqu'elle perd ses entraves devient elle-même l'entrave d'une plus grande liberté. »

Ce petit peuple, pour lequel, avec Michel Chartrand, il rêvait de socialisme, a d'ailleurs plus de vigueur qu'il ne l'imaginait : il s'engage dans deux révolutions à la fois, la libérale bien sûr, mais à laquelle il juxtapose bientôt la nationaliste.

L'homme a encore le cœur à gauche et il le dit. Il salue l'élection du 22 juin 1960 « qui nous a délivrés du fléau de l'Union nationale» et demande à la gauche de se rallier aux libéraux plutôt que d'invoquer la dialectique du pire.

À la veille de l'élection de 1962, Trudeau note encore que «le seul homme de gauche qui ait exercé le pouvoir dans la province depuis une génération l'a fait en tant que ministre dans un gouvernement purement libéral». Il s'agit de René Lévesque bien sûr.

En 1963, lors des élections fédérales cette fois, Pierre Trudeau annonce solennellement son intention de voter pour le Nouveau Parti démocratique.

Trudeau en remet tellement que, pendant bien des années, il sera interdit de séjour aux États-Unis. Ce pays est le seul qu'il visitera semi-clandestinement, y entrant en douce, tassé à l'arrière d'une voiture bondée de copains rigolards, et sous l'œil indulgent des douaniers d'un petit poste frontière.

Pas étonnant qu'avec un tel passé, les hommes d'affaires et les conservateurs de l'Ouest aient souvent perçu, chez Trudeau, de fâcheux penchants pour le socialisme. Son cri de *Viva Castro,* lors d'une visite officielle à Cuba en février 1976, ne fit que confirmer leurs appréhensions.

À vrai dire, Trudeau croit aux politiques dirigistes pour réaliser ses rêves de justice sociale et de libération de la domination étrangère dans l'économie. Mais à la fin des années cinquante, il est coincé. Il lui faut un État pour réaliser son programme et l'État provincial vient de s'émanciper. Sans lui!

Comme il le dit lui-même en 1967: «C'est parce que le gouvernement fédéral était trop faible que je m'y suis laissé catapulter.» Dame! À cette époque, la Révolution tranquille commençait à faire peur.

Mais nous anticipons. Car pour l'heure, celle des années cinquante et de *Cité libre,* Pierre Elliott Trudeau souffre d'appartenir à «un peuple qui n'a pas encore appris à se gouverner lui-même, [un] peuple où la démocratie ne peut pas être prise pour acquise».

Comme s'il voulait les provoquer, à moins que ce ne soit pour rompre avec eux sans remords, Pierre Trudeau réserve ses premiers textes politiques aux Canadiens français. Et la tribu va y goûter…

Une tribu
« *demi-civilisée* »

« Il arrive qu'on se surprenne soi-même en flagrant délit d'ignorance, devant plusieurs pages de Trudeau… » écrivait Gérard Pelletier. D'ignorance ? Sûrement pas dans le cas de ce dernier. Mais de trou de mémoire sans doute, de la part de celui qui, dans le premier livre de ses mémoires justement — *Les Années d'impatience* —, ne pipe mot de la teneur des premiers propos de Pierre Trudeau sur le peuple canadien-français.

Pourtant, à ce moment-là, c'était tout juste si l'homme ne coiffait pas ses compatriotes de chapeaux à plumes, comme des sauvages. Il aimait d'ailleurs, à leur sujet, évoquer la tribu ! Et, pour lui, leurs élites politiques se conduisaient comme de vulgaires hobereaux.

Entretenus par l'occupant britannique, bénis par l'archevêque, les Canadiens français ne sont, pour le fils de Grace Elliott, qu'un « dégueulasse peuple de maîtres chanteurs » !

Pierre Trudeau n'a pas appris le nationalisme à l'école. Il en a plutôt contracté les stigmates « lorsqu'il eut ressenti dans sa chair l'immensité de son pays et qu'il eut éprouvé par sa peau combien furent grands les créateurs de sa patrie ».

En somme, il parle d'un pays qu'il a découvert en coureur des bois, à s'écorcher les genoux sur un rocher un peu pointu, à se brûler la peau au vent de l'Arctique, à se tendre les muscles contre un courant d'écume. Les élites politiques, il les observe de loin, de ce collège Brébeuf qui représentait « un petit monde à nous, une atmosphère de joie où tout était beau », comme dit son professeur de belles-lettres.

Quand Trudeau quitte le Québec, à l'été 1944, le moins qu'on puisse dire est qu'il n'est pas très politisé. En fait, il s'éloigne vers Cambridge dans une dernière pétarade de sa Harley-Davidson. *Pritt Zoum Bing !...*

Quand il revient, après cinq ans et quelques mois, il roule en Jaguar, traverse en coup de vent les dernières semaines de la grève de l'amiante dans les rues d'Asbestos et s'expatrie au Conseil privé, à Ottawa.

Il souffre d'isolement au milieu de la bureaucratie anglo-saxonne et avertit ses compatriotes de se méfier d'une fonction publique fédérale « où notre groupe ethnique risquerait d'être mal représenté ». Le French Power, il l'a pressenti en 1949 aux côtés de Gordon Robertson et malgré la présence de Louis Saint-Laurent à la tête du Gouvernement, c'est à la force du poignet qu'il va être conquis.

Le matin du 15 juillet 1950, à l'île Perrot, la petite équipe de *Cité libre* célèbre la parution du premier numéro de la revue « dans la bonne humeur, un verre de rouge à la main », se souvient Pelletier. Trudeau est arrivé la veille d'Ottawa, en congé de son poste d'économiste. « La stratégie de la résistance n'est plus utile à l'épanouissement de la Cité », proclame Trudeau. Il appelle son peuple à se remettre en marche et à franchir les derniers tabous qui le séparent de la fin du tunnel.

A-t-il déjà décidé que le tunnel déboucherait sur Ottawa plutôt que sur Québec ?

Toujours est-il que ses deux premiers textes — publiés à huit mois d'intervalle, mais c'est l'anarchie qui règne à *Cité libre* et non un autre voyage qui explique le délai — avancent, sous le couvert d'une politique fonctionnelle, des idées et un titre que Marc Lalonde développera quatorze ans plus tard dans la même revue, qu'un certain Michael Pitfield traduira lui-même pour les faire publier dans *Canadian Forum*, et qu'on ressortira de la bibliothèque du Parlement, en janvier 1982, pour expliquer une gigantesque réforme administrative, complément de la réforme constitutionnelle.

De la suite dans les idées, Pierre Trudeau en a toujours eu!

Se méfiant de ses sentiments, il promet d'exorciser tout ce qui, dans son vocabulaire, pourrait «le faire bondir d'enthousiasme ou d'indignation, sans raison». Les «isme», où qu'ils s'accrochent, en prennent donc un coup: nationalisme, autonomisme, bilinguisme, cléricalisme, socialisme, centralisme.

À trente et un ans, le seul contact direct que Pierre Trudeau ait jamais eu avec le monde de la politique lui vient de son père, ancien condisciple de Maurice Duplessis — qu'il détestait toutefois — et bailleur de fonds du maire de Montréal. Il ne peut donc pas avoir oublié les visites de Camillien Houde et sa façon de renflouer la caisse électorale pendant sa course à la direction du Parti conservateur du Québec.

«J'ai besoin d'oxygène», disait Camillien Houde.

Et Charles Trudeau envoyait son comptable puiser une centaine de dollars dans la caisse.

C'est donc de lui-même que Trudeau parle en décembre 1952 lorsqu'il suggère que «les histoires de malhonnêtetés électorales ne scandalisent pratiquement plus personne, tellement elles ont peuplé l'enfance de notre mémoire collective».

Les idées de Trudeau lui attirent bien vite les foudres des ministres de Duplessis et des chanoines du cardinal Paul-Émile Léger, alors archevêque de Montréal. Mais elles soulèvent aussi l'enthousiasme de la jeune génération.

Colportées au Canada anglais par des professeurs de McGill, elles y sont publiées dans le *Canadian Journal of Economics and Political Science*, ou dans le *Canadian Forum*, et elles y incrustent bien des préjugés contre les Canadiens français. Quand il n'existe pas de version française de *Quelques obstacles à la démocratie au Québec*, c'est Pierre Vadeboncœur qui en assure la traduction, ce qui prouve qu'à l'époque les idées de Pierre Trudeau ne le scandalisent pas encore.

La thèse de Pierre Trudeau est simple :

- Ni les Canadiens français ni les Canadiens anglais ne croient à la démocratie : les premiers en abusent comme d'incorrigibles maîtres chanteurs, tandis que les seconds paient le gros prix pour avoir la paix.
- Entre deux « passages de l'assiette au beurre », les Canadiens français se recroquevillent sur une société bien à eux : catholique, féodale, immorale.

Avec de tels propos, Trudeau réussit à « déplaire à tous les Canadiens, francophones comme anglophones », il en convient. Mais il ne se prive pas de propager ses idées : dans *Cité libre* d'abord, à l'Institut canadien des affaires publiques en 1954 et au Canada anglais à partir de 1956.

Jusqu'à ce que nombre de ses plus fervents lecteurs commencent à s'appeler des Québécois, et qu'ils découvrent que Pierre Trudeau parle d'eux ! Il devient alors un traître. Et, par dépit, il refuse désormais « de se laisser enfermer dans la boîte québécoise ».

« L'histoire [qu'il a dû apprendre à Londres puisqu'elle ne s'enseignait pas dans les collèges classiques] nous montre que les Canadiens français n'ont pas vraiment cru à la démocratie pour eux-mêmes et que les Canadiens anglais ne l'ont vraiment pas voulue pour les autres. » Reprenant à son compte une conclusion de lord Durham, Trudeau affirme que cette ancienne colonie qui n'a pas eu à se libérer par les armes apprend la démocratie par le mauvais bout de la lorgnette : « Un peuple auquel on n'a jamais confié le gouvernement d'une paroisse reçoit le pouvoir d'influencer par ses votes les destinées d'un État... »

Quel danger ! Surtout pour une minorité menacée d'assimilation. « Dire non fut toute notre politique, et à bon droit nous appelions chefs ceux qui dirigèrent une résistance efficace. » Trudeau tire donc, en passant, son chapeau aux Patriotes de 1837 qui se sont battus et sont morts pour les principes démocratiques.

Convaincus de s'être fait avoir par les Anglais, les Canadiens français sont ensuite entrés dans la fédération à reculons et « l'astuce, le compromis et une forme subtile de chantage gouvernent leur conduite et décident de leurs alliances ».

En des mots qui éveillent encore aujourd'hui un écho au Canada anglais, en particulier dans l'Ouest, Trudeau constate que « Tory ou Clear-Grit, conservateur ou libéral, ne se rapporte pas au Québec à des techniques d'administration, mais à une alternance qui favorise les enchères et les concessions : aussi bien, on trouve plus simple de parler de bleu et de rouge ».

D'un joli coup de crayon, Trudeau efface les batailles de Duplessis pour le financement de « ses » universités — batailles qu'il épaulera d'ailleurs, quatre ans plus tard — et conclut que « la survivance est surtout une affaire de parasitisme ».

Polémiste et passablement désabusé, Pierre Trudeau finit par prononcer un jugement sans appel sur ces élites du Québec dont il aurait honte de faire partie : « Dans nos relations avec l'État, nous sommes passablement immoraux : nous corrompons les fonctionnaires, nous usons de chantage avec les députés, nous pressurons les tribunaux, nous fraudons le fisc, nous clignons obligeamment de l'œil au profit de nos œuvres. Et en matière électorale, notre immoralisme devient véritablement scabreux. Tel paysan, qui aurait honte d'entrer au lupanar, à chaque élection vend sa conscience pour une bouteille de whisky blanc. Tel avocat, qui demande la peine maximale contre des voleurs de tronc d'église, se fait fort d'avoir ajouté deux mille noms fictifs aux listes des électeurs… »

Certains pourraient s'étonner qu'une société aussi profondément catholique, dominée par l'Église, se complaise dans une telle corruption de ses mœurs politiques. Mais Trudeau a réponse à cela aussi.

Pour le bon peuple canadien-français, l'autorité vient en effet de Dieu. Quant aux élections, « ce sont des divertissements protestants et anglo-saxons dont la signification profonde reste obscure, et dont l'utilité immédiate se traduit par la bouteille de whisky à recevoir, par la salle paroissiale à faire bâtir, ou par le contrat de route à obtenir ».

Un incident raconté par Trudeau lui-même explique à quel point la presse autant que l'ensemble de la société québécoise vivent encore bien fragilement à l'ombre d'un pouvoir autoritaire béni par l'Église. C'est matin d'élection et, branché sur CBF — la radio de Radio-Canada à Montréal —, Trudeau manque de s'étouffer avec ses œufs brouillés...

« L'autorité souveraine, dit la radio, par quelque gouvernement qu'elle soit exercée, découle uniquement de Dieu, principe suprême et éternel de toute-puissance. C'est donc une erreur absolue de croire que l'autorité vient de la multitude, du nombre et du peuple, de prétendre que l'autorité n'appartient pas en propre à ceux qui l'exercent, mais qu'ils n'ont qu'un simple mandat toujours révocable par le peuple. Cette erreur, qui date de la Réforme, repose sur le faux principe que l'homme n'a d'autre maître que sa raison individuelle. »

Et le lecteur, qui n'est en fait que le porte-voix du Comité interdiocésain d'action radiophonique, producteur de ces *Élévations matutinales* à la radio d'État, met les auditeurs en garde contre une démocratie qui, si elle était admise, « aurait comme conséquence d'énerver l'autorité, d'en faire un mythe, de l'établir sur une base instable et changeante, de stimuler les passions populaires et de favoriser les séditions ».

Le peuple canadien-français revient de loin! À la même époque, tout de même, les Français achèvent leur quatrième république après avoir épuisé deux empires et restauré une monarchie, et John Kennedy est déjà sénateur aux États-Unis.

Trudeau a l'art de glisser dans ses textes des phrases du genre: « J'étais au Ghana dans les mois qui suivirent son indépendance! » Mais ce n'est pas seulement par affectation. Il se sert en effet de ses souvenirs de voyage pour battre en brèche, déjà, la thèse de l'État-Nation. Puisant à pleins paragraphes dans le *Statemans Year Book* et dans *The Encyclopædia Britannica* autant que dans ses carnets de voyage, il souligne que l'Inde est une république souveraine et qu'on y reconnaît officiellement quatre langues. Que le Ceylan (le Sri Lanka d'aujourd'hui) compte trois groupes ethniques principaux et quatre religions. Que le Viêt-nam, « en plus des Tonkinois, des Annamites et des Cochinchinois, compte huit tribus importantes ». Quant à l'Algérie, « en plus des habitants d'origine française, espagnole, italienne, juive, grecque et levantine, il faut distinguer dans ce pays les Berbères, les Kabyles, les Arabes, les Maures, les Nègres, les Touareg, les Mzabites, et plusieurs ratons laveurs ».

Alors, pourquoi deux sociétés, l'anglaise et la française, la catholique et la protestante — sans compter les ratons laveurs — ne formeraient-elles pas un État?

Pour ne pas être en reste avec ses compatriotes, Trudeau fustige le nationalisme canadien-anglais avec le même acharnement... « Ce fut la menace perpétuelle de la domination américaine qui obligea — bon gré, mal gré — le nationalisme canadien-britannique à tenir compte de la nationalité canadienne-française : le pauvre nationalisme canadien-britannique n'a jamais pu avoir le caquet bien haut. »

En somme, suggère-t-il, les Canadiens britanniques n'ont jamais été forts que de la faiblesse des Canadiens français. Mais, prévient-il, « méfions-nous : il n'est rien de plus mesquin que le poltron revenu de sa peur » !

S'il refuse, avec un acharnement qui frise l'obsession, toute frontière qui, même en pointillés, séparerait les deux nations, c'est que Trudeau appartient à l'une et à l'autre, et même à plus encore...

Canadien français de naissance, de langue maternelle anglaise, avec un brin d'Écossais dans les manières, citoyen du monde en plus, Trudeau refuse toutes les boîtes, pas seulement la québécoise. Au fond, Trudeau ne sait trop ce qu'il est, de crainte d'en avoir honte peut-être.

Tout ce qu'il sait, c'est qu'il a envie de se battre. Aux côtés de Maurice Duplessis s'il le faut...

Venise (1933) — Une colombe parmi les pigeons de la place Saint-Marc. *(Canapress)*

Brébeuf (1938) — «La parfaite harmonie entre le sérieux et le badin...» *(Canapress)*

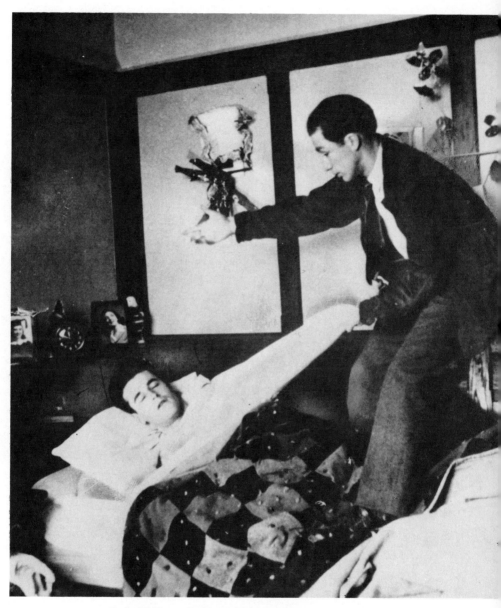

Paris (1947) — «Ils faisaient des blagues de bourgeois qu'ils étaient»,
dit Gérard Pelletier. (Ici avec Roger Rolland.) *(Canapress)*

Paris (1947) — La femme (Andrée Desautels); le maître (François Hertel);
le copain de bamboche (Roger Rolland); et le maire (de pacotille)
à Montmartre... Trudeau ne ramène aucun diplôme de la Sorbonne.
(Canapress)

Jérusalem (1948) — Barbu, les pieds nus et vêtu d'un burnous, plus à l'aise en anglais qu'en arabe, on le prit pour un espion de la Haganah... *(Canapress)*

Chine (1960) — «Où est Trudeau?» (Ici avec Jacques Hébert sur la Grande Muraille.)
Au Québec, en 1960, on se pose de moins en moins la question:
on a autre chose à faire... *(Canapress)*

1968 — Le pays vient enfin de trouver son Kennedy. *(Canapress)*

La colombe…

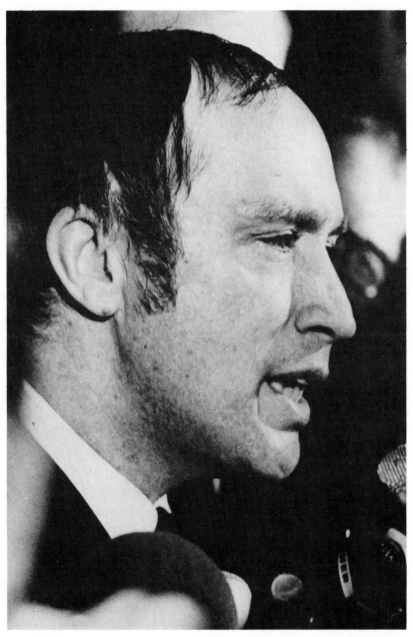

... et le faucon

(Canapress)

Ottawa (6 avril 1968) — «Trudeau, Canada!» sonne comme une belle certitude.
Tout commence alors… *(Canapress)*

Québec (1969) — «On ne peut pas prendre de chances, avait dit Jean Marchand:
on ne veut pas avoir un autre Dallas sur les bras.» *(Canapress)*

Montréal (1970) — Le «Jaruzelski» d'octobre salue la dépouille
de Pierre Laporte. *(Canapress)*

«... Il a le masque parfait d'un Indien d'Amérique du Nord», dit Marshall McLuhan.

Pritt Zoum Bing... «De cette machine prête à bondir à la seule contraction d'un doigt, l'organisation est si savante et si simple qu'un excès de logique parfois me convainc que l'homme a été imaginé en vue du motocyclisme.» (Trudeau, 1944) *(Canapress)*

Ottawa (1981) — La «nouvelle alliance Québec-Canada»
n'aura duré qu'une nuit… *(Canapress)*

Ottawa (5 nov. 1981) — «Nous sommes là pour nous entendre»,
promet Pierre Trudeau. *(Canapress)*

Ottawa (5 nov. 1981) — «Cette farce macabre demeurera sans conteste
un événement historique», conclut René Lévesque. *(Canapress)*

Triste destin d'un peuple qui ne peut même plus choisir puisque Lévesque est mort, et que Trudeau continue de dire: «Non!» *(Canapress)*

Ottawa (1979) — «Tel qu'en lui-même, enfin, l'éternité le change.»
(Jean-Marc Carisse)

Ottawa (27 août 1987) — «Je songe à un texte genre *Cité Libre*, quelque chose de très polémique. Je ne peux pas accepter cet Accord (du lac Meech) et je veux mettre le paquet!» avait prévenu Trudeau. *(Jean-Marc Carisse)*

Le maître avec son fils spirituel (Marc Lalonde, à droite)
et l'éternel lanceur de relève (Jean Chrétien).
«Mon appui n'est pas inconditionnel», a menacé Pierre Trudeau.
(Jean-Marc Carisse)

Le 4 mars 1971, Pierre Elliot Trudeau et Margaret Sinclair se marient.
Quelques bigots chuchotent des commentaires entendus sur la «différence d'âge»,
mais on dit aussi que ce «dandy» de Premier ministre va se ranger.
(Fred Chartrand PC)

C'est le Québec qu'il a choisi pour y enraciner ses trois fils... *(Jean-Marc Carisse)*

Le 13 novembre 1998, Michel Trudeau est emporté par une avalanche.
Justin confie : « La perte de Michel a été dure pour la famille. »
(Ryan Remiorz PC)

L'autonomiste

« Il y a quelque chose, quelque part, qui ne marche pas ! » se dit Pierre Trudeau en 1957.

Pendant une courte période de sa vie, à peu près au moment où il dénonce l'avachissement de la tribu canadienne-française devant la majorité canadienne-britannique, il devient le prophète des mouvements progressistes québécois.

En effet, « Pierre Elliott », comme les militants se plaisent à l'appeler, passe le plus clair de son temps à écrire les mémoires que la Fédération des Unions Industrielles du Québec — la FUIQ, ancêtre de la FTQ — présente devant l'Assemblée législative du Québec ou la Commission (provinciale) d'enquête sur les problèmes constitutionnels.

Ironiquement, Trudeau se retrouve donc, au début des années cinquante, dans le camp des partisans de l'autonomie des provinces. Et derrière Maurice Duplessis. Celui-ci a beau « négocier comme un voyou », il n'en a pas moins raison.

La raison, justement, permet une fois de plus à Pierre Trudeau de passer par-dessus ses sentiments et, surtout, par-dessus ses préjugés à l'égard de Maurice Duplessis. Du même coup, il s'oppose à ses meilleurs amis, comme Pierre Dansereau. Et il n'a pas d'autre choix que de donner raison à François-Albert Angers, qu'il cite : « D'une façon générale, l'État canadien, ce n'est pas le gouvernement central, mais l'ensemble des gouvernements centraux et provinciaux. »

Ce qui conscrit Pierre Trudeau dans le camp des provinces, de la sienne en tout cas, c'est la fameuse bataille sur le financement des universités.

En septembre 1951, une Commission fédérale sur l'avancement des arts, des lettres et des sciences (la Commission Massey, du nom de son président, Vincent Massey, futur Gouverneur général du Canada) recommande au gouvernement central de verser lui-même, sans passer par les provinces, une aide financière aux universités canadiennes. La suggestion tombe bien : les universités en ont besoin et Ottawa est engagé, depuis la guerre, dans une formidable opération d'expansion de ses responsabilités dans le domaine social.

Quelques mois plus tard, le gouvernement fédéral vote un crédit de sept millions de dollars — « un plat de lentilles », juge Trudeau. Maurice Duplessis, occupé par sa campagne électorale, accepte les subventions pour un an. Réélu comme d'habitude, il profite de la nouvelle négociation des accords fiscaux entre Ottawa et les provinces pour réclamer son butin. Et il négocie effectivement comme un voyou !

Les universités québécoises n'ont pas le droit d'accepter les chèques d'Ottawa, sinon le Premier ministre de la province leur coupe les vivres. Même la très anglaise Université McGill doit y penser à deux fois : à l'époque, le chèque de quelques millions de dollars émis par la province n'est pas envoyé au chancelier de l'université, ni au Bureau des gouverneurs, mais… à un bailleur de fonds de l'Union nationale !

Le 15 janvier 1954, c'est la crise. Maurice Duplessis, qui a commencé en 1945 à rapatrier une part de son impôt direct « prêté » au gouvernement fédéral pendant la guerre, dépose sa Loi *assurant à la Province les revenus nécessités par ses développements* : il prélève 15 p. 100 de la part des impôts que le gouvernement fédéral prétend lever dans la province.

Les contribuables québécois risquent d'être coincés entre deux percepteurs aussi têtus l'un que l'autre. « C'est le cirque », juge immédiatement Trudeau.

Au Canada anglais, l'opinion est mobilisée contre ce geste « sécessionniste » du Québec. Certains proposent de déménager le siège de l'Organisation de l'aviation civile internationale (OACI) sis à Montréal, dans une autre ville, de préférence à Toronto.

La bataille des universités est au cœur des audiences de la Commission provinciale sur les problèmes constitutionnels. Pierre Elliott se met au travail pour la FUIQ.

Dans un mémoire d'une logique remarquable — dont Jacques Parizeau se servira encore vingt ans plus tard pour négocier, lui aussi en voyou, contre les ministres de Trudeau, Jean Chrétien en particulier! —, Pierre Elliott démonte un à un tous les arguments de Louis Saint-Laurent.

Sa théorie est simple: chacun chez soi, et Dieu pour tous les contribuables! «La somme des richesses du fisc canadien, dit Trudeau, doit être divisée entre le gouvernement fédéral et les gouvernements provinciaux de telle manière que chacun puisse s'occuper *comme il l'entend* [souligne-t-il], de la partie du bien commun qui relève de lui.»

L'argument de la péréquation? Foutaise, dit Trudeau, puisque Ottawa propose de financer les universités de toutes les provinces, les riches comme les pauvres.

L'argument de la stabilisation macro-économique? Ça ne tient pas debout puisqu'on est en période de pleine croissance — c'est la guerre en Corée et les usines tournent à plein. Ottawa devrait réduire ses dépenses sociales au lieu de s'embarquer dans un nouveau programme.

L'argument de la juridiction conjointe d'Ottawa et de Québec? Celui-là embarrasse franchement Trudeau. Léon Dion n'a-t-il pas dit que «l'université ne saurait tomber sous aucune sphère d'influence quelle qu'elle soit»? Mais Saint-Laurent lui-même, en versant ses sept millions de dollars à la Conférence nationale des universités canadiennes, plutôt qu'à chacune des institutions, avoue lui-même la faiblesse de sa position.

L'argument du pouvoir de dépenser? Monsieur Duplessis, «qui n'a pas de lectures mais qui a de la mémoire», apprécie Trudeau, a encore raison là-dessus. Chaque gouvernement doit s'assurer de ne pas percevoir trop d'impôts, en particulier pas d'impôts pour financer des programmes qui ne dépendent pas de sa juridiction.

« Que la province de Québec ne taxe pas assez pour fins d'éducation n'a rien à voir à l'affaire, explique Trudeau… La bêtise de la victime ne saurait être plaidée comme circonstance atténuante par un voleur ! »

Bien sûr, cela lui arrache parfois le cœur de se porter ainsi, presque inconditionnellement, à la défense de Duplessis : « Il négocie sans manières, sans dignité, par la voie de conférences de presse, et dans des formes à peine dignes du Conseil de sécurité de l'ONU. »

Mais il négocie : Duplessis en demande même moins, sous forme de points d'impôts, que ce qu'Ottawa lui offre en vertu des ententes fiscales.

Déjà, Pierre Trudeau rame contre le courant et ce n'est pas sa manie de s'opposer aux idées reçues qui lui dicte sa conduite. Pendant toute la durée du débat, en fait, de 1953 à 1957, il va être en porte-à-faux par rapport à plusieurs de ses amis québécois.

D'abord, il n'est pas lui-même professeur d'université : on ne veut pas de lui et lui aurait-on offert un poste qu'il l'aurait peut-être refusé comme il refusait à l'époque tout emploi qui l'aurait attaché à Montréal.

Trudeau est donc mal à l'aise avec ce qu'il appelle « l'argument de la faim ». Pour situer le débat dans le contexte de l'époque, il faut se rappeler que les dernières prévisions budgétaires du gouvernement Duplessis promettaient, pour l'année 1960, des dépenses de soixante-quatorze millions de dollars pour la santé, de quatre-vingt-deux millions pour le bien-être social, de cent dix millions pour l'instruction publique — toute l'instruction publique ! — , et de cent douze millions de dollars pour… les bouts de chemin.

« Nous n'avons pas le droit d'attendre, dit Pierre Dansereau : le besoin est trop urgent. »

« L'affamé regarde-t-il la couleur de la main qui lui donne du pain ? » protestent les groupements de professeurs. Même Vianney Décarie, dont Trudeau est si proche, souligne que « les besoins des universités crèvent les yeux ».

Trudeau sympathise avec les quelques professeurs qui ont eu le courage de s'opposer aux octrois, François-Albert Angers,

Esdras Minville ou Michel Brunet, d'autant plus qu'ils se battent, comme il dit, « pour une société qui n'a cessé de leur témoigner son mépris ».

Trudeau revient à la charge et accuse les intellectuels canadiens-français de montrer une fois de plus leur mentalité d'entretenus en sautant ainsi dans les bras de celui qui a le plus gros carnet de chèques.

Et il se met à « distribuer des taloches », à Ottawa comme à Québec.

« Allons, messieurs les fédéraux, glose Pierre Elliott, un petit seize millions [en dollars de 1957] pour les universités auxquelles vous prétendez attacher tant d'importance, c'est une plaisanterie, c'est un plat de lentilles, non ? Et puisque vos droits de donner sont illimités, vous pourriez aussi faire des octrois aux fonctionnaires provinciaux qui sont mal payés. Inversement les États provinciaux pourraient donner des bonis aux fonctionnaires fédéraux qui feraient preuve de bilinguisme. Ainsi chacun se mêlerait des affaires des autres, les citoyens mécontents de leur gouvernement provincial iraient à Ottawa chercher remède, et vice versa. »

Mais derrière le sarcasme apparaît le double visage d'un Pierre Trudeau dont la froide logique le pousse à préférer les avantages de la centralisation et dont l'atavisme de Canadien français, doublé d'une intelligence supérieure, lui a permis de comprendre que son peuple s'est toujours fait avoir quand il s'est laissé acheter par Ottawa.

« Suicide ! » lance-t-il à ses amis qui demandent à Duplessis de plier. Toutes les provinces ont en effet, de temps à autre, tenté de faire chanter Ottawa et de lui arracher de l'argent. Duplessis n'est pas unique en son genre. Mais à cause de son entêtement et de l'empressement du gouvernement fédéral à en profiter depuis 1947, « Ottawa a occupé en exclusivité le champ de l'impôt sur le revenu personnel dans toutes les provinces, y compris Québec, et en retour a payé diverses sommes à toutes les provinces, excepté Québec ».

Duplessis a beau avoir rétabli un maigre impôt sur le revenu des particuliers, Ottawa n'en a pas diminué le sien pour autant.

Ainsi les Québécois sont doublement taxés mais comme le diable de Premier ministre refuse toute intrusion du gouvernement fédéral dans son champ de juridiction — la construction de la route transcanadienne par exemple — la province y perd doublement. Elle paie des impôts à Ottawa pour des services que la capitale fédérale n'a pas le droit de lui rendre. Et elle verse à Québec des impôts dont le gouvernement central ne tient aucun compte.

Trudeau va plus loin et avoue ne pas pouvoir condamner le coup de force de Duplessis. Il reconnaît en effet qu'Ottawa n'a jamais pris les devants pour redresser les injustices dont souffrent les Canadiens français parce qu'il n'a jamais vraiment cru au caractère bi-ethnique du Canada : « Nos petites victoires n'ont jamais été obtenues qu'à la suite de déploiements qui suscitaient dans les entrailles outaouaises la crainte de notre force électorale. »

En fait, Trudeau est convaincu, et il ne se gêne pas pour l'écrire à l'époque dans *Cité libre*, que depuis Sir Wilfrid Laurier, le Parti libéral du Canada a toujours été dominé par les Anglais et que les rares Canadiens français qui y ont obtenu des postes importants, y compris celui de Premier ministre comme Saint-Laurent, n'ont été que des *tokens*, des pions.

Dans le débat sur le financement des universités, c'est donc la fibre québécoise de Pierre Trudeau qui vibre. Et sa rage de démocrate. Il en veut aux intellectuels de se laisser tenter par l'argent d'Ottawa plutôt que de faire ce qu'il y a à faire : élire un meilleur gouvernement à Québec.

« C'est par un paternalisme inconscient mais non moins spécieux que notre intelligentsia veut sauver la culture canadienne-française, accuse-t-il, sans d'abord convaincre de la nécessité de l'opération le peuple porteur de notre culture, et de qui dépendent les élections provinciales. »

« Et pendant ce temps-là, ajoute Trudeau, les politiciens d'Ottawa et de Québec continuent à jouer au football avec la Constitution. »

Beaucoup de témoins de l'époque prétendent que l'impact des idées de Trudeau ne fut pas si important qu'il ne le paraît aujourd'hui. De fait, ses écrits sont réservés à un petit cercle d'initiés. «Qui se donne la peine de lire les mémoires aux commissions parlementaires?» dit-il lui-même.

Mais des historiens comme Michel Brunet affirment que «l'enquête Tremblay (sur les problèmes constitutionnels) fut pour toute la collectivité québécoise l'occasion d'un examen et d'une prise de conscience. Jamais auparavant les Canadiens français du Québec ne s'étaient interrogés avec un tel effort de lucidité sur eux-mêmes et sur leurs problèmes collectifs.»

L'effort est d'autant plus important que le gouvernement fédéral, avec une série de commissions d'enquête de son cru — Rowell-Sirois sur les relations entre le Dominion du Canada et les provinces, Massey-Lévesque sur l'avancement des arts, des lettres et des sciences —, commence à abattre ses cartes.

Sans le savoir, Trudeau influence, par la rigueur de ses arguments, une Commission provinciale qui s'apprête à dénoncer le rôle centralisateur d'Ottawa et qui donne le coup d'envoi à une vague de revendications de la Révolution tranquille, toutes plus autonomistes les unes que les autres.

Dans les années cinquante, Trudeau a l'air à contre-courant. Mais il est aussi d'une implacable logique. Ses arguments sont tricotés tellement serrés qu'ils ne laissent pas passer le moindre soupçon de compromis. Et il se retrouve parfois pris au piège de sa propre logique. C'est ce qui lui arrive, d'ailleurs, en pleine bataille sur le financement des universités.

Trudeau est toujours conseiller juridique des centrales syndicales, mais il est de l'autre côté de la barrière cette fois. Maurice Duplessis vient de présenter deux projets de loi tellement fameux qu'on se souvient encore de leur numéro: les bills 19 et 20. Le premier permet au Gouvernement de discréditer un syndicat qui compte parmi ses dirigeants des hommes aux idées «communisantes». Le second vise rien de moins que de faire disparaître l'Alliance des professeurs de Montréal.

L'antisyndicalisme des deux lois est tel que d'aucuns suggèrent de demander à Ottawa d'user de son pouvoir de désaveu et d'obliger ainsi Duplessis à rappeler sa législation. Trudeau s'y oppose avec le même acharnement qu'il montrait pour demander la veille au gouvernement fédéral de ne pas se mêler du financement des universités.

« Cela ne ferait que déplacer le problème », dit-il. Et les ouvriers l'applaudissent lorsqu'il leur lance : « Le remède est en vous. Mettez au pouvoir des députés et un gouvernement moins anti-ouvrier ! »

Trudeau autonomiste ? Trudeau centralisateur ? Il sera l'un ou l'autre, avec la même intelligence. Et comme il ne sait pas encore quoi faire de cette intelligence, il repart en voyage…

Où est Trudeau ?

En 1950, la vie de petit fonctionnaire, même au prestigieux Conseil privé, ne réussit pas à retenir Trudeau à Ottawa.

En 1951, Pierre Elliott refuse un emploi de conseiller technique à la CTCC de Jean Marchand.

En 1952, la perspective d'une candidature de syndicaliste aux élections provinciales lui inspire plus de questions que d'enthousiasme.

Jusqu'en 1965, la seule activité stable de Pierre Trudeau sera *Cité libre.* Trudeau a l'air de flotter, partout et nulle part à la fois. Au point où, un jour, Gérard Pelletier finit par lui demander : « Pierre, est-ce que c'est pas une catastrophe d'être riche ? »

Ce désœuvrement que Trudeau cache, par gêne, sous des bravades de je-m'en-foutisme commence à lui peser.

Ce n'est pas tellement qu'il ait besoin d'argent : les placements de son père rapportent, il vit la plupart du temps chez sa mère et ses voyages ne lui coûtent pas cher.

Ce n'est pas non plus qu'il craigne l'oisiveté : les débats intellectuels le passionnent, il se prête même au jeu du pigiste pour l'hebdomadaire de Jacques Hébert — *Vrai* —, et il s'encanaille à l'occasion, avec les sœurs de ses amis.

Il s'occupe quoi ! Mais Trudeau approche de la quarantaine. Ses raisonnements passionnent, bien qu'ils soient toujours les mêmes. On le croyait nouveau, il commence à avoir l'air d'un original. Et en dessous du vernis de l'intellectuel apparaissent quelques défauts.

René Lévesque le trouve pédant et rit volontiers de sa manie des citations. Ses chroniques dans *Vrai* ressemblent de plus en plus à un étalage d'érudition ; il les coiffe toujours de citations de Platon, de Pascal, de Thoreau, de John Locke et de l'inévitable Lord Acton.

L'un de ces articles, qui s'ouvre sur un extrait de Manégold de Lautenbach — « moine théologien du XIe siècle », se sent-il obligé de préciser —, conclut une série de textes où Trudeau proposait de réfléchir, « en termes simples », sur l'autorité et l'obéissance. « Ses Cheminements de la politique, dit-il, suivent des tracés aussi anciens que la philosophie politique elle-même et des sentiers qui ont été battus par les penseurs de tous les pays. »

« Pour les Québécois instruits, toutes ces gens n'ont apparemment pas existé », écrit-il, et il leur reproche de s'arrêter à la pensée de Monseigneur Paquet. Trudeau, lui, n'étale pas son savoir, il le répand.

En deux petites colonnes serrées de texte, il trouve le moyen de citer trente-deux noms d'auteurs. Une véritable litanie tout droit sortie d'un dictionnaire des lettres, dans lequel il a même le bonheur de repérer un Duplessis-Mornay — ô ironie des noms ! — « auteur probable du *Vindiciæ contra iyrannos* ».

Mais la pédanterie n'amuse plus et ne fait guère la fortune de son éditeur, Jacques Hébert. Pas plus que cela n'assure le succès de *Cité libre*.

L'influence de Trudeau à la fin des années cinquante ? « Marginale, dit sans hésiter Gérard Filion. Si Pelletier, Trudeau et Marchand n'étaient pas entrés en politique, on ne parlerait plus de *Cité libre*. C'était une petite revue, mal présentée, mal foutue, qui paraissait de façon intermittente et dans laquelle il y avait des idées intéressantes pour l'époque tout au plus. »

Et André Laurendeau, rédacteur en chef du *Devoir*, ne se gêne pas pour rappeler que sans l'enquête sur la moralité publique à Montréal, il n'y aurait pas eu de Jean Drapeau. Et sans l'affaire du gaz naturel — mise au jour par Pierre Laporte —, le gouvernement Duplessis n'aurait peut-être pas flanché si rapidement.

Le Devoir était en effet un journal aussi combatif, mais beaucoup plus lu que les feuilles où Pierre Trudeau se laissait aller : son tirage est passé, au moment de la lutte contre Duplessis, de dix-sept mille à quarante mille exemplaires.

Certes, Trudeau faisait partie d'un groupe d'intellectuels qui se rencontraient souvent dans son sous-sol ou dans le salon de Gérard Pelletier pour refaire le monde, un verre de vin rouge à la main. Laurendeau était là, et Lévesque, et Marchand quand il avait le temps. Et d'autres...

« Tous ces gars-là, c'étaient des couche-tard, dit l'ancien directeur du *Devoir* d'un ton bourru. Ça se levait à onze heures du matin, quand ce n'était pas à une heure de l'après-midi. Et bien malin qui aurait deviné de quoi ils avaient parlé la veille ! »

Mais ces réunions où « le désordre de la nuit succédait à l'ordre du jour » faisaient sans doute germer l'idée d'un éditorial du rédacteur en chef du *Devoir* ou la phrase percutante d'un discours du secrétaire général de la CTCC. Tout n'était donc pas complètement perdu.

Donner aux Cité libristes la paternité de la Révolution tranquille, toutefois, c'est faire bien peu de cas de l'influence des centrales syndicales ou de l'École des sciences sociales de l'Université Laval. Un raz-de-marée a surgi en 1960, qui avait été nourri par toutes sortes de canaux dont certains étaient bien tortueux.

Trudeau, qui parlait si souvent de la « révolution cybernétique », a raté la plus importante de toutes. Pendant qu'il lançait des boules de neige sur les statues de Staline à Moscou s'allumaient au Québec des centaines de milliers de petits écrans, aux images encore un peu floues, aux teintes grisâtres.

À l'automne 1952, la télévision de Radio-Canada entre en ondes. On craignait que cela ne devienne un gouffre sans fond, que les productions sentent l'amateurisme, bref, que ce soit une coûteuse quétainerie. C'est un triomphe.

« Je redoutais que la télévision ne devînt une meule au cou, et c'est une auréole sur ma tête ! » avoue le Premier ministre Saint-Laurent, qui n'en revient pas.

D'un seul coup, les Québécois se parlent et se reconnaissent. Ils s'écoutent et se découvrent.

À l'automne 1956, quand Pierre Trudeau s'interroge sur la défaite des forces démocratiques aux dernières élections provinciales, *Point de mire* entre en ondes. René Lévesque profite de la chance du débutant. À sa première émission, il prédit la crise de Suez. Elle survient le lendemain ! Du coup, il est projeté au premier plan de l'actualité, sa mappemonde sous le bras.

Lui aussi voyage, comme Trudeau, mais il en tire des reportages et une notoriété telle que les gens simples parlent, à la cantine et dans les tavernes, de « Monsieur Lévesque », tandis que dans les salons réservés aux professeurs d'université, on dit « Trudeau ». Une nuance qui n'échappe à personne, surtout pas aux chefs de parti en mal de candidatures vedettes.

S'il est intrigué par le phénomène de la télévision, Pierre Trudeau n'en laisse rien voir : il ne cherche pas à se servir du pouvoir qu'elle aurait pu donner à ses idées d'avant-garde. Au contraire, tout ce dont on se souvienne, pour l'époque, c'est de sa participation à un jeu-questionnaire pseudo littéraire, *Le nez de Cléopâtre*. Et ce sont Paul Berval ou Jacques Normand qui se partagent la vedette, pas Trudeau.

Ainsi René Lévesque passe pour un intellectuel (ce qu'il n'est pas), mais qui sait se servir de la télévision. Pierre Trudeau, sa timidité aidant, passe pour un intellectuel qui méprise la télévision, alors qu'il n'ose tout simplement pas s'en servir.

Plus manifeste encore, la télévision de Radio-Canada devient le chemin de Damas de Lévesque. Elle reste un cul-de-sac pour Trudeau. En 1949, Pierre Trudeau est arrivé en retard pour la grève de l'amiante. En 1959, il est au lit pendant celle de Radio-Canada.

La direction, anglaise, de la *Canadian Broadcasting Corporation* avait décidé que les réalisateurs de la télévision française, puisqu'ils dirigeaient des équipes, étaient des cadres et ne pouvaient donc être syndiqués. Le soir du 28 décembre 1958, c'est la grève.

Un peu comme celle de l'amiante, la grève de Radio-Canada passionne la province. Jean Marchand, qui la prend en main, y est sans doute pour beaucoup. En outre, les Canadiens français s'en prennent à un autre oppresseur, le «maudit Anglais». D'autant plus maudit d'ailleurs qu'il les prive de bon nombre de leurs émissions préférées!

René Lévesque se fait un peu tirer l'oreille pour venir sur les lignes de piquetage: il est pigiste et veut respecter son contrat, ou il craint peut-être de perdre son emploi. Peu importe, il est finalement là, aux côtés de Jean Duceppe, de toutes ces vedettes et surtout des centaines de petites gens qui préparent le café pour les grévistes et les paniers de provisions pour leurs familles.

Trudeau? Personne ne se souvient de l'avoir vu. Et pour cause! Gérard Pelletier raconte dans ses Mémoires qu'il venait malencontreusement de se briser un os du pied, sur quelque pente des Laurentides. C'est donc de sa chambre, dans la maison familiale de la rue McCulloch, qu'il suit l'agitation du dehors, «la jambe droite gainée d'un plâtre énorme et tendue vers le plafond auquel on l'avait suspendue».

Les années cinquante s'achèvent. Pelletier les appellera *Les années d'impatience*. D'autres qui en ont vu venir la fin avant lui — tel Arthur Tremblay qui a pris le Désormais de Paul Sauvé au sérieux parce qu'il a eu le temps de déposer, durant ses Cent jours, une série de lois modernes sur l'éducation — les appellent «des années de longue patience».

Peu importe ce que furent les années cinquante; il se trouve que certains en sortent au pas serein du coureur de fond. Pierre Trudeau, lui, entre dans les années soixante sur des béquilles.

Pour une fois, le grand analyste politique qu'est Pierre Trudeau — ses commentaires sur les élections sont toujours fascinants — se trompe: il n'a pas perçu la turbulence qui vient de secouer le Québec pendant quatre ans. Il l'avoue d'ailleurs: «Je n'avais pas cru, après l'élection de 1956, que la conjoncture électorale de 1960 serait aussi simple.»

Le Rassemblement démocratique a permis à toute une génération de progressistes de se connaître. Après sa défaite à la mairie de Montréal en 1957, Jean Drapeau lance l'Action civique sur la scène provinciale. En juillet 1958, le Parti socialiste démocratique s'allie — «s'inféode», prétend Trudeau — au mouvement syndical. Puis c'est le Crédit social qui s'élargit en un Ralliement créditiste. Aucun de ces groupes ne va réussir à présenter une liste de candidats suffisamment crédible aux élections qui viennent, mais ils contribuent tous à mobiliser organisateurs, militants et électeurs fatigués de l'Union nationale.

Pierre Trudeau en veut d'ailleurs beaucoup aux socialistes, drapistes et autres papistes qui ne vont pas jusqu'au bout de son projet d'Union démocratique, par crainte de s'acoquiner avec ces pourris de libéraux. Peut-être s'apprêtait-il à en devenir le leader?

De toute manière, le plan de Pierre Trudeau arrivait trop tard. C'est la mort qui attend Maurice Duplessis et Paul Sauvé. Et le ridicule de prétendre à l'héritage qui achève Antonio Barrette. Trudeau est pris de vitesse par le destin.

D'autant plus que, au moment même où il organisait la sainte alliance contre l'Union nationale, la Fédération libérale provinciale elle-même, sous l'influence parfois échevelée de Jean-Louis Gagnon, se refaisait une vertu. Ce qui se passe soudain, et que Pierre Trudeau est contraint de reconnaître en 1960, c'est que les libéraux se mettent à attirer les Québécois qu'il avait contribué lui-même à éloigner de l'Union nationale et auxquels il avait surtout injecté la piqûre de l'action politique.

Pierre Trudeau comprend soudain qu'il est pris à son propre jeu de «la démocratie d'abord». Qu'importe la révolution; «libérale», «socialiste» — il ne va pas jusqu'à dire «nationaliste» mais il le pense peut-être —, pourvu qu'on ait le contenant: un parti démocratique.

Beau joueur, il se met au service du Parti libéral, même s'il n'éprouve pas une grande admiration pour Jean Lesage. «Le résultat net, conclut-il dans un éditorial de *Cité libre* qui paraît la veille des élections du 22 juin 1960, c'est que le Parti libéral a obtenu à peu de frais le monopole des votes oppositionnistes. Et le corollaire, c'est qu'un René Lévesque — soudain désireux d'exercer une action politique — se trouve dans l'impossibilité pratique d'agir ailleurs que dans le Parti libéral... Tant mieux pour ce parti: je ne lui reprocherai pas sa bonne fortune.»

Trudeau se rallie donc, mais du bout des pieds, et ne participe à la campagne électorale que pour son ami Vadeboncœur. Candidat socialiste dans Verchères, celui-ci ne recueille que vingt-huit voix!

Gérard Pelletier, comme toujours «plus raffiné et plus nuancé» — les mots sont d'un ami d'enfance de Trudeau — ne peut s'engager dans des activités partisanes. Mais il participe quand même à quelques assemblées, «pour l'homme». Cet homme, c'est René Lévesque.

Une belle illustration de ce qui a souvent séparé Trudeau et Pelletier: la parole et l'action.

Les hommes publics ayant tendance à récrire l'histoire une fois qu'ils l'ont faite, on trouve aujourd'hui deux versions de ces élections historiques.

Lesage voulait-il quatre mousquetaires ou trois colombes?

Version Lévesque: le Parti libéral avait pensé recruter, en même temps, Jean Marchand, Pierre Trudeau, Gérard Pelletier et lui-même. Ils se seraient même rencontrés pour en discuter dans la chambre de Jean Marchand, à l'hôtel Mont-Royal, tandis que Jean Lesage attendait dans quelque suite de l'hôtel Windsor. C'est le non de Trudeau, inquiet — déjà! — de voir les libéraux du Québec flirter avec le nationalisme québécois, qui aurait fait hésiter Marchand et Pelletier. Pourtant, Marchand en avait bien envie et le nationalisme n'était pas chose à lui faire peur.

Version Pelletier: le Parti libéral a bien pensé convaincre Jean Marchand. Mais «Jamais! Jamais!» — il s'en met la main sur le cœur et dit avoir vérifié avec Trudeau — Lesage ne leur aurait offert d'entrer dans l'équipe. Marchand avait fait des discours, certes, mais Trudeau et Pelletier avaient écrit des choses pas toujours très gentilles sur les libéraux.

«Et ça c'est impardonnable!» insiste Pelletier pour bien démontrer qu'il ne s'est pas laissé tenter par les sirènes de l'Assemblée nationale du Québec. Tout au plus se souvient-il d'une vague proposition de profiter de l'élection partielle dans Joliette, au moment de la démission d'Antonio Barrette.

Version Trudeau? Lui poser la question ne garantit pas, de toute manière, qu'il y donne jamais une réponse. Toujours est-il qu'au moment où le départ de ce qu'on a appelé la Révolution tranquille est officiellement donné, Pierre Trudeau est sur la touche. Et il prend des notes.

111

La veille du vote, toujours dans *Cité libre*, il se laisse même aller au doute.

« Qu'arrivera-t-il après les élections ?

« Si, par aventure, les libéraux gagnaient la prochaine élection, il est à prévoir que les cadres démocratiques encore trop frêles de la Fédération libérale seront broyés sous la ruée des affamés vers la mangeoire. »

Trudeau ne pouvait évidemment pas prévoir que Jean Lesage — le rusé ! — allait nommer René Lévesque ministre des Travaux publics et que celui-ci allait prendre un malin plaisir à renvoyer à leurs seaux et à leurs pelles ces « patroneux » qui venaient quêter, les minables, quelque modeste contrat d'entretien d'un couloir de ministère. Un gouvernement moderne, après une Révolution tranquille, se devait de passer à l'ère des grands travaux, des autoroutes plutôt que des bouts de chemin, des grandes entreprises, et du « bon patronage ».

« Si, en revanche, les libéraux étaient battus aux prochaines élections… », poursuit Trudeau dans son éditorial de *Cité libre*. Mais l'histoire ne lui donne pas la chance de conclure.

Après la victoire des libéraux, Jean Marchand et Gérard Pelletier continuent de présenter des mémoires à des ministres du gouvernement du Québec, qu'ils tutoient maintenant.

Et Trudeau ? Il est en Chine, avec Jacques Hébert et un groupe d'amis. C'est la Chine de Mao. Les guides touristiques ont appris à décrire les paysages dans les pages du *Petit livre rouge*. Trudeau bâille d'ennui et s'en sort avec une pirouette, un saut périlleux parfait.

La biographie officielle du Parti libéral le dit même occupé : « Il trouve le temps de parfaire sa pratique du ski (il a été une fois champion intercollégial à l'Université de Montréal), d'apprendre à piloter un avion, de pratiquer la plongée sous-marine et de partir à l'aventure pour de longues expéditions en canot. Ces randonnées étaient son passe-temps favori et, en tant que canotier expert et amateur de grande nature, il a acquis au cours des années une foule de connaissances sur la flore et la faune du Canada. » Voilà pour la biographie officielle de 1980.

« Où est Trudeau ? » Au Québec, en 1960, on se pose de moins en moins souvent la question. Dame ! On a autre chose à faire…

L'État du Québec

Pierre Trudeau est de mauvaise humeur et l'envie de distribuer des taloches le reprend.

«Depuis le 22 juin 1960, depuis qu'il est permis d'être courageux sans prendre de risque, c'est formidable le nombre de braves qu'on a vu sortir de derrière les tentures et de dessous les lits. La Province est maintenant en pleine ébullition verbale, en plein développement verbal, en plein progrès verbal.»

Mais ce n'est pas seulement parce que le Québec souffre de logomachie aiguë que Trudeau est en maudit. Il soupçonne aussi le nouveau gouvernement du Québec de se laisser emporter par des excès nationalistes.

Un mois après son élection, Jean Lesage profite d'une conférence fédérale-provinciale pour réclamer 25 p. 100 de l'impôt fédéral sur les compagnies et les particuliers, et 100 p. 100 de l'impôt sur les successions.

«M'est avis que cette conversion des libéraux provinciaux (et de leurs conseillers naguère les plus centralisateurs) mérite d'être suivie de près, grogne Trudeau… J'en suis à me demander si au-devant de l'histoire tout cela ne sera pas interprété comme le triomphe posthume de Monsieur Duplessis!»

Et le révolutionnaire qui piétine en lui trouve que ça ne va pas assez vite. «Pensez jusqu'à quel point cette révolution — parce que c'est une révolution! — se serait accomplie plus rapidement encore s'il y avait plus de gens comme Lévesque au pouvoir.»

Il faut reconnaître que la victoire de Jean Lesage est bien fragile. Seulement 5 p. 100 des électeurs ont changé de camp le 22 juin 1960 et les victoires comme les défaites des candidats libéraux ont été décidées, dans un grand nombre de cas, par des majorités très courtes.

En passant, Trudeau remarque que l'Union nationale a accru le nombre de ses votes dans des comtés comme Westmount, Notre-Dame-de-Grâce, Verdun ou Jacques-Cartier : « La propension des Anglo-Québécois à ramer contre le courant n'est pas une chose nouvelle », ricane-t-il. Mais il en sait quelque chose, serait-on tenté d'ajouter !

Quoi qu'il en soit, la victoire des libéraux ne tient qu'à un fil, le cabinet est entièrement composé de néophytes, la bureaucratie manque de professionnels, l'opposition officielle sera nulle. « Le paradoxe, conclut Trudeau, c'est que le gouvernement devra s'appuyer sur ceux-là mêmes qui peuvent constituer sa seule opposition efficace. »

Il restera donc dans l'opposition. Et s'y retrouvera bientôt tout seul.

Depuis l'automne, l'Université de Montréal vient enfin de l'accepter comme professeur adjoint à l'Institut de recherches en droit public. « Que pourrais-je trouver de mieux ? confie-t-il à ses amis. Je travaille dans un domaine que je connais bien et j'aimerais pendant quelques années avoir la chance de lire et de remettre en question mes opinions. »

« Je m'ennuie de chiquer de la guenille avec Laurendeau, Marchand, Trudeau et toi », dit cependant René Lévesque au rédacteur en chef de *La Presse*, Gérard Pelletier. À la suggestion de monsieur le ministre des Travaux publics et des Ressources hydrauliques de la province de Québec, les quatre mousquetaires vont donc se retrouver toutes les deux semaines, le vendredi soir de préférence, chez Gérard Pelletier, rue Elm à Wesmount.

Lévesque, toujours en retard, et Trudeau qui n'est pas un couche-tard et a besoin de ses neuf heures de sommeil par nuit, se croisent plus souvent qu'ils ne s'engueulent. Dans les réunions de groupe, Pierre Trudeau a la particularité d'écouter plutôt que de participer. Lévesque, volubile et parfois mal embouché, compense.

C'est de là qu'un soir de mai 1963, ils entendent la première bombe du Front de libération du Québec faire sauter une boîte aux lettres de Westmount. C'est là encore qu'au soir du 22 novembre 1963, ils apprennent l'assassinat du président des États-Unis. La violence, qui explose à leur porte, ne tardera pas à les séparer définitivement.

Quand le ministre arrive à ces réunions bimensuelles, il a toujours un tas de projets dans la tête : les siens et ceux de son gouvernement, qu'il tient à soumettre aux intellectuels qu'il respecte. Laurendeau et Pelletier, rédacteurs en chef, l'un du *Devoir*, l'autre de *La Presse*, vivent une longue lune de miel avec ce gouvernement qu'ils ont contribué à faire élire. Dans le groupe, Trudeau se fait de plus en plus distant.

Un de ces vendredis soir, chez Jean Marchand cette fois, rue Saint-Hubert, à Montréal, la crise éclate. René Lévesque est arrivé, à l'heure pour une fois, mais plus excité encore que d'habitude, avec « son » projet, la nationalisation de l'électricité.

C'est une bonne affaire : Jacques Parizeau le dit, et Roland Giroux l'a vérifié avec ses collègues de la Bourse de Montréal. C'est rentable : les chantiers contribueront au développement des régions, bien mieux que l'anachronique colonisation. Ce sera une pépinière d'entrepreneurs, d'ingénieurs, d'administrateurs. Et puis, ça s'est fait partout au Canada, pourquoi pas « chez nous » ?

Trudeau est de marbre : « On est tellement en retard en éducation. Pourquoi prendre trois cents millions de dollars pour les investir dans des compagnies qui marchent déjà ? »

C'est l'économiste qui parle ce soir-là. Mais à la veille de l'élection du 14 novembre 1962, le « Maître chez nous » provoque chez Pierre Trudeau une telle crise qu'il finit par avouer ce qui le dérange dans cette nationalisation.

« Seuls les avantages d'ordre technologique me retiennent, mais je crains fort que les passions nationalistes que tout cela soulève ne nous empêchent d'en tirer le moindre profit. »

Malgré ce « pétage de bretelles » nationaliste, il finit par se ranger. La nationalisation de l'électricité est devenue, depuis trente ans, « le symbole de notre virilité politique », et si le Québec recule, il risque d'avoir l'air d'un « impuissant » aux yeux des grands trusts anglais.

Ce gouvernement qu'il « suit de près » donne beaucoup d'autres occasions à Trudeau de froncer les sourcils. Les libéraux du Québec se lancent en effet tous azimuts.

Sur le plan international, Jean Lesage est reçu comme un chef d'État à Paris, et la France élève le statut de la Délégation générale du Québec et de ses diplomates. La province ouvre aussi d'autres délégations, à New York et à Londres.

Jean Lesage lance les conférences interprovinciales : voilà que les provinces se réunissent entre elles, hors la présence du grand frère fédéral ! Et le gouvernement du Québec crée un ministère des Affaires fédérales-provinciales.

On parle aussi, et de plus en plus souvent, d'indépendance. Bien sûr, Pierre Trudeau assiste à l'ouverture des bureaux du Rassemblement pour l'Indépendance Nationale, rue Mackay, mais c'est par courtoisie pour Pierre Bourgault.

À l'université, de jeunes professeurs le mettent carrément en furie lorsqu'ils prétendent que, sans l'indépendance, ils ne trouveront pas de débouchés. Il n'y a rien qui mette davantage Trudeau hors de lui que ces projets irréalistes ou improvisés. Cette idée que l'indépendance va tout régler heurte tout simplement son intelligence.

« Malheureux, tout reste à faire ! C'est une illusion de croire que le Québec progresse à ce point. »

Ses jeunes collègues ont beau rire de lui, Trudeau est convaincu d'avoir raison et les élections fédérales du 18 juin 1962 lui permettent d'en faire la démonstration.

John Diefenbaker ramasse une raclée, en particulier au Québec. Le nombre des députés conservateurs dans la province chute de cinquante à quatorze. Mais ce n'est pas tellement à l'avantage des libéraux de Pearson, dont le nombre de députés québécois passe de vingt-cinq à trente-cinq.

C'est l'événement que constitue l'élection de vingt-six députés créditistes qui emballe Pierre Trudeau : « La démocratie vient de naître au Québec, et a fait entendre ses premiers balbutie-ments.»

En 1958, les Canadiens français avaient, pour la première fois de leur histoire, voté en masse pour un parti — conservateur — dont aucun des principaux dirigeants n'était canadien-français. Pas tellement par idéologie, mais parce que les libéraux de Saint-Laurent commençaient à les tenir un peu trop pour acquis.

«En 1962, affirme Pierre Trudeau, le Québec a complété son abécédaire démocratique : en donnant le quart des voix et le tiers des sièges au Crédit social, il prouve que la montée d'un tiers parti, en opposition aux partis traditionnels, est possible.»

L'homme ne peut s'empêcher toutefois de formuler une der-nière mise en garde. Le Québec démocratique est né, mais l'enfant sera-t-il viable? se demande Trudeau. «La république de Weimar était dans son enfance quand elle porta démocratique-ment au pouvoir le candidat Hitler. Cette équivoque est surtout redoutable lorsque souffle un vent nationaliste.»

C'est l'une des premières fois, mais surtout pas la dernière, que Trudeau soulève ainsi le spectre du fascisme, parfois même de l'antisémitisme, contre l'engeance indépendantiste.

Il n'aura pas, de toute manière, le loisir de savourer longtemps la percée créditiste. Le gouvernement Lesage arrive, au grand ga-lop, avec son projet de nationalisation et d'élections générales pour le faire entériner. Cette fois, Pierre Trudeau a bien failli se retrouver complètement seul. Et c'est justement la force du mou-vement créditiste qui l'a sauvé!

Pendant les élections fédérales de juin, en effet, Jean Mar-chand s'attristait beaucoup de voir ses propres militants se lais-ser prendre au charme de Réal Caouette. Il fit une campagne très dure contre les créditistes, parmi les ouvriers de l'aluminium du Lac-Saint-Jean en particulier.

René Lévesque, par ailleurs, se sent un peu seul au Parti libé-ral et la bataille qu'il a dû mener au lac à l'Épaule pour convain-cre ses collègues du Cabinet de nationaliser l'électricité l'a convaincu qu'il est dangereux pour un progressiste de s'aven-turer, seul, dans un vieux parti.

Trudeau est bien d'accord avec lui et il souhaite que Lesage renforce son aile gauche. Il encourage Gérard Pelletier, autant que Jean Marchand, à prendre le chemin de l'Assemblée nationale. Quant à lui, c'est exclu : il a trop d'ennemis dans le Parti, sans compter les rapports plutôt distants qu'il entretient avec Jean Lesage.

À l'automne de 1962, les transactions entre Lesage et Marchand sont assez avancées pour que ce dernier en informe le Conseil général de la nouvelle Centrale des syndicats nationaux, la CSN, qui vient de succéder à la CTCC. On l'a même assuré qu'il deviendra ministre du Travail.

Mais Lesage rompt les négociations sans explications. Certains laissent entendre que René Lévesque a joué un rôle dans cette rupture.

En fait, les libéraux ne sont pas plus hardis qu'il faut avec le projet de nationalisation. On les accuse déjà de jouer aux méchants communistes. Et, comme les créditistes ont un compte à régler avec Jean Marchand depuis les dernières élections fédérales, Lesage a tout simplement peur que le turbulent syndicaliste ne donne des armes à la droite et «n'effarouche le vote créditiste».

Ce qui est grave, c'est l'avortement des négociations, sur lequel Lesage ne s'explique pas. Jean Marchand, qui a toujours rêvé d'une carrière à Québec, en est meurtri. Ce jour-là, quelque chose se brise en lui ; ses relations avec René Lévesque ne seront plus jamais les mêmes.

Entre politiciens de même famille, on se passe toutes sortes de renseignements, surtout à la veille des campagnes électorales. Les libéraux fédéraux, qui ne cherchent qu'une occasion pour faire trébucher Diefenbaker, savent donc que Jean Marchand est disponible.

Il y a longtemps que Maurice Lamontagne et Louis de Gonzague Giguère, chasseurs de têtes pour le Parti libéral fédéral, ont l'œil sur Jean Marchand. Lamontagne, économiste, est député d'Outremont et connaît fort bien l'équipe de *Cité libre.* Giguère, qui a participé à la fondation de l'Institut canadien des affaires publiques, a eu l'occasion d'y repérer les jeunes loups prêts à «manger du bleu».

Mais la liste des personnes disponibles se fait de plus en plus courte, maintenant que la Révolution tranquille draine les talents vers Québec. Marchand intéresse les libéraux parce que sa popularité dans la province est énorme. Il est surtout «propre, propre, propre» et le vieux Parti libéral a besoin de se refaire une vertu.

Trudeau aussi intéresse les fédéraux. C'est un Canadien convaincu, mais il est plutôt imprévisible. Et, avec son caractère de chien, «on ne pourra le faire élire nulle part», prédit Jean Chrétien.

Le Parti tourne aussi autour de Jean-Louis Gagnon, que la faillite du *Nouveau Journal*, après dix mois d'existence seulement, a rendu disponible. Bref, les libéraux se cherchent déjà trois colombes: Marchand, Trudeau, Gagnon.

L'esprit d'indépendance de Pierre Elliott Trudeau fait peur aux libéraux. Et ils ont bien raison: celui-ci va leur administrer une telle volée que les projets de Lamontagne et Giguère vont tomber à l'eau.

Pierre Trudeau n'a jamais beaucoup aimé les militaires. Ni les Américains. Si les uns et les autres se mêlent de politique canadienne, il se met à sécréter du vitriol.

Déjà en 1961, il avait fait un violent réquisitoire contre la décision des deux K — Krouchtchev et Kennedy — d'autoriser la reprise des essais nucléaires, suspendus depuis 1958, «sauf par la France souffreteuse».

L'analyse de Trudeau n'est pas seulement intéressante parce qu'elle illustre ses profondes convictions de pacifiste, mais aussi parce qu'il profite de l'occasion pour envoyer une autre taloche à ses compatriotes.

Il connaît bien les mouvements pacifistes du Canada anglais, qu'il fréquente d'ailleurs de temps à autre. «Mais que font les Canadiens français? se demande-t-il. La plupart de ces mouvements ont leur petit nombre de Québécois de service... Mais ce sont les cadres qui manquent, des cadres en nombre suffisant et qui donneraient une certaine priorité à la survie du genre humain.»

«De mon temps, rappelle Trudeau qui avance dans la quarantaine, la jeunesse secouait les aînés, lançait des défis à leur conscience. Aujourd'hui, la jeunesse parle de séparatisme, elle tourne résolument sa face vers le passé et s'attaque à des problèmes qui ont trouvé leur solution il y a un siècle. »

La société canadienne-française, une fois de plus, en prend pour son rhume : les hommes de quarante ans réunis dans leurs clubs, les femmes groupées dans leurs sociétés littéraires et leurs cercles de couture, le clergé dans ses presbytères et ses institutions d'enseignement, les professeurs à l'heure du déjeuner, les dirigeants de la presse et de la radio...

« Tout ce monde adulte parle de quoi ? Enquête sur quoi ? Fait de sentencieuses considérations à propos de quoi ? lance Trudeau. Séparatisme, indépendantisme, Laurentie [allusion au Mouvement Laurentien] ! »

Ce genre de prose, heureusement, ne sort pas de *Cité libre*. Mais lorsque Lester Pearson, Prix Nobel de la paix et néanmoins chef du Parti libéral, décide d'appuyer la décision des Américains de déployer des ogives nucléaires au Canada, les Bomarc, Pierre Trudeau réplique avec une charge de dynamite.

Ses amis auront beau, plus tard, expliquer à Pearson que ce n'est pas lui mais Pierre Vadeboncœur qui a trouvé le surnom de « défroqué de la paix », Trudeau n'y va pas avec le dos de la cuiller. Il parle « d'apostasie de M. Pearson », de « décadence de la pensée politique canadienne » et de « pourrissement intellectuel ».

Pire encore, et le Département d'État à Washington s'en souviendra longtemps, Trudeau soupçonne la CIA de manœuvrer Lester Pearson.

« Il était clair depuis un long moment que les USA n'aimaient pas Diefenbaker », explique-t-il au lendemain des élections d'avril 1963 qui reportent les libéraux au pouvoir à Ottawa.

De fait, le « vieux lion de Prince Albert » voulait relancer le commerce avec le Royaume-Uni pour se libérer un peu de l'emprise économique des États-Unis. Il avait créé une Commission d'enquête sur l'emprise des publications américaines. Il vendait son blé à la Chine. Il refusait de boycotter Cuba. Pire encore, il attendit trois jours avant d'emboîter le pas à John Kennedy dans la crise des missiles.

« Diefenbaker must go », ont ordonné les Américains. C'est du moins l'avis de Trudeau. « Et vous croyez que je dramatise ?

Mais pourquoi pensez-vous donc que les États-Unis en useraient différemment avec le Canada qu'avec le Guatemala, quand la raison d'État l'exige et que les circonstances s'y prêtent ? »

Ce genre d'excès de langage, traduit en anglais dans les notes diplomatiques du ministère canadien des Affaires extérieures et de l'Ambassade des États-Unis, faillit bien interrompre la carrière politique de Trudeau. C'était bien plus grave que de voter, comme il le fit effectivement, pour le candidat du NPD.

La moisson des recruteurs du Parti ne fut, de toute façon, pas entièrement perdue dans la province de Québec. Au cours de ces élections que Trudeau et Marchand « passent », un certain Jean Chrétien, jeune avocat de vingt-neuf ans, se fait élire dans le comté de Saint-Maurice. Contre un créditiste. La théorie de Trudeau sur l'émergence de tiers partis n'a pas tenu longtemps.

Et ce Chrétien plaît à Pearson : moins d'un an après son élection, ce jeune député réussit à faire voter les conservateurs de John Diefenbaker pour un projet de loi changeant le nom de Trans-Canada Airlines pour Air Canada. Le député de Saint-Maurice-La Flèche a bien failli passer la porte du Conseil des ministres avant Pierre Trudeau.

Jean Marchand poursuit, de son côté, son petit bonhomme de chemin qui le mène maintenant à Ottawa. Il a accepté de siéger à la toute nouvelle Commission royale d'enquête sur le bilinguisme et le biculturalisme. Plus encore, il s'est livré à des tractations secrètes qui en disent long sur l'estime réelle qu'il porte à Pierre Trudeau.

Québec et Ottawa jouent à ce moment-là au ping-pong constitutionnel, à coups de Commissions royales d'enquête. La Commission Tremblay, créée par Maurice Duplessis, trouve, en 1956, « le Québec à un carrefour ». La province ne veut ni de la centralisation, ni du séparatisme. Et dénonçant les coups de force centralisateurs d'Ottawa, la Commission réclame « une pratique sincère du fédéralisme ».

Le 19 juillet 1963, Pearson réplique avec sa propre Commission. André Laurendeau l'avait déjà réclamée, en janvier 1962, mais John Diefenbaker en avait rejeté l'idée. C'est Jean Marchand qui, au cours d'une longue soirée dans sa maison de Cap-Rouge, en banlieue de Québec, a finalement convaincu Laurendeau d'en accepter la coprésidence (avec Davidson Dunton).

Qui d'autre, sinon un homme de l'envergure intellectuelle de Pierre Trudeau, eût été mieux qualifié pour présider cette Commission royale d'enquête ? Et il était disponible. Mais Jean Marchand est profondément québécois et se sent mal à l'aise dans le milieu très anglais de la politique fédérale ; c'est finalement à un fervent nationaliste qu'il demande de l'accompagner à Ottawa, pas à un antinationaliste.

Un intime de Marchand, qui a d'ailleurs assisté à cette rencontre de Cap-Rouge, avance sa propre explication : « De l'intérieur de l'être, Marchand était Québécois de tripes. Je n'ai jamais senti que Trudeau était Québécois de tripes… » L'eût-il été qu'il s'en serait sans doute guéri. « La raison plutôt que le sentiment ! »

À Québec, Jean Lesage continue sur sa lancée. Lorsque le gouvernement fédéral songe à créer un régime universel de retraite, le Québec refuse de s'y associer ; il réclame plutôt des points d'impôt et crée son propre régime des rentes. C'est la première fois au Canada qu'on parle de la formule de l'*opting out*, « une prime à la séparation » qui va obséder Trudeau pendant toute sa carrière politique.

En avril 1964, on assiste à la dernière grande victoire constitutionnelle du Québec. Le Canada anglais ne se doute pas de son ampleur.

En même temps que son propre régime de retraite, le Québec crée en effet la Caisse de dépôt et placement, qui va gérer les cotisations des Québécois. Les fonds s'accumulent d'autant plus vite que la population est jeune et que le nombre de bénéficiaires est réduit. Dix-huit ans plus tard, la dernière initiative politique d'envergure du Premier ministre Pierre Elliott Trudeau sera de tenter de lui couper les ailes.

Mais nous anticipons. Pour l'heure, une nouvelle réalité politique n'échappe pas à un observateur averti comme Trudeau : le Québec a maintenant un État moderne, et de grands commis pour le servir comme les Arthur Tremblay, Michel Bélanger, Roch Bolduc, Jacques Parizeau, Roland Giroux, Claude Morin et tant d'autres.

À Ottawa, «c'est la gabegie»! Les têtes canadiennes-françaises tombent les unes après les autres sous les scandales, d'autant plus vite qu'elles font face à une opposition de «mange-canayens».

Trudeau en souffre probablement: il n'a jamais accepté qu'on raille ses compatriotes devant lui. Pas même René Lévesque. Lorsque Patrick Watson vient le voir, à l'Université de Montréal, pour lui offrir d'animer une nouvelle émission de télévision sur le réseau CBC — *Inquiry* —, il refuse. «Je pense qu'il est temps pour moi de plonger dans la mêlée», répond-il simplement.

« The Quebecker we need »

(1965-1969)

Ce qu'il en coûte aux gens de se désintéresser de la chose publique, c'est d'être gouvernés par des gens pires qu'eux-mêmes.

Platon, cité par Trudeau en 1965.

Trois colombes,
*trois faucons**

En 1965, le Canada s'entiche d'une formule — « les trois colombes » —, traduction bien libre de Jean V. Dufresne du surnom inventé par un journaliste du *Toronto Star,* Robert McKenzie, *The three wisemen* : les trois sages.

Sages, ils ne le sont sûrement pas. Leur passé rendrait même Lester Pearson plutôt nerveux ! Mais l'Ontario aime croire que ce parti qu'elle s'apprête à porter au pouvoir a nettoyé son aile québécoise de la gangrène qui le ronge.

Colombes, cela reste à voir. Pierre Trudeau apporte dans ses bagages ses campagnes de pacifiste. Jean Marchand traîne avec lui la réputation de boss du syndicat que les coups de gueule de Michel Chartrand n'ont pas arrangée. Gérard Pelletier, en disponibilité lui aussi depuis que *La Presse* l'a remercié, laisse derrière lui l'image un peu floue du rédacteur en chef d'un journal dont les lecteurs lisent peu les éditoriaux.

Des trois, Jean Marchand est le plus connu, même au Canada anglais : cela fait plusieurs mois que les journaux font circuler le

---

* Pour ce chapitre et les suivants, sur l'entrée de Trudeau en politique, je suis redevable à mon collègue Pierre Godin, qui m'a communiqué le contenu d'entrevues, encore inédites, réalisées avec Jean Marchand avant qu'il ne disparaisse, et avec Maurice Sauvé, avant que son état de « prince consort » ne lui impose le silence.

nom de cette recrue vedette des libéraux. Les apparitions régulières de Gérard Pelletier à la conférence annuelle de l'Institut canadien des affaires publiques l'ont fait connaître dans le cercle restreint de l'intelligentsia torontoise.

Marchand et Pelletier sont d'ailleurs, en juillet 1965, sur les rives du lac Couchiching en Ontario. Maurice Sauvé, ministre d'État aux Forêts, vient y faire un tour. Il n'est guère encourageant : Maurice Lamontagne et Louis de Gonzague Giguère en ont mis un peu trop. À force de voir les trois colombes présentées comme les sauveurs du Parti libéral au Québec, les anciens en ont pris ombrage. Ils se sont souvenus que Pierre Trudeau les avait fait passer pour des ânes et des sous-fifres sans importance.

La décision des trois hommes a été prise deux mois plus tôt, dans le salon de Gérard Pelletier. Ils devaient être quatre mousquetaires d'ailleurs, comme en 1960 à Québec. Avant même que Jean-Paul Lefebvre ait le temps d'informer Marchand que, pour des raisons personnelles, il laisse passer l'occasion, Trudeau se lance, trahissant ainsi son impatience.

Quant à Gérard Pelletier, il fera ce qu'il a toujours fait depuis le 22 avril 1949 : le pont entre deux hommes, Trudeau et Marchand, trop différents pour s'entendre. « Je savais que ces deux-là ne communiquaient pas très bien ensemble », expliquera-t-il plus tard.

Au cours du long week-end de la fête du Travail de 1965, René Lévesque assiste à une conférence fédérale-provinciale des ministres de l'Énergie à Terre-Neuve, quand la nouvelle sort enfin dans les journaux. Il rejoint Gérard Pelletier à son chalet du lac Ouareau dans les Laurentides, où Marchand et Trudeau passent également le week-end. Lévesque pense avoir joué un rôle dans la décision des trois colombes de s'embarquer ensemble dans la galère fédérale. En fait, les jeux ne sont pas encore faits. Loin de là.

La fuite dans *Le Devoir* du 2 septembre 1965, au sujet de l'arrivée du trio sur la scène fédérale, avait été organisée par des ministres du Québec qui ne voulaient rien savoir de Gérard Pelletier et encore moins de Pierre Trudeau.

À l'époque, tout va mal pour les Canadiens français de Lester Pearson. Yvon Dupuis, ministre d'État sans portefeuille, est déchu pour avoir pigé dans celui d'un propriétaire de champ de courses. Quelques mois plus tard, Guy Favreau est à son tour en difficulté : des membres de son Cabinet, au ministère de la Justice, l'ont embarqué dans une douteuse affaire de protection d'un bandit de grand chemin, Lucien Rivard, qui ne veut pas se faire extrader aux États-Unis. Et maintenant, voilà que Maurice Lamontagne et René Tremblay se retrouvent mêlés à la faillite d'un marchand de meubles de Gaspésie. Les conservateurs de Diefenbaker, le jeune Yukon Erik Nielsen en particulier, futur vice-premier ministre de Brian Mulroney, s'en donnent à cœur joie.

Nielsen a raconté en 1989 comment, alerté par un jeune conseiller politique du Parti, Lowell Murray (lui aussi futur membre important du gouvernement de Brian Mulroney) s'est mis en chasse avec l'aide d'un journaliste de la radio torontoise. Les ministres du Québec, Maurice Lamontagne et Guy Favreau, ont été piégés les uns après les autres. Et pour ne rien arranger, les conservateurs avaient trouvé un moyen d'espionner les réunions du caucus libéral de Lester Pearson. Plusieurs membres du gouvernement conservateur, toujours selon Erik Nielsen, auraient ainsi écouté aux portes de l'adversaire.

La candidature de Jean Marchand intéresse donc les jeunes députés québécois de Pearson, mais la sienne seulement. À la tête d'une équipe, il deviendrait en effet l'héritier naturel de Favreau comme lieutenant du Québec, un poste que convoitent des ministres comme Lucien Cardin. Et d'autres, comme Jean Chrétien, risquent encore une fois de voir passer leur tour d'entrer au Cabinet.

Au milieu de l'été 1965, Maurice Sauvé a pris sur lui d'insister directement auprès de Lester Pearson pour qu'il accepte, avec celle de Marchand, les candidatures de Pelletier et Trudeau. Cela fait longtemps qu'il s'agite et réclame un nettoyage de l'aile québécoise du parti. La cascade de démissions donne du poids à ses arguments.

Pearson ne connaît pas le trio personnellement, mais Sauvé lui explique qu'il s'agit d'intellectuels respectés au Québec. « De bons Canadiens en plus ! »

« Je n'ai pas d'objection, mais arrangez cela avec Favreau », finit par suggérer Pearson.

À la réunion régulière des ministres du Québec qui suit la décision de Pearson, la réaction est unanime : personne ne veut de Trudeau. Et pour être sûrs de couler l'opération, ils organisent la fuite. Il faudra finalement que Pearson donne l'ordre à son lieutenant du Québec « de travailler pour que Marchand, Pelletier et Trudeau entrent tous les trois dans le Parti ».

Favreau, Lamontagne et Giguère organisent une réunion secrète à l'hôtel Windsor. Jean Marchand est tellement sûr de son coup qu'il convoque une conférence de presse pour le lendemain matin, 10 septembre, et prévient quelques journalistes. Maurice Sauvé réussit à « s'inviter » à la réunion qui commence à 20 heures (il l'affirme lui-même, bien que Gérard Pelletier ne se souvienne pas de sa présence, et que Jean Marchand la nie carrément).

Gérard Pelletier, qui a été rappelé d'urgence de Winnipeg, arrive en retard. Si Marchand se sent accueilli à bras ouverts par les ministres de Pearson, Trudeau se fait servir une mise en garde. « Tu n'as pas d'avenir en politique, laisse entendre Maurice Lamontagne. Tu as écrit des choses très dures sur Pearson. »

Trudeau connaît assez la politique pour savoir qu'il vaut mieux neutraliser la résistance des envoyés de Pearson. Il sait de toute manière, par ses conversations avec Pitfield et Lalonde, qu'une fois élu il n'aura plus besoin d'eux. Mais pour l'heure, il n'a même pas de comté, pas plus que Gérard Pelletier d'ailleurs.

Les trois colombes se retirent dans une suite voisine de celle où se tiennent Guy Favreau et ses deux collègues. Trudeau *bluffe* : « Demandons notre adhésion au Parti libéral du Canada. On verra bien s'ils oseront refuser. »

Pierre Trudeau souhaite se présenter dans un comté francophone. Un moment, il caresse même le rêve de devenir député de Saint-Michel de Napierville, le village de ses ancêtres. C'est la rigolade dans les salles de rédaction de Montréal : l'intellectuel de *Cité libre*, le bourgeois d'Outremont, faisant campagne dans les fermes de la Rive Sud ?

Trudeau devra finalement se contenter de Mont-Royal, un comté à très forte majorité anglophone, parce que les organisateurs libéraux ne croient pas à ses chances de se faire élire dans un comté difficile.

Même chose pour Gérard Pelletier, qu'on envisage d'abord d'envoyer dans Dollard jusqu'à ce qu'on apprenne qu'un jeune loup, protégé de Giguère — Jean-Pierre Goyer —, le veut pour lui. On lui trouve finalement Hochelaga, libéral depuis 1925.

La candidature de Trudeau et de Pelletier est perçue — déjà! — comme une trahison par leurs anciens collègues de *Cité libre*. Ils se sentent obligés de leur répondre, une dernière fois.

Pourquoi la politique active? «Après avoir pendant quinze ans dit aux autres quoi faire et comment le faire, quoi d'étonnant qu'un bon jour nous soyons nous-mêmes tentés de faire?»

Pourquoi au niveau fédéral? «Le Québec est devenu fort et le pouvoir central s'est affaibli. Les Québécois continuent d'être gouvernés par Ottawa, ils y versent encore la moitié de leurs impôts. Mais ils y sont de moins en moins présents, intellectuellement, psychologiquement et même physiquement.»

Heureusement que Guy Favreau et les futurs collègues de Pierre Trudeau ne voient pas l'interprétation plutôt libre de la citation de Platon dont il entend coiffer sa lettre à *Cité libre*: «La punition des citoyens intelligents qui se désintéressent de la chose publique, c'est d'être gouvernés par des imbéciles.» (C'est Pelletier qui établit la traduction plus fidèle, et surtout plus diplomatique, citée au début de cette partie.)

Et pourquoi le Parti libéral? expliquent encore Trudeau et Pelletier. Charles Taylor notamment, lui aussi de l'équipe de *Cité libre*, leur reproche de renier les vibrants actes de foi de Trudeau dans l'émergence de tiers partis, et se présente contre lui dans Mont-Royal sous l'étiquette du NPD.

Trudeau et Pelletier répliquent: «Sans tomber dans l'alarmisme, nous croyons tout de même qu'il existe un certain état d'urgence au Canada. La marche des affaires fédérales, si elle devait se poursuivre dans l'atmosphère où elle se déroule actuellement, risquerait de produire, à brève échéance, des résultats dommageables à l'union politique canadienne.»

Car c'est bien de cela qu'il s'agit, et c'est la raison de l'empressement de Pitfield et de Lalonde à se rapprocher immédiatement de Pierre Trudeau.

À la fin du printemps de 1967, à Cap-Rouge, alors qu'on ne parle pas encore de course au leadership au Parti libéral du Canada, deux hommes spécialement venus d'Ottawa passent le week-end chez Marchand, avec Pelletier et Trudeau.

Georgette Marchand, l'épouse de Jean, a heureusement pris une photographie de ce moment historique. En plus des trois colombes on y reconnaît Marc Lalonde et Michael Pitfield. Le premier est adjoint spécial du Premier ministre. Le second est greffier adjoint du Conseil privé.

Quinze ans plus tard, le 17 avril 1982, au moment où la Reine s'apprête à proclamer la nouvelle Constitution canadienne, Pierre Trudeau précise : «Dès que la Révolution tranquille s'est mise à dériver vers la politique de grandeur, et que des institutions se sont mises à attacher autant d'importance à ce qui est devenu la guerre des tapis, des tapis rouges… je me suis dit que ça commençait à charrier. Je trouvais que c'était une mauvaise orientation pour le Québec. Je suis entré en politique fédérale précisément pour dire : Non!»

Non aux provinces bien sûr. Et s'il n'en reste qu'une à résister, le Québec, ce sera encore non!

Pierre Trudeau avait écrit tout cela dans *Cité libre,* en mai 1964, dans son manifeste sur une «politique fonctionnelle». Il disait vouloir s'inspirer des techniques de l'architecture pour bâtir son pays et proposait «une politique fonctionnelle».

Son plan était prêt. Et il disposait déjà de deux architectes en poste à Ottawa : Pitfield et Lalonde.

Ces deux hommes s'étaient connus en 1959, dans le cabinet de Davie Fulton, ministre de la Justice de John Diefenbaker. Ils travaillaient alors sur des projets de formule d'amendement à la Constitution.

En 1962, Michael Pitfield est secrétaire de la Commission royale d'enquête sur la fiscalité. L'un des membres de la Commission, Carl Goldenberg, qui deviendra plus tard le principal conseiller de Pierre Trudeau sur les affaires constitutionnelles, organise une réception chez lui à Montréal. Pitfield y invite Marc Lalonde, qui propose à Pierre Trudeau de l'accompagner…

Séduit par un aussi brillant esprit, Pitfield tente d'attirer Trudeau à Ottawa. Celui-ci refuse. Lalonde accepte un poste de conseiller. Les trois hommes gardent le contact.

Michael Pitfield et Marc Lalonde étaient faits, de toute manière, pour s'entendre avec Trudeau. Biologiquement, il y a de l'un et de l'autre en Trudeau. Intellectuellement, ils sont tellement proches de lui qu'on se demande même si ce ne sont pas Pitfield et Lalonde qui ont fait Pierre Trudeau. Une chose est certaine : le premier texte de Trudeau dans *Cité libre*, en 1950, ébauchait déjà sa conception du fédéralisme. En 1964, ce sont Pitfield et Lalonde qui lui demandent de raffiner sa théorie.

Pitfield est millionnaire, intellectuel et montréalais comme Pierre Trudeau. Mais là s'arrête la comparaison. Il appartient à deux des plus riches familles de Montréal : son père, Ward Pitfield, a fondé la grande maison de courtage Pitfield, Mackay & Ross. Sa mère, Grace (comme madame Elliott) MacDougall, est issue de la plus grosse famille d'affréteurs maritimes de Montréal, les Redford. La résidence familiale des Pitfield à Saraguay, vendue en 1965 pour un million de dollars, était assez grande pour être transformée en couvent.

Grace Elliott a fait une partie de ses études avec la mère de Pitfield et, se fût-elle mariée avec quelque riche courtier du «Golden Square Mile» — un quadrilatère de Montréal délimité par les rues Peel, Sherbrooke, Guy et l'avenue des Pins où on trouvait avant la guerre la plus forte concentration de millionnaires au Canada — plutôt qu'avec Charles-Émile Trudeau, Pierre Elliott serait devenu un riche bourgeois de Westmount, aurait étudié à McGill et ne serait sans doute jamais devenu Premier ministre du Canada.

Marc Lalonde, c'est le modèle de Canadien français dont Trudeau a toujours été fier. Comme Charles Trudeau, Lalonde est le fils d'une famille de fermiers de l'île Perrot qui a réussi à décrocher son droit à l'Université de Montréal et une maîtrise en sciences politiques à Oxford, en bûchant dur et en décrochant les bourses les plus prestigieuses grâce à son intelligence. Contrairement à Charles Trudeau, amateur de poker et joyeux luron, Lalonde est un modèle de vertu, un travailleur acharné, et tellement attaché aux valeurs familiales qu'il n'a jamais voulu faire déménager sa femme et ses quatre enfants à Ottawa.

Bref, Trudeau retrouvait, dans Pitfield et Lalonde, le riche fils de famille qu'il aurait pu être, le père qu'il aurait aimé avoir.

La légende des trois colombes va durer assez longtemps pour que personne ne remarque le profond changement qui survient dans le cercle des intimes de Pierre Trudeau après son arrivée à Ottawa.

À tous les instants importants de la carrière politique de Pierre Elliott Trudeau, on retrouve Pitfield et Lalonde dans les coulisses.

Lorsque Pierre Trudeau décide de se lancer dans la course au leadership, c'est Marc Lalonde qui convainc Lester Pearson de l'envoyer faire une tournée des capitales provinciales. Objectif : le faire connaître d'un bout à l'autre du Canada anglais.

Le soir de son élection à la direction du Parti libéral, Pierre Trudeau disparaît en disant « à demain » à ses organisateurs. Tout le monde le croit avec une femme. Il soupe chez Michael Pitfield.

Quand Trudeau devient Premier ministre, Pitfield est responsable de la planification au Conseil privé. Il rapatrie le contrôle de la bureaucratie au Bureau du Premier ministre tandis que Marc Lalonde, secrétaire principal de Trudeau, met la main sur l'appareil du Parti.

Quand les députés du Québec sont ébranlés par les crises qui secouent leur province, c'est Lalonde qui met tout le monde au pas. On le surnomme bien vite le « Père Fouettard ». Les « poules mouillées », comme il les appelle, ou les dissidents, n'ont qu'à se démettre, comme Jean Marchand, ou à s'exiler.

Quand Trudeau réalise le coup de force constitutionnel de 1980, Pitfield se débarrasse de Gordon Robertson, trop « bonne-ententiste », et le remplace par Michael Kirby, un spécialiste de la stratégie militaire.

Marc Lalonde promet en 1969 « d'appliquer la raison aux problèmes sociaux et économiques du Canada ». Il tiendra parole, avec une fermeté que même Trudeau aura parfois du mal à comprendre.

Selon Michael Pitfield, « à l'époque de Pearson, le gouvernement fédéral pensait naïvement qu'il obtiendrait toujours la coopération des provinces ». Pendant quinze ans, le gouvernement fédéral va se prêter au jeu de la concurrence avec les provinces. Et gagner, parce que Pitfield va bâtir l'une des bureaucraties les plus combatives de l'histoire du pays.

Pierre Trudeau apprend très vite la leçon : « Les provinces encaissent et elles ne disent même pas merci. Ce genre de fédéralisme-là, c'est fini ! »

Tout cela était déjà dans l'article de 1964 sur la « politique fonctionnelle ». « La primauté accordée aux intérêts régionaux et l'absence de leadership au niveau du gouvernement central risquent d'entraîner la dislocation de l'État central », écrivaient Trudeau et Lalonde. Dix-huit ans plus tard, au lendemain du rapatriement de la Constitution, Pitfield triomphait en sortant une copie toute jaunie de l'article de *Cité libre* :

« Nous ne savions pas très bien comment nous y arriverions, dit-il, mais nous savions où nous allions. »

Sans même qu'ils s'en rendent compte, Jean Marchand et Gérard Pelletier sont rapidement isolés de Pierre Trudeau après leur élection à la Chambre des communes. Le premier est trop occupé à réorganiser l'aile québécoise du parti. Le second, en proie à un véritable choc culturel, marginalisé par le pouvoir anglosaxon, pense même à démissionner.

Quelques mois après son élection, Pierre Trudeau devient secrétaire parlementaire de Lester Pearson. Tout le monde croit qu'il s'agit d'une sinécure. Mais autour du Premier ministre, il y a aussi Marc Lalonde et Michael Pitfield.

La conscience de Gérard Pelletier, les tripes québécoises de Jean Marchand : tout cela est déjà loin.

Pierre Trudeau se frotte maintenant à la froide raison de Marc Lalonde et aux stratégies apprises à l'académie militaire de West Point par Michael Pitfield. Et il aime ça : son tempérament de bagarreur refait surface.

« Soudain, Pierre devient un cow-boy », se souvient un mandarin de l'époque.

Quand tout le monde parlait encore des trois colombes, personne ne remarquait que c'étaient trois faucons qui venaient de prendre le pouvoir à Ottawa.

« *Je leur dirais merde !* »

«Mon père m'a montré à boxer et à tirer du fusil», expliqua un jour Pierre Elliott Trudeau.

Installé à Ottawa, Trudeau ne prend pas les armes. «Pas encore!» diraient en grinçant des dents ceux qui se souviennent des grandes manœuvres d'octobre 1970. Mais il montre les poings. Le doigt à l'occasion!

Le plus étonnant, c'est que le candidat du Parti libéral du Canada dans la circonscription de Mont-Royal passe à travers la campagne électorale de 1965 sans le moindre incident. Sans doute parce qu'il était loin d'être le plus connu de tous les candidats vedettes de l'époque et que la presse ne prêtait pas trop attention à lui.

Avant d'entrer en politique, Trudeau maniait le verbe avec une habileté remarquable. Il avait le don des formules cinglantes et sa plume «ébréchée» pouvait faire très mal. Si on les remarquait à l'occasion, de tels propos ne faisaient cependant pas le tour du pays.

Entré dans la vie publique à une époque où la télévision commence à s'imposer comme le médium par excellence des campagnes électorales, Pierre Trudeau éprouve de la difficulté à s'adapter. Il ne se méfie pas et s'étonne que ses formules à l'emporte-pièce fassent soudain la manchette des journaux.

Quand il arrive à Ottawa, le jeune député de Mont-Royal a franchement l'air en visite.

« Où est la bibliothèque ? » demande-t-il au greffier de la Chambre des communes qui vient de l'assermenter.

La légende veut qu'à sa première visite, les gardes de sécurité du Parlement exigent qu'il s'identifie : ils ne veulent tout simplement pas croire que ce dandy représente les chic électeurs de Ville-Mont-Royal.

Quand Jean Marchand propose à Lester Pearson de le prendre sous sa protection et de le nommer secrétaire parlementaire du Premier ministre, Pierre Trudeau boude pendant trois semaines. « Je ne suis pas venu à Ottawa pour ça », répond-il à un Pearson médusé.

On ne sait pas trop s'il espère mieux, ou si, plus prosaïquement, il ne veut pas abandonner sa liberté.

Car au cours de l'été 1966, il disparaît pour une autre expédition en canot. Il descend la rivière Coppermine, dans les Territoires du Nord-Ouest, jusqu'à l'Arctique : quatre cents kilomètres de pagaie et de pénibles portages, le lever à cinq heures du matin pour éviter des mouches noires énormes et gourmandes, des jours entiers dans une tente minuscule secouée par un lugubre blizzard. Il rentre finalement à Ottawa, les mains entourées de bandages, et il soigne ses doigts bouffis par les engelures.

S'il est un morceau de leur héritage britannique auquel les Canadiens anglais tiennent par-dessus tout, c'est bien le ton guindé et les traditions vieillottes de Westminster, le Parlement de Londres. Les pierres de l'édifice victorien qui domine la rivière des Outaouais à Ottawa sont peut-être moins vieilles, le speaker — ou l'Orateur, comme on dit encore dans le français mal décolonisé du langage parlementaire — ne porte peut-être plus perruque et le sergent d'armes n'a pas toujours la démarche solennelle d'un lord anglais mais on « processionne » encore à Ottawa à l'ouverture de chaque séance et la Vice-Reine roule encore carrosse à l'inauguration des nouvelles sessions.

Pierre Trudeau ne renonce pas pour autant à ses foulards de soie, à ses vestes de daim à franges, à ses sandales de cuir. Et quand il ouvre la bouche, c'est le choc.

«Qui diable est député de Burnaby Seymour?» lance-t-il un jour vers les banquettes de l'Opposition.

«Allez vous faire foutre!» grince-t-il un autre jour, en anglais.

Heureusement, à la Chambre des communes, les députés peuvent réviser eux-mêmes la transcription de leurs propos avant que, imprimés dans le *Journal des Débats*, ceux-ci ne passent à la postérité. Mais les micros et les caméras de télévision ont la mémoire fidèle.

«Qu'avez-vous à répondre aux Québécois qui vous reprochent de confier l'étude de la révision constitutionnelle à deux experts anglophones? demande un journaliste téméraire au ministre de la Justice.

— Je leur dirais merde!» répond l'homme, qui engueule ensuite son attaché de presse lorsqu'il voit que cela fait un gros titre dans *La Presse*.

Pire encore, les aléas de la traduction, dans un pays bilingue, jouent plus d'un mauvais tour à Pierre Trudeau.

Le «Mangez d'la marde» lancé aux «gars de Lapalme» en bon québécois n'est pas plus méchant qu'un «Allez au diable!» un peu corsé. Mais, traduit littéralement par les journalistes anglais, c'est devenu une grossière invitation susceptible de couper l'appétit à tout le Canada.

L'incident le plus cocasse survient lorsque Pierre Trudeau déclare à une télévision anglaise de Hamilton en Ontario que les Québécois parlent un «*lousy french*». Transmis aux salles de rédaction par les téléscripteurs de la Presse canadienne, cela devient du «français pouilleux». Tollé dans la province!

Deux jours plus tard, Trudeau s'explique enfin, en français cette fois:

«Je n'ai pas dit pouilleux, mais négligé.»

La mise au point de Trudeau retourne dans les salles de rédaction du Canada anglais traduite par la *Canadian Press*.

«Lazy French, not lousy», titre le *Globe & Mail*.

Les nombreux attachés de presse qui se sont épuisés au cours de sa carrière politique à tenter de clarifier les remarques de Pierre

Trudeau n'avaient qu'une hantise : ses explosions de colère. L'homme est en effet facile à provoquer et certains de ses adversaires, Réal Caouette en particulier, ont le don de le faire sortir de ses gonds.

Un jour, dans les Prairies, un jeune manifestant n'arrête pas d'interrompre son discours et lui lance des poignées de blé.

« Arrête ou je vais descendre te botter le cul », lui lance Trudeau du haut de l'estrade.

Il faut bien reconnaître aussi que la provocation frappe parfois en bas de la ceinture. Le jour où Pierre Trudeau s'est présenté à la Chambre des communes en sandales et portant un foulard de soie, le correspondant du respectable *Citizen* d'Ottawa conclut son article sur un vicieux « on dit que le ministre de la Justice est un célibataire légèrement porté à l'homosexualité ».

De telles allusions, de même que le placard d'un jeune manifestant sur lequel, malgré sa myopie, Trudeau put lire « Merci, je suis homosexuel », le blessent encore plus qu'elles ne le mettent hors de lui. Mais il a au moins réussi, dans ce cas-là, à mettre les journalistes, et les rieurs, de son côté.

« Je pense que tout le monde était d'accord lorsque j'ai dit que l'État n'avait pas sa place dans les chambres à coucher de la nation ; vous pourriez dire de même que la nation n'a pas sa place dans les chambres à coucher de l'État, pas la presse en tout cas ! »

S'il a beaucoup parlé avec ses mains, parfois de façon grossière, Trudeau ne s'est jamais battu. Mais ses gardes du corps l'ont quelquefois protégé contre lui-même.

Ainsi en fut-il le jour du fameux esclandre avec Michel Chartrand dans les couloirs du Parlement.

C'était à l'époque où quatre cents chauffeurs des entreprises Lapalme de Montréal avaient perdu leur emploi lorsque la Société des Postes avait repris à son propre compte la livraison du courrier. L'affaire traînait et les esprits s'échauffaient, comme à Asbestos en 1949.

Le président du Conseil central de Montréal de la CSN n'en est pas à une provocation près. Rencontrant Trudeau et trois de ses ministres, Michel Chartrand se présente avec une banderole où les gars de Lapalme ont écrit : « Fédéral mon Q. »

«T'es un bouffon, chuchote Trudeau à l'oreille de Chartrand en passant à côté de lui.

— Je ne suis jamais le plus bouffon de tous quand tu es là aussi!» réplique Chartrand.

Les deux hommes cherchent une bagarre et les gardes de sécurité l'ont tout de suite compris. Quand ils se retrouvent côte à côte dans le couloir, il y a de la nervosité dans l'air. Chartrand reproche à Trudeau d'avoir fait emprisonner, quelques mois plus tôt, un jeune manifestant de Vancouver.

«Tout ça c'est des histoires, dit Trudeau.

— Tu me traites de menteur maintenant? Vous n'êtes qu'une bande de putains mais elles, au moins, elles rendent des services.

— T'es un cinglé.

— Je ne suis pas un cinglé et tu ne sais plus ce que tu dis, mon vieux», continue Chartrand qui a les mains dangereusement proches du revers de la veste de Trudeau.

Les gardes de sécurité tentent d'éloigner le Premier ministre.

«C'est ça, tes chiens t'emmènent hein?» lance encore Chartrand.

Pierre Trudeau se retourne, serre les poings et commence à les lever.

«Je n'ai pas besoin de gardes du corps pour me protéger de toi, Michel...»

La diplomatie et l'entraînement spécial des gardes du corps du Premier ministre ont finalement empêché le pays tout entier d'assister au match revanche des batailles qui se tenaient, presque un demi-siècle plus tôt, dans la cour d'une petite école bilingue d'Outremont.

Trudeau sait à l'occasion se servir d'un langage un peu cru pour remettre un ministre à sa place ou détendre l'atmosphère d'une discussion qui devient trop tendue. «L'art de la cabriole», avait prédit le père Roger Marcotte, son condisciple de Brébeuf.

C'est ainsi que, Premier ministre, il a finalement mis fin à «l'incident de Radio-Canada»...

Ses ministres chassaient alors les séparatistes dans les couloirs de la société d'État et Trudeau, qui avait tendance à les croire, avait promis aux militants libéraux, qui n'attendaient que ça, de «mettre la clé dans la boîte».

Au pire de la crise, le ministre responsable de Radio-Canada, Gérard Pelletier, convoque son président, Laurent Picard, à un déjeuner intime à Rideau-Gate, une résidence officielle située juste en face de celle du Premier ministre.

Lorsque Picard se présente et voit tous les ministres du Québec autour de la table, y compris Marc Lalonde, alors secrétaire principal du Premier ministre, il sait que les propos seront plus épicés que les plats qui seront servis. En effet, Trudeau arrive, s'assoit et ouvre la séance.

«Laurent, je pense que certains ont des choses à te dire», dit-il en dépliant négligemment sa serviette.

Comme si une meute de chiens avait été lâchée, les aboiements traversent les portes battantes de la salle à manger et couvrent le bruit des casseroles dans la cuisine. Laurent Picard en profite, pendant la longue demi-heure où les ministres se défoulent, pour avaler son repas.

Le Premier ministre donne enfin la parole au président de Radio-Canada. Comme il en a seul le secret, celui-ci se lance dans une bruyante colère blanche et remet André Ouellet, Jeanne Sauvé, et même Marc Lalonde à leur place.

«Écoute, Marc, lance-t-il. Si un de tes ministres se gratte les c… en pleine conférence de presse, penses-tu que je suis capable d'empêcher mes journalistes de montrer ça en ondes?

— Laurent, lance soudain Trudeau sans même lever le nez de son assiette, si Radio-Canada est capable de me démontrer qu'un seul de mes ministres a des c…. je te tire mon chapeau!»

Les fourchettes s'arrêtent à mi-chemin entre les assiettes et les bouches des ministres. La stupeur passée, c'est l'éclat de rire général, un peu jaune pour certains. Jeanne Sauvé, qui présume que la remarque ne s'adresse pas à elle, rit plus fort que tout le monde.

Mais l'incident est clos. Et les ministres ont surtout compris qu'il était temps d'arrêter de s'en prendre à Radio-Canada. C'était la manière de Trudeau de souligner le ridicule d'une situation et d'y mettre fin sans en avoir l'air.

Car, même si Trudeau se montrait exécrable ou grossier en public, le démocrate qui sommeillait en lui l'a toujours poussé, dans le secret des réunions du Cabinet, à défendre l'indépendance de Radio-Canada. Et le tendre qui se cache derrière le petit dur qu'on connaît en public l'amène souvent à racheter, d'un mot gentil, une attaque un peu blessante.

« Trudeau ne s'excuse jamais. Quand il a fait une erreur, il préfère vivre avec plutôt que de s'abaisser à ça », explique un proche.

De toute manière, les Canadiens anglais, à l'exception de quelques bigots, rient plutôt de bon cœur des esclandres de Pierre Trudeau. Après tout, n'est-il pas de la même race que ce général Cambronne qui a dit Merde ! à leurs ancêtres à Waterloo ?

Hélas ! pour lui, il n'y a pas qu'avec les chahuteurs ou devant les attaques vicieuses que Trudeau s'emporte. Élu au Québec, il continue à donner des taloches à ses compatriotes, ne s'en excuse pas plus que de ses gros mots et finit par se mettre tout le monde à dos.

Il ne faut guère plus d'un an à Pierre Trudeau pour devenir la tête de Turc de cette intelligentsia dont il faisait partie et qui respectait sa supériorité intellectuelle. Aujourd'hui encore, il se plaint que « les intellectuels du Québec » lui fassent toutes sortes de procès d'intention. Mais il les a souvent cherchés…

Le 23 novembre 1966, les trois colombes décident de célébrer le premier anniversaire de leur entrée en politique et retournent devant les électeurs de Mont-Royal. Ils dressent un premier bilan.

« Rien ne nous démontre que l'aventure que nous avons voulu vivre ensemble soit une aventure vaine », dit prudemment Jean Marchand.

Gérard Pelletier, déjà amer et presque au bord de la démission, se vide le cœur : « La capitale fédérale se comporte comme si les Canadiens français n'existaient pas. »

Pierre Trudeau revient sur ce qui sera bientôt une obsession : « Il faudra supprimer les conditions qui permettent au Québec d'invoquer son droit d'abstention facultative — *opting out*. Les provinces seront toutes sur un même pied : il n'y aura plus de statut spécial. »

Pendant la soirée, Gérard Pelletier, qui vient d'être nommé secrétaire parlementaire de Paul Martin, ministre des Affaires extérieures, se prend à rêver de la création d'une Communauté mondiale des pays francophones. C'est là une suggestion que Paul Gérin-Lajoie, ministre de l'Éducation à Québec, a évoquée en février 1965 à Paris, et que le président du Sénégal, Léopold Senghor, a reprise quelques mois plus tard.

Avec un brin de naïveté, Gérard Pelletier pense que c'est aussi une manière de réconcilier le gouvernement fédéral avec les Canadiens français. Il ne soupçonne pas encore la résistance de la bureaucratie anglaise, ni la froide raison de son ami Pierre.

Car le même soir, le jeune secrétaire parlementaire du Premier ministre rappelle qu'en matière de politique étrangère, Ottawa gardera sa prérogative, même dans les domaines de juridiction provinciale.

« Et si certains ambassadeurs ne comprennent pas cela, ils devront quitter le pays. »

À bon entendeur salut ! Et le tam-tam gronde déjà, qui appelle les politiciens à la guerre des tapis rouges.

Trudeau n'est pas encore ministre. Sa seule expérience internationale tient à l'Assemblée générale des Nations-Unies, pendant l'hiver 1966. En janvier 1967, comme s'il avait voulu éprouver son talent, Lester Pearson envoie donc son jeune secrétaire parlementaire en mission spéciale…

Le Québec a commencé, depuis quelques années, à s'émanciper sur la scène internationale. Même s'il n'a pas encore visité le balcon de l'hôtel de ville de Montréal, le général de Gaulle l'encourage de moins en moins discrètement. Et la bureaucratie fédérale s'énerve de plus en plus.

Lorsqu'on annonce que le secrétaire parlementaire du Premier ministre « entreprend une tournée en Afrique pour marquer l'intérêt que le Canada porte aux pays de l'Afrique francophone », on sourit d'un air entendu dans les ministères de Québec.

Un secrétaire parlementaire à Ottawa n'a guère plus de pouvoir qu'un chauffeur de ministre. Et en voyant l'itinéraire de Trudeau — le Togo, le Cameroun, la Côte d'Ivoire, le Sénégal et la Tunisie — on se dit qu'il repart en voyage, rien de plus!

Mais les dépêches de l'Agence France-Presse (AFP) commencent à faire froncer quelques sourcils dans la Vieille Capitale. Trudeau rencontre le président Senghor. Il est reçu par le président Bourguiba à Tunis et il parle avec insistance d'une présence « considérable » des Canadiens francophones de l'extérieur du Québec dans les projets d'assistance scientifique et technique à l'Afrique.

À Paris, le 10 février 1967, les cartes tombent sur la table. Le modeste secrétaire parlementaire rencontre le ministre français de la Coopération, Jean Charbonnel, et s'arrange pour que la très officielle AFP française rapporte : « La position constitutionnelle du gouvernement canadien est désormais bien comprise : les relations étrangères constituent une prérogative fédérale. »

Lester Pearson est content. Son secrétaire parlementaire a de la trempe et il confie à l'un des plus grands journalistes du Canada anglais, Norman DePoe : « Sa connaissance du droit constitutionnel m'impressionne. Nous sommes dans une période où il va falloir nous occuper du Québec. Pierre est Québécois et il semble être le genre de personne dont nous avons besoin. »

Un an plus tard, le coloré Premier ministre de Terre-Neuve, Joe Smallwood, va mettre tout cela dans une perspective un peu plus crue. Il déjeune avec Pierre Trudeau, alors ministre de la Justice.

« Si tu veux connaître mon opinion, dit Smallwood, pour Québec : rien, rien, mais rien du tout. Je veux dire, absolument rien que l'Île-du-Prince-Édouard ou Terre-Neuve ne puissent avoir aussi. Mais pour les Canadiens français, partout au Canada, tout, tout, vraiment tout ce que les Canadiens anglais ont. Tout, j'ai dit...

— Autant arrêter ça là, interrompt Trudeau. Vous venez de dire ce que je pense et je souhaite seulement pouvoir m'exprimer aussi clairement que vous. »

Depuis le 4 avril 1967, Pierre Trudeau est entré au Conseil des ministres par la grande porte, celle du ministère de la Justice. Et avant de se mêler de Constitution, il est, de l'avis même de ses pires ennemis québécois, un «grand» ministre de la Justice.

Il devient ministre en même temps que John Turner et Jean Chrétien, deux autres Québécois (Turner est alors député d'une circonscription de Montréal) qui se disputeront un jour sa succession. Claude Ryan souligne l'événement de façon savoureuse : « M. Chrétien est un bon type d'homme pratique, M. Trudeau est un intellectuel racé et M. Turner se situe quelque part entre les deux. »

Les premiers mois de Pierre Trudeau au ministère de la Justice constituent un moment de grâce dans ses relations avec le Québec. Il est d'abord très occupé à soumettre un train de réformes progressistes et n'a pas le temps de s'occuper d'affaires constitutionnelles. En fait, il ne sait pas encore où il veut en venir dans le domaine des relations entre Ottawa et les provinces.

Les réformes sociales qu'il va soumettre au Parlement fédéral le rendent sympathique à la vaste majorité de ses compatriotes. À Ottawa, en effet, les députés du Québec sont toujours en avance d'une révolution lorsqu'il s'agit de comportement social ou de valeurs personnelles.

En 1986, par exemple, lorsque le gouvernement Mulroney voulut libéraliser toute la législation fédérale pour tenir compte de l'orientation sexuelle des citoyens, donc des droits fondamentaux des homosexuels, le Terre-Neuvien John Crosbie constata, à son grand plaisir d'ailleurs, qu'il pouvait compter sur le bloc des députés québécois pour l'appuyer contre les bigots de son Parti. De même, Brian Mulroney a réussi à bloquer toute tentative de rétablissement de la peine de mort en s'appuyant sur ses députés québécois. Comme ceux-ci constituaient le plus fort contingent du groupe parlementaire conservateur, cela lui permit de se montrer «progressiste».

La même situation se présente en 1967 lorsque Pierre Trudeau arrive à la Justice. Pour des raisons qu'on ignore encore, mais qui ne sont peut-être pas étrangères au fait qu'il était mal à l'aise avec la question québécoise (les ministres de la Justice sont également responsables des affaires constitutionnelles), Lester Pearson n'a nommé que des Canadiens français à ce ministère : Lionel Chevrier, Guy Favreau (qui était en même temps son lieutenant pour le Québec), Lucien Cardin et Pierre Trudeau.

Maurice Sauvé prétend que Pierre Trudeau a beaucoup profité du travail de ses prédécesseurs en arrivant à la Justice. Le fameux projet de loi sur le divorce, entre autres, avait été préparé par Lucien Cardin et Trudeau n'a eu qu'à le défendre à la Chambre des communes.

Son discours du 5 décembre 1967 sur la loi C-187, *Loi concernant le divorce*, fait date cependant. Lorsque la majorité anglo-protestante du Canada anglais entend ce Canadien français, fervent catholique de surcroît, défendre le droit au divorce pour des motifs aussi passe-partout que «la faillite du mariage», elle reconnaît une qualité qu'elle a toujours apprécié de ses chefs, l'esprit de tolérance du «vrai libéral».

Quand, deux semaines plus tard, Pierre Trudeau présente un «bill omnibus» — en jargon parlementaire, cela désigne une réforme en profondeur de tout un volet de la loi du pays, le Code criminel en l'occurrence —, c'est le délire!

D'un coup, le Canada qui vient de célébrer son centenaire à Terre des Hommes — le site de l'Exposition universelle à Montréal — se découvre adulte: les loteries sont légalisées, l'avortement thérapeutique accepté, l'homosexualité tolérée «en privé et entre adultes consentants».

Bien sûr, on s'esclaffe lorsque le jeune ministre de la Justice, la mèche de sa coupe de cheveux «à la César» en bataille, déclare dans une entrevue: «Il n'appartient pas à l'État de surveiller la chambre à coucher de la nation.» Mais tout le Canada, y compris le Québec alors, voit en lui un politicien moderne.

«Je ne le voyais pas comme Premier ministre, mais il a été un excellent ministre de la Justice», reconnaît Pierre Bourgault.

D'où vient alors que quelques mois plus tard certains intellectuels québécois expriment déjà des réserves à son sujet? C'est qu'il commence à se mêler des affaires constitutionnelles et on redoute déjà un raidissement dangereux dans les rapports entre Ottawa et Québec.

Personne à l'époque ne prête attention à un sondage réalisé auprès de Québécois âgés de douze à dix-huit ans. Les trois hommes politiques que ces jeunes préfèrent sont Pierre Trudeau (30,6 p. 100), René Lévesque (25,3 p. 100) et Ted Kennedy (12,6 p. 100). Et comme Trudeau est à la fois lui-même et une sorte de Kennedy, il sait qu'il domine René Lévesque à près de deux contre un.

Pierre Trudeau ne chôme pas pendant qu'il est à la Justice. Pendant qu'il défend aux Communes des projets de loi préparés sous ses prédécesseurs, il profite aussi de l'été pour mettre au point son plan de réforme constitutionnelle.

Lors d'un congrès de l'Association du Barreau à Montréal, à l'automne 1967, il joue ses cartes avec arrogance. Le statut particulier est devenu, pour lui, «une connerie».

Mais le langage cru et les insultes n'amusent plus.

«Trudeau est le roi-nègre en sport jacket du Canada français», explose René Lévesque.

«Le cobra est sur le point de frapper», prévient *Montréal-Matin*, proche de l'Union Nationale.

«Les Canadiens français doivent se méfier du non-nationalisme du ministre fédéral de la Justice», dit Robert Cliche, alors chef du NPD au Québec.

«J'ai peur que l'antinationalisme de Pierre ne soit devenu un dogmatisme», confie André Laurendeau à Gérard Pelletier, quelques semaines avant sa mort.

À Ottawa, les ministres canadiens-français se taisent. Ils observent le combat que Pierre Trudeau vient d'ouvrir contre sa propre province. Certains souhaitent même qu'il s'y casse les reins.

Au Canada anglais, où on est depuis longtemps à la recherche d'un messie politique qui puisse faire entrer le pays dans son deuxième siècle sans que les Canadiens français se montrent trop turbulents, on observe avec intérêt.

Depuis le mois de mai 1966, Lester Pearson se sait atteint d'un cancer du nerf optique.

«Pourquoi n'assurez-vous pas l'intérim tout de suite? propose-t-il à Jean Marchand.

— J'aime mieux former un comité de ministres qui assurera le choix du successeur en cas de vacance imprévue», répond le chef des libéraux du Québec.

De temps à autre pendant l'été, Edgard Benson, Judy LaMarsh, Walter Gordon, Lawrence Pennell, Trudeau et Marchand vont donc se rencontrer au Cercle universitaire, sur la rue Laurier à Ottawa. Personne ne croit vraiment au départ imminent de Lester Pearson. Et s'il faut assurer l'alternance avec un Québécois, ce sont les noms de Guy Favreau, Jean Lesage ou Marchand qui circulent, plutôt que celui de Pierre Trudeau.

Le 14 décembre 1967, le jeune député libéral de Dollard, Jean-Pierre Goyer, est en route pour l'Université de Montréal, où il donne encore des cours. Distraitement, il écoute la radio…

« Le Premier ministre du Canada, le Très Honorable Lester Pearson, vient d'annoncer sa démission comme chef du Parti libéral, et demande la tenue d'un congrès au leadership pour le printemps prochain. »

Sur la vieille route 17 qui relie Ottawa à Montréal, une voiture s'arrête brutalement dans un crissement de pneus, fait rapidement demi-tour et repart à vive allure vers la capitale nationale…

« C'est ton tour ! »

Quand le jeune député de Dollard entre en coup de vent dans le bureau du ministre de la Justice, personne ne songe à lui poser de questions. Cela fait des mois que Jean-Pierre Goyer a ainsi l'habitude de se présenter au bureau de Pierre Trudeau, sans que son nom figure jamais à l'agenda officiel du ministre. Il est l'un des rares députés à faire partie d'un petit groupe de Québécois qui se rencontrent là de temps à autre. « Informellement », comme on dit à Ottawa pour détourner pudiquement les yeux de toutes sortes de complots. On sait vaguement qu'on y parle de « problèmes du Québec ».

Et puis, c'est jour d'agitation dans la capitale fédérale, comme chaque fois qu'un personnage important tire sa révérence. Décès ou démission, cela importe peu ; ce qui excite, ce sont les semaines, peut-être les mois d'intrigues qui s'en viennent.

« Cette fois ça y est : c'est ton tour ! dit Jean-Pierre Goyer en s'assoyant devant le lourd bureau du ministre.

— Es-tu fou ? » demande Pierre Trudeau.

Mais une fois de plus, les yeux du ministre l'ont trahi. Même si aucun des muscles de son visage n'a bougé, le regard qu'il jette à son collègue exprime tout ce qui lui passe par la tête depuis le matin. Son téléphone n'a pas arrêté de sonner.

« Voyons donc !

— …

— Penses-tu ?

— …

— Il est encore trop tôt pour parler de ça.

— …

— Et puis, il faut d'abord parler à Marchand ! »

Pierre Trudeau est-il surpris ? Un peu : il ne s'attendait pas à une telle avalanche d'appels empressés.

Ennuyé ? Beaucoup : il a horreur des combines politiques dans lesquelles il devine l'ambition plutôt que le sens du devoir.

Flatté surtout ! Pour la première fois peut-être, Pierre Elliott Trudeau réalise que le Canada tout entier le courtise. Et il adore ça !

Quelques heures plus tard, le ministre de la Justice se retrouve dans un luxueux appartement de Rockliffe. Avec le café sont venues les premières mesures de la *Symphonie héroïque* de Beethoven, et la couleur ambre des Fine Napoléon joue maintenant dans les ciselures du baccarat : Michael Pitfield donne une de ces brillantes soirées où le tout-Ottawa se presse.

À l'écart, Roy Faibish, l'un des producteurs les plus cotés de la CBC, est en grande conversation avec Pierre Trudeau. On devine, plus qu'on n'entend clairement, quelques bribes de la conversation… « Noblesse oblige »… « Pour le bien du pays ! »… « The Trudeau generation »…

L'encre est à peine sèche sur la lettre de démission de Lester Pearson que l'élite intellectuelle du Canada anglais et la télévision courtisent Trudeau…

On ne saura jamais si Lester Pearson, fin diplomate habitué aux manœuvres de couloir dans les conférences internationales et à l'ONU, a tout prévu. Mais à la réflexion, démissionner au moment où il l'a fait ne pouvait que conduire à l'élection de Pierre Elliott Trudeau.

Le 13 septembre 1967, à Toronto, les conservateurs se sont donné un nouveau chef, Robert Stanfield, ancien Premier ministre de la Nouvelle-Écosse. Ils sont sortis déchirés de la course à la chefferie. Et l'homme, pourtant profond et charmant, ne fait pas le poids face aux turbulents Premiers ministres provinciaux, en particulier John Robarts l'Ontarien et Daniel Johnson le Québécois. Ces deux-là viennent de faire des vagues à Toronto, avec leur conférence sur « La confédération de demain » où le gouvernement national a tout juste eu droit à un strapontin d'observateur.

À Ottawa, c'est déjà prévu, la session d'hiver va se terminer, dans quelques jours, par le dépôt du projet de réforme du Code criminel et un grand discours du ministre de la Justice sur les nouvelles valeurs — libérales bien entendu ! — de la société canadienne.

Au début du mois de février aura lieu une conférence constitutionnelle dont le ministre de la Justice, encore une fois, sera le lanceur de relève. Et Marc Lalonde, remarqué par Lester Pearson depuis quelques mois et déjà à son service personnel comme adjoint exécutif, a convaincu son patron d'envoyer Pierre Trudeau faire une tournée des capitales provinciales en janvier, « pour préparer le terrain »… Pearson comprend qu'il préparera le terrain à la réforme constitutionnelle… mais Lalonde a autre chose en tête.

Et puis les députés et les ministres québécois ont besoin d'un coureur. Ils sont très peu à croire aux chances de Paul Martin (déjà défait en 1957 contre Pearson), et ils savent que s'ils laissent passer leur tour, ils devront attendre de sept à dix ans avant qu'il ne revienne…

« On n'est tout de même pas venus à Ottawa pour ça, bougonne Jean Marchand.

— On en reparlera après les Fêtes », lui suggère Trudeau.

Le ministre de la Justice a d'autres préoccupations. Il prépare fébrilement son discours du 22 décembre sur la réforme du Code criminel. Quand il se laisse aller à sourire distraitement, aucun de ses adjoints ne devine qu'il pense à cette publicité du Club Méditerranée qu'il a découpée dans un journal et qui promet Tahiti pour 599,95 $. « Pas de supplément », a noté Trudeau, sans savoir que va débuter là l'histoire du couple le plus célèbre du début des années soixante-dix.

Le dimanche suivant la démission de Lester Pearson, Pierre Trudeau se repose dans la maison familiale de la rue McCulloch.

Jean-Pierre Goyer lui rend visite une nouvelle fois, avec un groupe de jeunes loups du Parti qui ont décidé de tenter le tout pour le tout.

«Tu as été un déclencheur pour nous, dit Goyer à Trudeau. C'est toi le plus articulé de tous et celui qui a le plus d'avenir. Permets-nous au moins de vérifier si c'est possible…» Trudeau ne répond pas, ce que les jeunes prennent pour un encouragement.

Il y a là Pierre Levasseur, directeur du Parti pour le Québec, qui abandonne immédiatement travail et famille à Montréal et se cherche un appartement à Ottawa; Gordon Gibson, un yuppie de Vancouver assez riche pour avoir ses entrées dans la haute bourgeoisie de la Côte du Pacifique, et adjoint exécutif du président du Conseil du Trésor, Edgard Benson; et Jim Davey, un génie de l'informatique d'origine britannique venu au Canada dans les années cinquante pour y travailler au projet de l'avion de combat Arrow. En chômage depuis que Diefenbaker a torpillé le projet, Davey met son génie au service d'un bureau de consultants de Montréal et surtout au service des libéraux.

Pendant que Pierre Trudeau initie Margaret Sinclair et deux de ses sœurs à la plongée sous-marine, en plein cœur du Pacifique, Jean Marchand passe Noël en Floride, avec sa femme et Louis de Gonzague Giguère. Dans les salons du chic St-Andrew's Club et à Delray Beach, le sénateur présente à tout le monde le petit gars de Cap-Rouge comme «le futur Premier ministre du Canada».

À Ottawa, Michael Pitfield et Marc Lalonde font l'impasse sur la carte Trudeau. Alors que le tout-Toronto pense encore à Jean Marchand comme successeur logique de Lester Pearson, Pitfield et Lalonde travaillent les réceptions mondaines de la capitale. Il faut savoir que dans une campagne au leadership, la haute bureaucratie fédérale joue un rôle important: en faisant discrètement connaître avec quel candidat elle serait la plus fière de travailler, elle influence les faiseurs d'opinion, les «columnists» en particulier, qui se chargent de relayer le message aux militants du Parti. C'est ainsi que John Turner a finalement battu Jean Chrétien au poteau en 1984.

Le groupe Davey-Gibson-Goyer-Levasseur a très vite fait le tour de la situation : inutile de chercher à vendre Trudeau aux militants libéraux, car ceux-ci lui en veulent trop pour ses attaques dans *Cité libre*. De plus, son style parfois dévoyé inquiète les éléments conservateurs du Parti.

On concentre donc les énergies pour faire connaître Pierre Trudeau parmi les intellectuels de Toronto : écrivains, peintres, musiciens et, surtout, les « poll makers », ceux qui lancent les grands courants de pensée comme les modes.

Ce ne sera pas difficile. Peter Gzowski, éditeur du *Star Magazine*, Norman DePoe, le plus connu des journalistes de CBC, Roy Faibish, dont l'influence est grande sur les producteurs et réalisateurs de la télévision d'État, connaissent déjà Trudeau.

On s'est souvent demandé comment on avait pu « créer » Trudeau en moins de trois mois. C'est simple : toutes les têtes de réseau des grands médias du Canada anglais sont situées à Toronto et elles ont instantanément couronné Trudeau. Et comme il arrive souvent lorsqu'une vedette québécoise est consacrée à l'étranger — fût-ce au Canada anglais —, la province et ses médias ont suivi avec empressement.

Ce qui séduit les Anglais, ce sont d'abord les capacités intellectuelles de Pierre Elliott Trudeau. Non seulement il est canadien-français — « cela va de soi », dit-on avec un petit accent d'Oxford et un air entendu pour montrer qu'on accepte de bon cœur le généreux principe de l'alternance —, mais il ne brutalise pas son anglais comme un Jean Marchand par exemple, ou un Jean Chrétien.

Et il y a ce visage qui les fascine. « Ce masque charismatique... Il a le visage parfait d'un Indien d'Amérique du Nord, a chuchoté Marshall McLuhan dans quelque salon de Rosedale.

— My God ! » s'est exclamé tout le Canada anglais.

Pendant que les jeunes amis de Trudeau courtisent l'intelligentsia torontoise, Donald Macdonald s'occupe de la haute bourgeoisie. Secrétaire parlementaire, comme Pelletier, de Paul Martin, « Big Mac », comme on l'a surnommé à cause de ses six pieds, représente le chic quartier de Rosedale. Comme par une empathie naturelle, les millionnaires de Toronto se sentent à l'aise avec le député de la riche Ville Mont-Royal. Il ne s'agit pas des grands barons de l'industrie, qui financent plutôt généreusement la campagne de l'un des leurs, Bob Winters, mais de la garde montante de l'Ontario des affaires, plus jeune, moderne, emballée par les réformes du ministre de la Justice.

Le génie des éminences grises de Pierre Trudeau, pendant cet hiver de 1967, est de frapper aux bonnes portes du Canada anglais. Jean Marchand va l'apprendre à ses dépens, quelques jours seulement après son retour de Floride.

Le Parti libéral a toujours quelque vieux cardinal qui tire les ficelles jusqu'à ce qu'un beau jour elles se brisent et que l'éminence se retrouve dans le vide, inutile. En 1967, il s'appelle Walter Gordon.

Riche comptable agréé — il est le fondateur du bureau Clarkson, Gordon —, théoricien moderne du nationalisme canadien-anglais, gourou de la réforme économique, cet ancien ministre des Finances — et père du Pacte de l'Automobile avec les Américains — faisait la pluie et le beau temps à Toronto.

Aux premiers jours de 1968, il refuse d'appuyer Pierre Trudeau — « c'est pas un nationaliste ! » — et, pour le malheur de Jean Marchand, fait savoir que celui-ci « est quelqu'un avec qui on peut s'entendre ».

Mais l'étoile de Gordon s'est éteinte : il a déjà annoncé qu'il ne se représentera pas à la prochaine élection. Comme toutes les anciennes éminences grises de parti, on commence même à le détester. Loin de servir la candidature de Jean Marchand, son appui ne contribue qu'à le discréditer au Canada anglais.

« Il nous faut un coureur, mais cela ne peut être moi, dira finalement Jean Marchand à ses collègues du Québec. Physiquement, je ne m'en sens pas la force et hors du Québec, ma mauvaise connaissance de l'anglais serait un trop sérieux handicap. C'est donc Trudeau qui doit y aller… »

Trudeau paraît encore hésiter mais ceux qui le connaissent bien ne s'en inquiètent pas outre mesure. C'est dans sa nature : « Je n'ai jamais aimé être un meneur en rien, confie-t-il à son biographe officiel. Je n'ai jamais aimé être responsable ; je n'ai jamais aimé devenir chef d'une troupe de scouts par exemple, ou si nous étions un groupe à faire de la marche, je n'essayais jamais d'être le premier. Je faisais en quelque sorte ma petite affaire tout seul... Je n'ai jamais eu de mépris pour les meneurs. Je ne pense pas que ce soit une fonction inutile mais je n'ai jamais aspiré à en être un. J'avoue en toute honnêteté qu'il y a probablement là un certain refus d'assumer les responsabilités... »

À la mi-janvier cependant, Pierre Trudeau entame sa tournée des provinces. Avant de quitter Ottawa, il a permis aux divers groupes qui travaillent pour sa candidature de mettre en branle une organisation. Avec une réserve toutefois : « Rien de public avant la conférence constitutionnelle de février : je veux faire le débat avec Johnson, mais si c'est connu que je veux être le chef, je vais perdre ma crédibilité. »

Ce sera la première conférence constitutionnelle télévisée dans tout le Canada. Son impact sera énorme et Trudeau, qui a raté les débuts de la télévision dans les années cinquante, va se rattraper.

Le mardi 6 février 1968, tout le pays, médusé, voit le ministre de la Justice remettre Daniel Johnson à sa place. « Vos difficultés, monsieur Johnson, ce n'est pas avec le gouvernement fédéral que vous les avez. C'est avec le fédéralisme ! »

Le Canada anglais aime ça de toute évidence. Johnson, déjà diminué par une série d'attaques cardiaques, a le tort de vouloir affronter Trudeau sur son terrain, celui de la raillerie.

« Lord Elliott, dit-il en parlant de Trudeau...

— Le ministre connaît mal son histoire, réplique l'autre, cinglant. Il a l'air d'ignorer que le rapport de « lord » Durham affirme l'existence de deux nations, alors que moi, je ne crois justement pas à cette thèse.

— Le représentant de « Mount Royal », lance encore Johnson avec son plus lourd accent irlandais...

— Le député de Bagot ! » lui renvoie aussitôt Trudeau. La presse s'empare aussitôt de la formule, d'autant plus voracement que quelques oreilles anglaises un peu paresseuses ont peut-être compris « bigot ».

Une semaine plus tard, exactement, Trudeau hésite encore, sincèrement semble-t-il. Il l'annonce aux deux autres colombes qui, abasourdies, n'osent encore rien dire à personne.

Dans la soirée, l'homme reçoit Pitfield et Lalonde à son bureau du Parlement. Les deux faucons connaissent, mieux que Marchand et Pelletier sans doute, les arguments qu'il faut employer pour convaincre Pierre Trudeau. Avant d'aller au lit, il s'est décidé. Pour de bon cette fois.

Aux petites heures, le mercredi 14 février, les trois colombes déjeunent ensemble au restaurant du Parlement.

« J'embarque », dit simplement Trudeau.

Pendant que Trudeau préparait son match contre Daniel Johnson, les grenouillages avaient commencé. Le caucus des cinquante-cinq députés québécois était au bord de l'éclatement.

Jean Marchand n'y avait pas que des amis, loin de là. On lui reprochait d'avoir un peu trop « bossé » ses collègues du Québec et, maintenant que les jeux étaient ouverts, son autorité ne valait plus grand-chose.

Quand Trudeau était revenu de Tahiti, il avait constaté que Jean-Pierre Goyer avait bien travaillé : son candidat pouvait compter sur l'appui d'une vingtaine de députés québécois. Mais ce n'était pas assez pour convaincre Maurice Sauvé qui, avec un autre groupe de députés, se rapprocha de l'organisation de Paul Martin. Quant à Bob Winters, un homme d'affaires puissant, il s'était assuré l'appui du chef du Parti libéral du Québec, Jean Lesage, qu'il avait bien connu lors de la négociation d'un contrat de production d'électricité au Labrador.

Enfin, Jean Chrétien, qui avait fait ses premières armes en politique comme secrétaire parlementaire de Mitchell Sharp, candidat lui aussi, a convaincu un petit noyau de Québécois d'appuyer son ancien patron… tout en négociant son ralliement à Trudeau avec Marc Lalonde.

Le 22 mars, la crise éclate. La pagaille dans la salle du caucus québécois est indescriptible. Le matin même, Maurice Sauvé a annoncé qu'il appuierait Paul Martin. C'est un coup dur pour Trudeau qui espérait au moins avoir l'appui de tous les ministres du Québec.

« Il y a quelques semaines, dans mon bureau, écrit aussitôt Jean Marchand à son collègue, en présence de Marc Lalonde, Gérard Pelletier, Pierre Trudeau et toi, nous avons discuté de la candidature de Pierre. Tu avais des réserves sur l'opportunité d'une telle candidature mais tu t'es dépêché d'ajouter que si Pierre décidait de se présenter, tu l'appuierais de toutes tes forces.

« Vous comprenez, as-tu dit, nous sommes de la même génération, nous sommes des amis, il ne peut être question que je refuse mon aide. Et tu as ajouté : il faut faire attention de ne pas rester pris avec le « vieux » Martin… »

En somme, Jean Marchand traite son collègue de faux jeton et de lâcheur. « Il a toujours voulu jouer sur plusieurs tableaux à la fois, crie Marchand, et il voulait ma job de lieutenant du Québec. Je le sais, Pearson m'en a parlé ! »

Ces propos arrivent aux oreilles de Sauvé qui, le jour même, envoie sa réponse écrite par un messager de la Chambre des communes.

« J'ai dit que j'appuierais Trudeau si, avant le 15 février, la majorité des cinquante-cinq députés du Québec se prononçait pour Trudeau. Mais seulement vingt des cinquante-cinq députés se sont présentés. Donc, il était évident que la majorité des députés n'étaient pas prêts à appuyer Trudeau : je me suis alors senti totalement dégagé de ma position prise devant le caucus.

« Et j'ai continué à réfléchir, poursuit Maurice Sauvé dans sa lettre du 22 mars 1968. Les événements m'ont amené à conclure que Paul Martin méritait mon appui. L'amitié qui me lie à Pierre et qui remonte à plus de trente ans ne me fera jamais mettre en doute ses qualités. Mais nous avons maintenant à décider du choix d'un chef pour le Parti et je pense que l'honorable Paul Martin, dans les circonstances, est le meilleur candidat en lice. Cela ne veut pas dire que Pierre et les autres candidats ne sont pas compétents. Je pense plutôt que Paul Martin l'est davantage. »

Dans le camp de Pierre Trudeau, on s'inquiète un peu : on comptait sur la majorité des voix du Québec, mais plus de la moitié des élus de la province refusent de le suivre, du moins ouvertement. Pourtant, s'ils avaient disposé de meilleurs sondages, les organisateurs de Trudeau auraient senti que la formidable vague qui venait du Canada anglais, de l'Ontario en particulier, allait tout balayer sur son passage, y compris les réserves de bien des Québécois.

Il faut dire que Pierre Elliott en donne aux Anglais plus qu'ils en demandent…

Quand Trudeau fait campagne dans l'Ouest, les grands journaux de Toronto se régalent. À Winnipeg par exemple, le « candidat du Québec » compare l'indépendance de son « pays », le Québec, à « une forme de tribalisme africain dont les rois nègres ne voudraient même pas pour eux-mêmes » !

Même au Québec, Pierre Trudeau ne peut se retenir de donner quelques « taloches » à ses compatriotes. Au cours d'un congrès des libéraux du Québec à Montréal, le 26 janvier, il en fait même un peu trop. Et il se laisse aller à quelques lourdes blagues sur la France qui a le malheur, au même moment, de flirter d'un peu trop près avec Daniel Johnson.

« Maîtres chez nous ? J'en suis, lance Trudeau aux libéraux québécois. Mais chez nous, c'est le Canada tout entier, de Terre-Neuve à Victoria, avec ses immenses richesses qui nous appartiennent à nous tous et dont il ne faut pas abandonner une parcelle… Nos jeunes ingénieurs ne s'arrêteront pas à la Manic: ils s'intéresseront bientôt, ils s'intéressent déjà aux sables pétrolifères de l'Athabaska ou aux gisements de potasse de la Saskatchewan… »

« On a devant nous le prochain Premier ministre du Canada ! » lance le député « Gus » Choquette dans un élan « spontané » auquel Jean-Pierre Goyer n'est pas tout à fait étranger.

Les plus lucides s'inquiètent. On sait qu'en certains milieux du Canada anglais, on ne détesterait pas trouver un leader qui remette le Québec à sa place. Pierre Trudeau donne un peu trop l'impression qu'il a la tête de l'emploi.

L'un des principaux conseillers de Mitchell Sharp, Neil Morrisson, qui connaissait le Québec avant de devenir chef de Cabinet d'André Laurendeau et avait été le seul cadre anglophone de CBC à appuyer la grève des réalisateurs de Radio-Canada en

1959, se méfie de Trudeau. C'est d'ailleurs un peu à cause de sa connaissance du Québec que Sharp l'a recruté, ne se fiant pas trop aux opinions parfois simplistes de Jean Chrétien.

«Trudeau refuse de tenir compte de l'existence de deux sociétés au Canada et je m'en inquiète», glisse Morrisson à Gérard Pelletier au tout début de la campagne.

Douglas Fisher, un ancien député néo-démocrate devenu l'un des plus influents «columnists» du Canada anglais, proteste lui aussi: «L'objection à la position de monsieur Trudeau, c'est qu'elle s'appuie sur une conception absolument erronée du Canada anglais...»

«Je n'approuve pas Trudeau de prendre le Québec de front», dit Maurice Sauvé.

Quatre jours avant l'élection de Pierre Trudeau, le responsable du caucus libéral à l'Assemblée nationale du Québec déplore ouvertement son attitude, y voyant une menace à l'unité du pays: «Si le prochain chef des libéraux fédéraux raidit son attitude à l'égard du Québec, ce sera une catastrophe», prédit-il. Il s'appelle Pierre Laporte.

Dans le journal personnel qu'il tient depuis le début de la campagne de Pierre Trudeau, Gérard Pelletier note: «La seule question, en définitive, c'est de savoir si Trudeau Premier ministre nous coupera davantage encore que nous ne le sommes de la jeune génération québécoise — ou bien, au contraire, nous ralliera toute cette partie de cette génération qui n'est pas séparatiste...»

Un « génocide »
politique

Discret dans la foule bruyante qui acclame son nouveau chef, « J.R. », comme on l'appelle dans les rues de Vanier, à quelques minutes du Centre civique d'Ottawa, a les larmes aux yeux.

Jeune professionnel, actif depuis une dizaine d'années dans les mouvements scolaires de l'Ontario français, Jean-Robert Gauthier vient de voter pour Pierre Trudeau : « Pierre, mieux que Paul Martin et tous les autres candidats, comprend la minorité canadienne-française. »

La veille, le candidat de la « Société juste » avait lancé : « C'est précisément parce que les Canadiens français sont une infime minorité en Amérique du Nord qu'ils doivent refuser de se laisser enfermer dans la boîte québécoise. »

« J'aurais été Canadien français d'adoption, si je ne l'avais déjà été de naissance », vient encore de proclamer Trudeau dans l'introduction d'un recueil de ses textes sur *Le Fédéralisme et la société canadienne-française.*

Du côté ontarien de la rivière des Outaouais, où le gouvernement de la province a voulu interdire, en 1912, l'enseignement en français dans les écoles catholiques, Pierre Trudeau apparaît comme un sauveur qui va réparer plus d'un demi-siècle d'injustices. La « Société juste » aura donc aussi une dimension culturelle.

Il y a en effet de quoi se méprendre, en cette soirée du 6 avril 1968. Trudeau s'est converti très tard aux vertus de la réforme constitutionnelle et ce «démon de midi culturel» qui l'atteint soudainement le met en appétit: il met les bouchées doubles.

Le temps de sa première campagne électorale, à l'automne 1965, Pierre Trudeau avait en effet mis ses ambitieux projets de «Cité libriste» en veilleuse. Le lundi 25 octobre, à Québec, sans doute inspiré par l'esprit de Révolution tranquille qui souffle sur les Plaines d'Abraham, il suggère aux Québécois d'afficher la plus souveraine indifférence à l'égard des questions constitutionnelles.

«Ce n'est pas le temps d'ouvrir le débat constitutionnel, dit-il. Réclamer une nouvelle Constitution, c'est justement bloquer l'évolution actuelle qui favorise un plus grand transfert des pouvoirs aux provinces, au moment où le grand dragon centralisateur a fini de cracher du feu.»

Et puis, dit-il, l'énergie qu'on consacrerait aux débats constitutionnels serait mieux employée à changer le «statu quo social».

Trudeau ne blague pas — il est en campagne électorale après tout! — et il se félicite que le balancier avance dans le sens des provinces. Le rêve de «politique fonctionnelle» qu'il partageait un an plus tôt avec Marc Lalonde et Michael Pitfield serait-il oublié?

«Si les centralisateurs veulent changer les règles du jeu, laissez-les venir!»

Trudeau cite en exemple le succès d'un gouvernement provincial qui se prend au sérieux et oblige le gouvernement fédéral à faire aussi bien: «Le Québec, à cause des progrès notables qu'il effectue, est en voie d'accorder un nouveau prestige au fait français dans les autres provinces.»

Il est donc temps pour Ottawa de commencer à s'en occuper.

Six mois plus tard, Pierre Trudeau est secrétaire parlementaire de Lester Pearson. Le Premier ministre lui a demandé de préparer un mémoire pour le Comité sur la Constitution qui siège à Québec. Il ne voit toujours pas la nécessité de s'embarquer dans une réforme constitutionnelle — le social et l'économique sont plus importants, juge-t-il —, sauf pour un détail: assurer l'égalité des droits linguistiques des francophones «n'importe où au Canada».

En pratique, explique Trudeau le 13 mars 1966, il faudra que partout au Canada où il y a des francophones en nombre suffisant pour former une communauté scolaire (ou universitaire), ils jouissent de droits égaux à ceux des anglophones.

Certes, ajoute le jeune député de Mont-Royal, il faudra déterminer ce qu'est un nombre suffisant mais les juges auront de quoi s'inspirer «par cent ans d'application de ces notions dans des régions éloignées du Québec où vivent un "nombre suffisant" d'anglophones».

Jean-Robert Gauthier et ses collègues du Conseil scolaire d'Ottawa-Carleton en ont pris note. Mais une petite phrase du mémoire de Pierre Trudeau passe inaperçue. «Dans les provinces, en principe, seule la langue de la majorité sera officielle. Toutefois, lorsqu'une province renferme une minorité d'origine française ou britannique supérieure à, disons, 15 p. 100 ou un demi-million d'habitants...» Quand il s'agit de calculer le «nombre suffisant», la barre est juste assez haute pour encadrer le Québec et le Nouveau-Brunswick, qui n'ont pas le choix, mais assez basse pour laisser l'Ontario sauter à pieds joints par-dessus.

Le 4 avril 1967, quand Pearson le nomme ministre de la Justice, Pierre Trudeau résiste toujours, avec le même entêtement, à toute idée de débat constitutionnel. «Daniel Johnson et John Robarts peuvent toujours bien continuer à s'agiter, nous sommes cinquante-cinq députés du Québec qui savons ce que la Province réclame.» Et Pierre Trudeau se lance dans la réforme du Code criminel avec la passion d'un juriste tout frais sorti de l'université.

Quand Gordon Robertson insiste auprès du Cabinet fédéral pour ouvrir le dossier constitutionnel, Trudeau pique des colères:

«C'est un panier de crabes, pas question de se lancer là-dedans!»

«On a eu tant de problèmes avec Jean Lesage, réplique Robertson. Et cela ne s'arrange pas avec Daniel Johnson. Il y a toutes sortes de questions sociales et économiques qui ne se régleront pas sans une réforme constitutionnelle.» Lester Pearson, lui-même ancien mandarin du pouvoir fédéral, se range à l'avis de Robertson et ordonne à Trudeau de commencer à étudier la question.

En maugréant discrètement contre son patron, le ministre de la Justice recrute un professeur de droit de l'université de l'Alberta, Ivan Head, et Carl Goldenberg, ce professionnel des commissions d'enquête qui lui a permis de rencontrer Michael Pitfield en 1962. Le Canadien français de service au sein du petit groupe qui va élaborer la nouvelle Constitution du Canada, ce sera Pierre Trudeau lui-même. Et quand des Québécois s'étonnent de la chose, comme on l'a dit plus haut, le ministre de la Justice leur dit « Merde ».

Au cours de l'été 1967, les jets et les limousines de ministres font la navette entre Ottawa et Montréal. Le tout-Ottawa veut être vu à l'Expo. Pas Trudeau. La seule visite qu'il y fait, cet été-là, en savates et en jeans, laisse pantois les commissaires du pavillon de la Roumanie qui ne s'attendaient pas à ce qu'un ministre aussi important puisse arborer une tenue aussi négligée.

C'est qu'il est occupé, le ministre de la Justice! Et on réalise enfin pourquoi au cours du long week-end de la fête du Travail. Comme le veut la tradition, il est invité à prononcer une causerie devant l'Association du Barreau canadien qui tient son congrès annuel à Montréal. Trudeau réserve une petite bombe aux congressistes.

Sans crier gare, voilà en effet qu'il se présente avec un plan détaillé de réforme constitutionnelle. Ivan Head et Carl Goldenberg ont bien travaillé, et Trudeau, ce champion des libertés civiles qui fondait à Montréal la Ligue des droits de l'homme avec Jacques Hébert, a présidé toutes leurs séances de travail.

Quand toutes les provinces, et non seulement le Québec, réclamaient l'ouverture du dossier constitutionnel, elles pensaient bien entendu à un nouveau partage des pouvoirs. Trudeau ne ferme pas la porte, il y accroche un cadenas.

Puisqu'il faut bien commencer par quelque chose, il propose qu'Ottawa et les provinces s'entendent tout de suite sur une Déclaration des droits de l'homme et du citoyen. La vertu en somme. Avant de répartir les tâches dans le ménage, il faut signer le contrat de mariage.

« Je songe, dit Trudeau, à une Déclaration des droits qui serait rédigée de façon à restreindre les compétences de tout gouvernement, tant fédéral que provincial. »

Les Canadiens passeraient pour de véritables colonisés s'ils devaient demander au Parlement de Londres d'approuver leur Déclaration des droits de l'homme : il faudrait donc s'entendre entre nous sur une nouvelle formule d'amendement à la Constitution.

Et puisque ce sont les tribunaux, plutôt que les parlements, qui vont désormais interpréter la loi du pays, il faudrait aussi réformer la Cour suprême du Canada.

Le plan de Trudeau est d'une clarté limpide. Il ne changera plus jusqu'à ce que, le 17 avril 1982, sous une pluie battante, « Sa Très Excellente Majesté la Reine, Très Gracieuse Souveraine » le rende officiel devant un parterre de parapluies, de toilettes détrempées et de calvities dégoulinantes.

En septembre 1967, le Parti québécois n'existe même pas. C'est donc le chef des libéraux qui se charge de commenter le plan du grand frère fédéral. « Le ministre fédéral refuse ostensiblement de s'identifier à l'opinion fortement majoritaire de ses compatriotes qu'il représente à Ottawa ! » tonne Jean Lesage. Quelle mouche l'a donc piqué ?

La plupart des droits du citoyen sont de juridiction provinciale. Trudeau veut les enfermer à double tour dans la Constitution canadienne et obliger le Québec à demander à la Cour suprême la permission de jouer avec. « Sommes-nous disposés, nous Québécois, à nous départir de droits qui sont nôtres à l'heure actuelle en vertu de la Constitution, en faveur d'un tribunal central ? » demande Lesage.

Son adjoint, Pierre Laporte, propose l'union temporaire de tous les partis québécois contre le projet d'Ottawa. C'est exactement ce qui va survenir à l'Assemblée nationale, quatorze ans plus tard, en décembre 1981.

Mais à l'époque, le front constitutionnel est bloqué avec la mort de Daniel Johnson, l'intérim de Jean-Jacques Bertrand et la course à la succession de Jean Lesage. La conjoncture politique au Québec est mouvante et Pierre Trudeau attendra l'arrivée d'un gouvernement plus docile à Québec pour réaliser son plan constitutionnel. Au besoin, il se mêlera de la succession de Jean Lesage.

Devant le congrès du Barreau en septembre 1967, Trudeau rappelle que « la langue est le premier des instruments nécessaires à la conservation et au développement de l'identité culturelle d'un peuple... J'affirme que nous avons besoin d'une définition plus large et de garanties plus grandes pour assurer la reconnaissance des langues officielles. »

Tout le monde, les Canadiens français en particulier, a compris que Trudeau parle de « communautés linguistiques ». Mais, paralysé par le refus des provinces de coopérer à la réforme constitutionnelle, le gouvernement fédéral se contente d'avancer sur son propre terrain. La loi que le Parlement fédéral adopte, le 9 juillet 1969, est donc une *Loi sur les langues officielles* et elle ne s'applique pas aux provinces.

Le Canada devient un pays avec deux langues officielles, pas un pays bilingue. Nuance !

D'ailleurs, quand il courtise le vote des Ukrainiens de Winnipeg, pendant sa campagne au leadership, Trudeau n'hésite pas à promettre que *toute* langue aura le droit de devenir officielle au Canada, si elle est parlée par un nombre suffisant de citoyens. « Je suis bien prêt à admettre que si un troisième groupe linguistique important veut communiquer avec l'État dans sa langue, il faudra la reconnaître. Peut-être même une quatrième : la Suisse a bien quatre langues officielles ! »

Pourtant Neil Morrisson, ancien secrétaire de la Commission d'enquête sur le bilinguisme et le biculturalisme, est catégorique : « Nos recommandations étaient fondées sur le principe de l'égalité des deux sociétés dominantes — la francophone et l'anglophone —, non sur l'égalité des minorités de langues officielles. »

« Si on veut en arriver là, réplique Trudeau, il faudrait d'abord reconnaître les Indiens et les Esquimaux ! » La seule raison pour laquelle il donne au français le statut de langue officielle, c'est que les Canadiens français forment le quart de la population.

En fait, dès le lendemain de son élection à la tête du gouvernement fédéral, on pouvait mesurer à quel point Pierre Trudeau, à force de jouer sur les mots, s'était fait plébisciter sur un malentendu. «Ce que fera monsieur Trudeau au gouvernement sera brillant, rappellera le règne du président Kennedy, mais sa politique d'un Canada uni ne permettra pas pour autant de résoudre les problèmes issus de différences culturelles qui ne se réduisent pas au niveau linguistique», avertit Claude Ryan.

Et dans l'autre Canada, l'observateur de *Southam News*, Bruce Phillips se demande carrément: «Qui donc a voté pour le bilinguisme?»

Le Canada anglais soupire déjà que Trudeau n'a pas beaucoup parlé du caractère bilingue de son pays pendant la campagne électorale. «Ce que Trudeau propose, c'est un pas de géant dans l'enseignement et l'utilisation du français à travers le pays», prévient Bruce Phillips. Six mois plus tard effectivement, c'est la guerre du français sur les boîtes de céréales. «Trudeau veut nous enfoncer de force le français dans la gorge», hurlent les bigots de l'Ouest.

Le parrain du projet de loi sur les langues officielles est alors un certain John Turner, ministre de la Justice. Pierre Trudeau souhaite qu'il se rende lui-même dans l'Ouest défendre sa politique: il est parfaitement bilingue et les médias du Canada anglais l'adorent au point de le couronner déjà dauphin. Mais Turner a d'autres ambitions. Comme la Constitution pour Trudeau, le bilinguisme risque de devenir son panier de crabes. Et il représente, depuis 1968, une circonscription de la capitale fédérale; ses électeurs fonctionnaires sont dangereusement de mauvaise humeur.

«Turner est trop lâche pour défendre la politique des langues officielles et il faut envoyer Gérard Pelletier, secrétaire d'État, à sa place: c'est pire!» commente le premier commissaire aux langues officielles, Keith Spicer. Cela revient en effet à jeter de l'huile sur le feu. Pelletier traîne avec lui plusieurs années de frustrations à vivre «dans une capitale qui se comporte comme si les Canadiens français n'existaient pas». Et les Canadiens anglais crient à la provocation lorsqu'on leur envoie un Canadien français pour vanter les vertus du bilinguisme.

Quant aux Canadiens français de l'extérieur du Québec, ils regardent passer l'orage et rentrent de plus en plus la tête dans les épaules. « Trudeau parle d'un pays bilingue, explique Jean-Robert Gauthier. Mais cela n'a jamais été notre ambition. On a assez de misère à conserver notre langue : ce n'est pas dans nos priorités de voir le gouvernement fédéral dépenser des millions pour bilinguiser ses services et ses fonctionnaires. »

Le paradoxe de la politique de Pierre Trudeau est que, pendant que l'usage du français progresse, ceux qui le parlent s'assimilent.

Pendant qu'Ottawa construit, à grands frais, des écoles de langue et les remplit d'anglophones peu intéressés à apprendre une autre langue, pendant qu'il verse une prime de huit cents dollars à des fonctionnaires incapables de dicter une lettre en français à leur secrétaire, les petites écoles de rang restent fermées aux Canadiens français, les clubs de loisirs en français quêtent de maigres subventions et c'est Vatican II qui fait le plus progresser le français dans les paroisses francophones en… abolissant la messe en latin.

Pire encore, les Premiers ministres provinciaux notent l'avertissement que se fait servir Trudeau en 1972, alors qu'il passe à deux sièges près de perdre le pouvoir. Les provinces prennent peur et freinent toute tentative visant à les amener à reconnaître à leur minorité francophone autant de services que le Québec en accorde déjà à sa minorité anglophone.

« Faites un beau geste, étonnez-moi pour une fois », demandera Trudeau à son voisin de gauche, René Lévesque, en novembre 1981, pour l'amener à reconnaître à tous les Canadiens anglais, pas seulement aux Anglo-Québécois, le droit à l'éducation dans leur langue au Québec. Mais il n'a jamais eu l'énergie politique — ou le courage ? — de demander le même « beau geste » à son voisin de droite, Bill Davis, de l'Ontario.

Trudeau est arrivé au pouvoir en réduisant le problème du Québec à une question de langue et en promettant que sa politique des langues officielles réduirait les tensions entre Canadiens français et Canadiens anglais. En fait, la situation n'a pas cessé d'empirer. Lorsque la crise des Gens de l'Air éclate, que les pilotes québécois réclament le droit de communiquer dans leur langue avec la tour de contrôle comme avec un bureau de poste, Trudeau recule et tranche en faveur de la majorité anglaise après un coup de téléphone à Otto Lang, son ministre des Transports, sans même en parler au Conseil des ministres.

Les soixante députés du Québec se réunissent quand leur parvient la rumeur que Jean Marchand va démissionner. Certains, comme Francis Fox, le supplient de rester. «Ta démission va prendre, que tu le veuilles ou non, des proportions significatives. Gérard Pelletier vient de partir (il a été nommé ambassadeur à Paris). Et toi tu t'en vas. Des trois colombes, il ne reste plus que Pierre. Cela a l'air d'une débandade.»

Trudeau, qui a déjà la lettre de démission de Marchand en poche, lui demande de «reconsidérer sa décision». Trop mollement? (Robert Bourassa est d'ailleurs toujours resté sur l'impression que Jean Marchand s'est sacrifié — à moins qu'il ne l'ait été par Trudeau? — pour calmer les nationalistes québécois. Francis Fox confirme: «Marchand nous a dit que sa démission valait peut-être mieux pour le Parti.») «Impossible! murmure enfin Marchand les larmes aux yeux. Je suis venu en politique avec certains principes fondamentaux. Ce ne serait pas honnête de rester, car cette décision est incompatible avec mes principes.»

Des principes? Pierre Trudeau en a peut-être mais il n'a jamais voulu, par exemple, laisser entrer des traducteurs dans la salle du Conseil des ministres. Il fallait qu'un ministre bilingue se dévoue et s'assoie à côté d'un collègue francophone unilingue, comme Marcel Lessard, de Chicoutimi, pour lui expliquer ce qu'on était en train de discuter. Joe Clark va installer la traduction simultanée dans la salle du Conseil en 1979 mais, de retour en 1980, Trudeau va une nouvelle fois mettre les traducteurs à la porte.

En 1979 encore, c'est Joe Clark qui va créer un Comité permanent des Communes et du Sénat sur les langues officielles. Les députés libéraux comme Jean-Robert Gauthier, Serge Joyal et Pierre De Bané le réclamaient en vain à Trudeau depuis plusieurs années.

Jean-Robert Gauthier, comme Marchand, va pleurer le 2 décembre 1981. La Chambre des Communes vient d'adopter une nouvelle Constitution. Pendant que ses collègues se lèvent et entonnent le *Ô Canada*, il reste assis. «Là où le nombre le justifie, pense-t-il. On va finir par nous mettre dans des réserves, comme les Indiens!»

Mais le vieux rêve d'Henri Bourassa, que Trudeau prétend reprendre à son compte en 1969, est englouti dans le tourbillon que créent deux courants contraires. Depuis 1968, le Québec a créé sa propre Commission d'enquête sur la situation du français et les droits linguistiques (la Commission Gendron), qui va inexorablement conduire la province à l'unilinguisme français. Et le Canada anglais, réveillé dans ses vieux préjugés, refuse d'accomplir le beau geste que sa minorité attendait de lui.

Trudeau se serait fait Canadien français s'il ne l'avait été de naissance, disait-il. Quand il abandonne la politique, ses compatriotes sont devenus des «Québécois». Et les autres sont des «francophones de l'extérieur du Québec», des «francophones hors Québec», des «francos». Pire encore, divisés entre eux, ils se redéfinissent «Franco-Ontariens», «Franco-Albertains», «Franco-Manitobains», «Franco-Colombiens», ou «Fransaskois», tandis que les «Acadiens» de toutes les provinces de l'Est se regroupent sous un drapeau bleu-blanc-rouge marqué d'une étoile. Comme les juifs!

Heureusement que Trudeau n'a jamais voulu qu'on définisse les Canadiens français comme un peuple, parce qu'il aurait fallu l'accuser de génocide politique.

Le 22 décembre 1982, Pierre Elliott Trudeau va faire un dernier pied de nez à ses frères de race qu'il ne voulait pas laisser enfermer dans la «boîte québécoise».

Une vacance existe au Sénat, pour la circonscription d'Ottawa-Vanier. Une circonscription «où le nombre justifie» la nomination d'un Canadien français, pense Jean-Robert Gauthier. «Pierre, dit le député d'Ottawa-Vanier au Premier ministre, cela fait cinquante ans que le Parti libéral n'a pas nommé de Franco-Ontarien au Sénat. John Diefenbaker, lui, en a nommé deux (Horace Choquette et Rhéal Bélisle) en six ans.»

Roger Guindon, recteur de l'Université d'Ottawa, a déjà été consulté et se dit prêt à accepter la charge. Mais Pierre Trudeau est amer: aux élections générales de 1979, les Franco-Ontariens se sont mis à voter pour les candidats de Joe Clark. « Vous ne m'appuyez pas assez », reproche-t-il. En plus, pendant la campagne référendaire de mai 1980, les dirigeants de certaines associations de francophones de l'extérieur du Québec ont commis l'affront d'appuyer la cause du OUI. Ils seront punis, décide Trudeau.

Le nouveau sénateur de cette circonscription de la capitale nationale où le nombre de francophones « justifie » la nomination de l'un des leurs va donc s'appeler Michael Pitfield. Minorité pour minorité : un Anglo-Québécois va prendre la place d'un Franco-Ontarien !

« *Finies les folies!* »

L'écho des « Trudeau, Canada! Trudeau, Canada! Trudeau, Canada!» s'est à peine évanoui, perdu dans le brouhaha de onze semaines de Trudeaumanie, que déjà s'élève une autre clameur.

« Trudeau, au poteau! Trudeau, au poteau! Trudeau, au poteau!»

Quelques jours plus tôt, le nouveau Premier ministre du Canada a comparé «les terroristes du FLQ» aux assassins de Robert Kennedy. Tous les souverainistes sont furieux, en particulier Pierre Bourgault qui promet à Trudeau «une surprise» s'il ose se montrer au défilé de la Saint-Jean-Baptiste.

Le 24 juin 1968, au parc Lafontaine, rue Sherbrooke, Pierre Trudeau, Daniel Johnson, Jean Drapeau, l'archevêque de Montréal et toute une brochette de dignitaires attendent le défilé.

Pierre Bourgault, en tant que chef de parti (le RIN), est au nombre des invités officiels, mais il appelle le peuple à la résistance.

« Trudeau n'a rien à faire là, dit-il en refusant de monter sur la tribune d'honneur. Je resterai dans la rue. »

Pas pour longtemps! Des cris hostiles montent de la foule. Les policiers à cheval, nerveux, chargent à la matraque. Des agents de la GRC en civil hissent Bourgault sur leurs épaules. Dans la confusion, ses amis croient qu'on veut le porter en triomphe et applaudissent. Il sort son carton d'invitation officielle, croyant qu'on veut le déposer au pied de la tribune.

175

Mais on le jette plutôt aux pieds des policiers municipaux, qui l'embarquent, comme deux cent quatre-vingt-neuf autres manifestants. Dès que la rumeur de l'arrestation de Bourgault se répand, les bouteilles de Coca-cola se mettent à voler au-dessus des têtes rentrées dans les épaules. Pierre Trudeau brave la foule, les bras levés pour se protéger le visage, seul au milieu d'une estrade jonchée de chaises renversées. Lui n'est pas blessé, mais quatre-vingt-trois civils et quarante-trois policiers doivent être transportés à l'hôpital. Quatorze chevaux sont envoyés chez le vétérinaire et douze voitures chez le carrossier.

À quelques heures de l'ouverture des bureaux de scrutin, le Canada anglais voit son idole défier, seul, une foule de séparatistes. Voulait-il seulement illustrer son leadership ? Ou signifier à ses adversaires québécois tout le mépris qu'il leur porte ? L'image de cet homme qui affronte un peuple hostile et qui survit à l'émeute s'inscrit profondément dans l'âme du Canada anglais. «Just watch me!» va-t-il lui lancer dans deux ans. Et, confiant, le Canada anglais le prend au sérieux, parce qu'il l'a déjà vu à l'œuvre.

Le lendemain matin, à l'aéroport de Dorval, le Premier ministre du Canada serre la main des motards de la police de Montréal qui l'escortent. Il a un mot de sympathie pour leurs collègues blessés. Pas un mot pour les éclopés de la Saint-Jean. Le soir même, au Château Laurier d'Ottawa, il savoure son premier triomphe électoral en tant que chef de parti. Les libéraux viennent de remporter cent cinquante-cinq des deux cent soixante-quatre sièges des Communes, dont cinquante-six au Québec.

Le premier mandat de Pierre Elliott Trudeau s'ouvre sur des charges de policiers à cheval et des coups de matraques. On attribue cette petite poussée de fièvre à «l'épidémie de 68» qui court le monde occidental. Mais au Québec, cela dure.

Juin 1969 : trois bombes secouent le Colisée de Québec où les militants de l'Union nationale confirment le leadership de Jean-Jacques Bertrand. Octobre : les policiers de Montréal font la grève et les magasins de la rue Sainte-Catherine sont pillés. On renverse des voitures à Saint-Léonard. Vingt mille jeunes devant l'université McGill et cinquante mille devant l'Assemblée nationale réclament un «Québec français».

Depuis que Pierre Bourgault a sabordé son Rassemblement pour l'Indépendance Nationale, en octobre 1968, le Parti québécois canalise l'opposition «souverainiste» ou «indépendantiste», et prépare les macarons de sa première campagne électorale: «Oui».

À Ottawa, le Premier ministre modifie, de mois en mois, le ton de ses discours qui s'articulent désormais autour d'une nouvelle équation: «indépendantisme» rime avec «fascisme», et «indépendance» avec «violence».

Au début des années soixante, les gouvernements minoritaires se succédaient à Ottawa, tandis que Jean Lesage et son équipe du tonnerre, forts de victoires électorales de plus en plus nettes, marquaient des points au Québec.

En 1968, les rapports de force sont inversés: Pierre Trudeau règne en maître à Ottawa, tandis que le Québec est affaibli. L'Union nationale vieillit. Le Parti libéral se cherche une nouvelle voie, en même temps qu'un nouveau chef. Le balancier pousse maintenant la relève vers Ottawa tandis que plusieurs, attirés par le rêve de l'indépendance et le charisme de Lévesque, passent à l'opposition.

Pierre Elliott Trudeau ne se gêne pas pour profiter de la situation, et il a raison. Un an après son élection, c'est au Québec qu'il peut compter, et de loin, sur la plus forte proportion d'admirateurs. En 1969 en effet, c'est parmi ses compatriotes que Trudeau est jugé le plus «intelligent», le plus «honnête» et le plus «aimable». Mais aussi le plus «rigide» et le plus «réactionnaire». Comme si, déjà, la polarisation s'installait.

Pendant deux ans, le Premier ministre du Canada va avoir deux têtes de Turc: Jean-Jacques Bertrand et le général de Gaulle. Au-delà des guerres de personnalité, c'est la juridiction d'Ottawa dans le domaine du développement économique régional et des relations internationales qui est en cause.

En même temps qu'il met en place sa politique sur les langues officielles, Ottawa crée en effet un ministère de l'Expansion économique régionale, dont le premier titulaire va être Jean Marchand. Cela fait partie du contrat de la «Société juste»: les régions défavorisées auront droit à des programmes spéciaux pour attirer les industries.

Quand Pierre Trudeau prend la tête du Gouvernement, c'est la guerre des tranchées entre Ottawa et Québec à propos de l'emplacement d'un nouvel aéroport international dans la région de Montréal. Le gouvernement du Québec le veut sur la Rive Sud, près de Drummondville; celui d'Ottawa à Sainte-Scholastique, au nord de Montréal; et les fonctionnaires fédéraux proposent de le construire à cheval sur la frontière entre le Québec et l'Ontario. Ottawa décide d'avoir raison; le nouvel aéroport de Sainte-Scholastique va être rebaptisé Aéroport international de Montréal — Mirabel.

Le Québec prétend contrôler l'aménagement de son territoire, mais Ottawa réplique qu'il sait tout aussi bien que lui — peut-être mieux puisqu'il est plus compétent — où sont les intérêts de la province. Le ton monte et Trudeau se fâche. « Ça ne marchera pas de cette façon tant que je serai ici, crie-t-il à la sortie de la Chambre des communes. Monsieur Bertrand charrie et dit des idioties pour mousser sa candidature à la direction de l'Union nationale. »

À l'automne 1969, le Premier ministre profite d'un dîner-bénéfice au Reine-Elizabeth pour mettre les choses au point: si le gouvernement du Québec n'est pas capable de maintenir l'ordre lui-même, il va s'en occuper… « Aucune crise ne nous trouvera absents, d'aucune partie du Canada, surtout pas du Québec. Finies les folies! Ça a assez duré les folies depuis quelques années. »

Lorsqu'il est ainsi devant ses partisans, Pierre Trudeau a la fâcheuse habitude d'abandonner son texte pour se mettre les pouces dans la ceinture et jouer les cow-boys. Ce soir-là, il s'en prend aussi au secrétaire d'État aux Affaires étrangères de la France, Jean de Lipkowski, qui passait par là et qui a commis l'irréparable affront de visiter le Québec sans faire le très diplomatique crochet par Ottawa. La tournée de monsieur de Lipkowski, raille Trudeau devant trois mille libéraux hilares, s'est soldée par le don de cent quatre-vingt-cinq volumes de La Pléiade et d'un cinébus, « comme ceux que le Canada offre régulièrement aux pays sous-développés »…

« Quant aux investissements français, lance Trudeau, ils ne vont pas au Québec mais en Nouvelle-Écosse. » Le plus gros fabricant français de pneumatiques, Michelin, vient en effet de laisser tomber le Québec et s'installe dans la province des Maritimes qui lui bâtit sur mesure une loi antisyndicale. L'allusion au projet de Michelin permet au Premier ministre de développer un thème qui revient de plus en plus souvent dans ses discours : si la situation économique est si mauvaise au Québec, c'est à cause des bombes et de la violence.

Il n'a d'ailleurs pas tort. À l'exemple de Michelin, il aurait pu ajouter celui de Péchiney qui préfère l'État de New York à la Côte Nord, les Avions Marcel Dassault qui se désistent au dernier moment, et Renault qui commence à se retirer en douce du Québec. Le moins qu'on puisse dire à l'époque, c'est que les hommes d'affaires français ne partagent pas l'enthousiasme des gaullistes pour le Québec.

Depuis l'incident du balcon de l'hôtel de ville de Montréal — à moins que cela ne remonte à cette année d'université qu'il a gaspillée à Paris en 1946 —, Pierre Trudeau entretient à l'égard de la France une méfiance qui frôle parfois la paranoïa.

De son côté, le général de Gaulle ne se gêne pas pour multiplier les provocations. Même dans son message de Nouvel An aux « Françaises ! Français ! », le général a toujours quelques mots de sympathie pour ceux qu'il appelle « les Français du Canada ». Le 1er janvier 1969, il va jusqu'à souhaiter « que le Québec puisse prendre complètement en main son destin ».

Pierre Trudeau est tellement furieux que, la semaine suivante, il s'absente d'une séance de la conférence du Commonwealth qui se tient à Londres pour traiter par téléphone, avec Marc Lalonde resté à Ottawa, « de problèmes intérieurs urgents ». Tout le monde s'attend à quelque crise politique sérieuse. En fait, le Premier ministre passe la soirée et une partie de la nuit à discuter avec son secrétaire principal de la composition de la délégation canadienne à une conférence des ministres de l'Éducation de pays francophones qui doit se tenir au Congo la semaine suivante.

À l'époque, les James Bond du gouvernement fédéral ont même cru repérer la présence d'un agitateur français, en Mission clandestine au Canada. Dans le courant de l'été 1968, un vague chargé de mission au bureau du Premier ministre de la France, un certain Philippe Rossillon, visite en effet un groupe de francophones à Saint-Pierre, au Manitoba. « Sans nous demander la permission et sans nous avertir », lance un Pierre Trudeau offensé. « Rien ne fait plus de tort aux minorités que la venue d'agitateurs étrangers », déplore-t-il. Et son entourage de rappeler que ce mystérieux personnage a aussi été vu, rôdant en Acadie et autour des nationalistes québécois pendant la visite du général de Gaulle en 1967.

Bien entendu, l'affaire va se terminer en queue de poisson. Rossillon n'était pas du tout en mission, mais simplement l'invité d'un groupe de Franco-Manitobains qui voulaient lui rendre la politesse d'avoir été bien reçus à Paris l'année précédente. La grande diplomatie fédérale, pour laquelle Trudeau n'avait d'ailleurs aucun respect, a bien failli provoquer une rupture des relations entre la France et le Canada pour si peu.

Les gouvernements africains s'amusent plutôt de ces « querelles de grands blancs » qui, de toute manière, ne leur profitent pas de façon concrète. En 1969, malgré une surenchère annuelle avec le Québec, l'aide canadienne totale à l'Afrique francophone se chiffre à trente millions de dollars, ce qui n'est pas le Pérou.

Dans un tel contexte, les ministres du Québec qui partent en tournée à l'étranger sont suivis à la trace par quelques chaperons fédéraux. Marcel Masse, alors ministre des Affaires intergouvernementales, est particulièrement suspect.

Longtemps ministre d'État à l'Éducation, il s'était lié d'amitié avec son homologue français, Alain Peyrefitte. Trudeau le soupçonnait d'avoir comploté avec lui, à l'occasion d'une rencontre à l'Expo de 1967, une invitation directe de l'État du Gabon à l'État du Québec. La lettre d'invitation s'était même rendue — grâce aux Postes fédérales — directement de Libreville à Québec, sans passer par le ministère des Affaires extérieures à Ottawa. Affront ultime ; elle invitait Jean-Guy Cardinal, ministre de l'Union nationale, à « représenter le Canada français ».

« On appelait ça notre oxygène, se souvient Marcel Masse. C'est grâce à cette époque glorieuse qu'on a connu l'émergence des grandes sociétés canadiennes-françaises d'ingénierie comme

Lavalin. » (Ironie de l'histoire : Pierre Trudeau, retiré de la vie politique, ne dédaignera pas à l'occasion mousser les affaires de Lavalin et de quelques autres entreprises québécoises en Union soviétique, en Chine, ou en Thaïlande comme au cours de l'été 1989.)

En janvier 1970, Marcel Masse est invité à prononcer une conférence à l'université libre de Louvain. Il s'agit d'un discours magistral — comme le veut le décor et la personnalité du ministre — sur le rôle du Québec et du Canada dans les affaires internationales. Masse en profite pour rappeler les incidents qui ont marqué les relations entre Ottawa, Québec et Bruxelles, puisque les frictions entre le Québec et le grand frère fédéral ne se limitent pas aux relations avec Paris. Le ministre de l'Union nationale va jusqu'à mettre en doute la capacité d'Ottawa à représenter adéquatement les Canadiens français puisqu'il doit aussi tenir compte des intérêts de sa majorité canadienne-anglaise.

Le 23 janvier 1970, Pierre Trudeau crée un précédent historique et peut-être unique dans les relations entre Ottawa et les provinces : il se donne la peine d'écrire une lettre personnelle à Jean-Jacques Bertrand pour le mettre en garde contre les penchants crypto-séparatistes de son jeune ministre.

Le plus intéressant est que cette hargne que Pierre Trudeau entretient à l'endroit de la France, et les blagues de mauvais goût qui viennent avec, ne sont généralement pas partagées par ses députés du Québec. Est-ce l'influence de la diplomatie canadienne — très britannique à l'époque —, ou une obsession personnelle du Premier ministre lui-même ? Toujours est-il que cela met dans l'embarras son ami Gérard Pelletier, celui qu'il nommera sept ans plus tard ambassadeur… à Paris.

« Je n'arrive pas à comprendre que Trudeau traite ce sujet des relations France-Québec par-dessous la jambe, note Pelletier dans son journal. Se contenter de faire des blagues (et Dieu sait qu'on peut en faire de faciles), c'est quand même laisser croire que les relations France-Québec n'ont pas d'importance. Que Pierre en parle sérieusement, connaissant sa pensée, j'en serais heureux. Mais je ne comprends pas l'insensibilité qu'il affiche en pareille matière, ni son apparent mépris pour la sensibilité des autres à ce sujet. Peut-être cède-t-il à son impatience… »

Ce qui dérange Trudeau en fait, c'est que cet oxygène que le Québec respire en Europe et en Afrique attise la flamme nationaliste. Quand cela finit par aller trop loin, il lance aux gouvernements étrangers : « Bas les pattes ! » « Est-ce que je dis à de Gaulle que la France a en Martinique un régime constitutionnel qui ne tient pas debout ? » demande Trudeau. Lorsque la Fédération des sociétés Saint-Jean-Baptiste se prononce officiellement en faveur de l'indépendance du Québec, le Premier ministre du Canada sert carrément un avertissement aux diplomates étrangers et leur demande de ne plus assister au traditionnel défilé du 24 juin.

À la fin de l'été 1969, Pierre Trudeau pense qu'il est enfin au bout de ses peines. Jean Lesage a démissionné et l'occasion se présente, pour le Premier ministre du Canada, de choisir son prochain interlocuteur à Québec. Il la saisira.

De tous les candidats en lice — Robert Bourassa, Claude Wagner et Pierre Laporte —, c'est probablement Pierre Laporte qui est le plus proche de Trudeau et de Pelletier : leur amitié remonte au temps de *Cité libre*. Mais Laporte, ministre dans le Cabinet de Jean Lesage, est lui aussi devenu « nationaliste ».

Pierre Trudeau a déjà rencontré Robert Bourassa chez Carl Goldenberg — encore lui ! — alors que, jeune économiste, Bourassa travaillait pour une commission d'enquête québécoise sur la fiscalité. Les deux hommes se sont également rencontrés à un colloque du Parti libéral du Canada à Kingston, en Ontario. À vrai dire, ils ne se connaissent pas encore beaucoup.

Robert Bourassa a mauvaise réputation chez les libéraux fédéraux. Proche de René Lévesque, il a tenté jusqu'à la dernière minute, dans de longues discussions qui se tenaient dans son sous-sol, de le retenir au sein de la grande famille des libéraux. Quand la Fédération libérale du Québec oscillait entre le « statut particulier » de Paul Gérin-Lajoie et la « souveraineté-association » de René Lévesque, Bourassa était resté dangereusement perché sur la clôture. « Il nous fatigue, ce Bourassa, répétait alors Raymond Garneau, chef de Cabinet de Lesage : on ne sait pas où il se branche. » Bourassa avait bien fini par se brancher, mais pas assez spontanément au goût du grand frère fédéral.

Et puis, lorsque Pierre Trudeau présente un livre blanc sur le pouvoir de dépenser du gouvernement fédéral, Robert Bourassa passe quelques commentaires inquiétants. Le jeune député de Mercier parle de «réaménagement des compétences», en particulier dans le domaine des politiques familiales... «Je suis bien prêt à voir ce qu'on pourra tirer de la boîte de Pandore du pouvoir fédéral de dépenser, que monsieur Trudeau a eu l'audace d'ouvrir... Mais les libéraux du Québec doivent être prêts à pousser la logique du fédéralisme jusqu'à ses conséquences ultimes, et certaines d'entre elles pourraient fort bien prendre au dépourvu leurs vis-à-vis fédéraux.»

«De quoi se mêle-t-il, ce jeune blanc-bec?» demande Trudeau.

À Ottawa, Louis de Gonzague Giguère est devenu sénateur et s'occupe maintenant à temps plein des affaires du Parti au Québec. «Robert est un peu trop jeune: c'est un étudiant», dit le sénateur à Jean Marchand.

Deux des trois colombes commencent à s'ennuyer à Ottawa. Gérard Pelletier songe déjà à ne pas se représenter et on parle de lui pour l'ambassade du Canada à Paris. Marchand, qui a toujours rêvé de faire carrière au Québec, se met en disponibilité.

Pierre Trudeau a admis lui-même que son lieutenant québécois songeait à l'abandonner en 1969. «Marchand aurait aimé se présenter lui-même, dit-il quelques années plus tard. Et si l'histoire pouvait se réécrire, je suppose que cela aurait changé son cours. Mais nous étions encore assez faibles à Ottawa... Nous ne pouvions tout simplement pas nous passer de Marchand. C'est pour ça que nous essayions plutôt de le retenir, quand en fait c'est peut-être le moment critique où il fallait l'y envoyer. Ça tombait mal.»

En vérité, les sondages que les libéraux fédéraux font faire sont cruels et indiscutables: les Québécois veulent un chef qui se tienne debout face à Ottawa, quelqu'un qui les rassure et leur promette la prospérité économique autant que la stabilité politique.

Et les Québécois en ont sans doute assez de voir leurs Premiers ministres mourir à la tâche. Il semble bien que l'âge est pour eux un facteur déterminant. Du coup, les trente-cinq ans de Robert Bourassa deviennent un atout, face à Jean Marchand, Pierre Laporte, Paul Gérin-Lajoie, Claude Wagner ou tout autre.

« Robert, on a essayé très fort de te battre, avouera même Jean Marchand à Bourassa en 1970. On a vérifié sur le terrain et on s'est aperçus qu'on n'avait pas de chances. On courait à l'échec. »

« Je suppose que les fédéraux avaient des doutes sur la profondeur de ma foi fédéraliste », dira Robert Bourassa plus tard.

Trudeau, beau joueur, félicitera Bourassa de sa victoire. « C'était cordial, sans plus », se souvient l'intéressé.

De toute manière, la campagne électorale est presque immédiatement déclenchée et les libéraux se serrent les coudes. Mieux vaut un fédéraliste un peu tiède qu'un nationaliste enragé comme ce Jean-Jacques Bertrand. D'autant plus que ses ministres, Mario Beaulieu et Marcel Masse, menacent maintenant de faire l'indépendance si Ottawa ne paie pas les quelques millions de dollars que le Québec réclame.

Contre toute attente, l'Union nationale s'écroule et c'est le Parti québécois qui prend sa place et monte en flèche dans les sondages. C'est la panique à Ottawa et on décide de s'en mêler. Pour la première fois — mais ce n'est encore qu'une répétition générale de ce qui va arriver après 1976 — on voit les députés fédéraux se promener dans la province avec une brochure — *Quoi de neuf?* — qui comptabilise soigneusement la moindre dépense d'Ottawa au Québec.

Pierre Trudeau lui-même se présente à la télévision, douze heures avant l'ouverture des bureaux de scrutin, pour parler du statut du Québec dans la Confédération.

Et la 401 voit défiler quelques camions de la Brinks.

« On a eu chaud! » soufflent les députés à Ottawa en voyant les libéraux emporter soixante-douze sièges sur cent huit.

Trudeau a une réaction prudente à l'arrivée d'un gouvernement libéral au pouvoir à Québec, et à l'élection d'un Premier ministre qui croit au « fédéralisme rentable ». « Ce sera la fin du chantage, espère Trudeau. J'ai le sentiment que ce sera un dialogue poli plutôt qu'un dialogue fondé sur des menaces... »

L'euphorie du moment passée, l'inquiétude s'installe. « L'ennui, laisse tomber Jean Marchand, c'est que pour voter contre le gouvernement au Québec, il faudra désormais voter séparatiste. »

Dame, René Lévesque a de bonnes raisons de prétendre à une « victoire morale ». Six mois plus tôt, Trudeau traitait le Parti québécois de « particule » — ou de « Parti Q » —, et prédisait qu'il ne serait jamais capable de faire élire un seul député. Mais le PQ a recueilli 24 p. 100 des suffrages exprimés et sept sièges. La toute-puissante Union nationale se contente de 20 p. 100 et les créditistes de 12 p. 100. Autrement dit, le vote des mécontents se porte maintenant sur le Parti québécois.

Dès le printemps 1970, l'ennemi d'Ottawa devient le PQ. Même quand Bourassa sera au faîte de sa gloire, avec cent deux députés sur cent huit à l'Assemblée nationale en 1973, Trudeau n'arrêtera pas de parler des séparatistes. On comprend pourquoi.

Mais la rhétorique des libéraux fédéraux contribue en même temps à corrompre le climat social. « La situation au Québec a atteint un stade où le désordre qui y règne est comparable à la guerre civile en Irlande », dit Trudeau à un groupe de libéraux. « Le climat de violence actuel est le fruit de toutes les discussions politiques des dix dernières années, dit encore le Premier ministre en évoquant les émeutes de Saint-Léonard. Imaginons-nous maintenant ce que sera Montréal dans un Québec indépendant : ce ne sera pas tellement réjouissant. » « Ne vous laissez pas bousculer, dit encore le député de Mont-Royal à ses électeurs de Hampstead, anglophones. On ne va pas laisser un petit groupe de terroristes nous bousculer ! » Et quelques mois plus tard, devant le B'Nai Brith de Montréal, il suggère carrément à la communauté juive de « défendre ses droits ».

« Ça prend-t-y un enfant de nanane comme Trudeau pour aller trouver les juifs alors qu'ils sont nerveux ! fulmine René Lévesque. Cela revient à insinuer que nous sommes tous des racistes, des antisémites, et que nous les menaçons. C'est une attaque sournoise, la calomnie subliminale d'un petit démagogue hypocrite. »

« Le nationalisme d'autrefois, qui était un nationalisme de défense, m'était quand même sympathique, soupire maintenant Trudeau avec nostalgie. C'était le phénomène d'un petit peuple agressé qui se défendait comme il le pouvait... »

Mais en 1970, le nationalisme québécois s'affirme : Bourassa parle de «souveraineté culturelle». Et au Centre Paul-Sauvé, dans la nuit du 29 avril, René Lévesque trouve qu'il y a « de la poudre dans l'air »…

«Nous allons faire l'histoire»

(1970-1981)

Car la force est juste quand elle est
nécessaire.

Machiavel

Un coup monté?

Dimanche 19 octobre 1969. Le chef du Parti libéral du Canada lance à trois mille partisans réunis au Reine-Elizabeth de Montréal: «Aucune crise ne nous trouvera absents d'aucune partie du Canada, surtout pas du Québec.» Pierre Laporte, député de Chambly à l'Assemblée nationale du Québec, assiste au dîner-bénéfice.

Vendredi 24 octobre 1969. Pierre Trudeau déclare à la Chambre des communes qu'il ne se laissera pas impressionner par les «Robin des bois et les révolutionnaires déguisés en *chauffeurs de taxi*... Nous avons l'intention d'utiliser les pouvoirs qui nous sont dévolus pour faire respecter les lois».

Lundi 5 octobre 1970. Vers 6 heures 30 du matin, Marc Carbonneau se présente à une station de taxi Diamond, au coin de la rue Saint-Denis et du boulevard Saint-Joseph à Montréal. À 8 heures 20, deux hommes armés poussent un diplomate britannique sur le siège arrière de la voiture-taxi, stationnée devant la résidence de celui-ci.

Samedi 17 octobre 1970. Un peu avant minuit, le téléphone sonne à la résidence des Simard, à Sorel, où Bourassa passe le week-end. Le corps du vice-premier ministre du Québec, Pierre Laporte, vient d'être retrouvé dans le coffre d'une Chevrolet verte immatriculée 9J-2420.

Trente ans plus tard, on n'a toujours pas fini d'écrire l'histoire de cette crise que les pouvoirs publics ont appelée pudiquement les «Événements d'octobre».

Pierre Trudeau n'était pas encore Premier ministre que la Gendarmerie royale se préoccupait de sa sécurité personnelle, plus qu'elle ne l'avait jamais fait pour aucun de ses prédécesseurs. L'homme ne dédaigne pas provoquer et suscite des réactions parfois excessives, en particulier au Québec où les bombes ont commencé à sauter. Chef de parti en campagne électorale, il aime se mêler aux foules. Son tempérament de bagarreur l'amène quelquefois à envoyer promener, avec agacement, ses gardes du corps.

Le 4 juin 1968, la GRC annonce officiellement que «à la suite de l'assassinat du sénateur Robert Kennedy, la sécurité du Premier ministre a été considérablement renforcée». Le 23 juin, plusieurs bureaux de presse reçoivent des appels de présumés membres du FLQ annonçant que Pierre Trudeau sera assassiné pendant le défilé de la Saint-Jean-Baptiste. Le directeur de la police de Montréal, Jean-Paul Gilbert, informe la GRC, responsable de la sécurité du Premier ministre et des diplomates, invités d'honneur. Ni le Premier ministre du Québec, ni son ministre de la Justice, ni la Sûreté du Québec ne sont prévenus. Aucune démarche n'est faite auprès de la Société Saint-Jean-Baptiste ni des organisateurs du défilé pour qu'ils modifient leurs plans.

Le 14 février 1969, Pierre Elliott Trudeau participe aux festivités du Carnaval de Québec. La veille, au cours d'une réception au Club de Réforme, Jean Marchand a confié à un petit groupe que la vie du Premier ministre est menacée. «J'ai reçu un appel anonyme m'annonçant qu'ils allaient lui mettre vingt-cinq balles dans la tête.» Le ministre indique encore qu'un millier de policiers seraient affectés à la sécurité de Trudeau pendant son séjour au Carnaval. «On ne peut pas prendre de chances, dit Marchand, on ne veut pas avoir un autre Dallas sur les bras.»

Le ministre a ensuite démenti ces propos tenus en privé, peut-être influencés par la générosité des cocktails, mais ce qui est sûr, c'est qu'à ce moment-là, la paranoïa envahit de plus en plus les journaux. La police se fait de plus en plus visible. Au bal de la Saint-Valentin, le vendredi soir, quand Pierre Trudeau se lance sur la piste de danse avec la Reine du Carnaval, les agents de la GRC l'entourent et tiennent les autres danseurs à l'écart. Le lendemain, il est dans son comté de Ville Mont-Royal où, une fois de plus, le porte-parole de la police fait allusion à des « précautions spéciales ». En conférence de presse, alors que le premier anniversaire des incidents de la Saint-Jean-Baptiste approche, des journalistes demandent carrément au Premier ministre : « Avez-vous l'impression que vous pourriez être assassiné au Québec ? »

Ainsi, pendant des mois, la police se livre volontiers à des confidences sur le niveau de sécurité dont on entoure le Premier ministre — ce qu'elle ne fait jamais normalement — et les journalistes se laissent de plus en plus souvent aller à une psychose collective du terrorisme politique.

Pendant toute l'année 1969, les attentats se multiplient. Une grève de la police de Montréal tourne à l'émeute et, le 7 octobre 1969, le gouvernement du Québec demande l'appui de l'armée pour rétablir l'ordre. Pierre Trudeau se montre compréhensif : « La police de Montréal a un dur travail à faire. Elle a été soumise récemment à la violence criminelle et à la violence politique. On l'a malmenée et on l'a traitée de gestapo… On comprend qu'ils veuillent savoir quelle est leur place dans la société. »

À la même époque, la violence verbale devient de plus en plus courante. « Le plus grand artisan de la violence au Québec, c'est monsieur Trudeau lui-même », lance la Ligue d'Action nationale, lui reprochant ses propos « extrémistes ». « C'est ainsi que les chefs d'État deviennent des oppresseurs, accuse Patrick Allen, porte-parole de l'Action : en se justifiant de la violence qu'ils provoquent pour établir l'État policier. »

On est encore à quinze mois des « Événements ».

« Je suis fatigué de me faire insulter constamment à propos de tout et de rien », lance le député souverainiste de Saint-Jean, Jérôme Proulx. La Confédération des syndicats nationaux (CSN) parle maintenant du terrorisme intellectuel de Pierre Trudeau.

Un an jour pour jour avant la mort de Pierre Laporte, le chef du Parti québécois, René Lévesque, s'en prend à Jean Marchand qui a tendance à relier l'agitation terroriste au mouvement indépendantiste : « … Aussitôt qu'il y a une vitre cassée — et parfois c'est beaucoup plus grave que ça — c'est les *separatists* en anglais et les indépendantistes en français. C'est de la propagande malhonnête alors que nous, nous travaillons comme des chiens depuis un an pour catalyser démocratiquement un besoin de changement, peut-être pour être un paratonnerre, autant qu'on peut, contre la violence.»

Pressentiment? Soudaine prise de conscience que les choses commencent à aller trop loin? Le vendredi 2 octobre 1970, Pierre Trudeau fait une tournée sur la Côte Nord. «Le Canada, explique-t-il à un millier de Québécois réunis dans l'aréna de Sept-Îles, ce n'est ni un piège, ni une trahison, ni un marché de dupes. C'est un espoir, c'est une promesse, c'est un défi ambitieux que nous pouvons relever si nous y croyons, si nous trouvons en nous assez d'ardeur et assez d'assurance, assez d'énergie pour mettre fin à des querelles et à des animosités séculaires et pour travailler tous ensemble, main dans la main, comme des hommes et comme des êtres humains.»

Quarante-huit heures à l'avance, Pierre Elliott Trudeau vient ainsi de répondre au Manifeste de la cellule Libération du FLQ. Mais c'est quand même trop tard. Le Manifeste est déjà écrit depuis plusieurs jours et il est imprimé. Trente-cinq hommes et femmes, dont sept sont prêts à participer à des enlèvements politiques, sont déjà entrés dans la clandestinité.

Le climat est tellement pollué que l'opinion publique canadienne ne se surprendra plus de rien. Le 28 septembre, le patron de la GRC a autorisé la mise sur pied d'une section spéciale «exclusivement chargée de s'occuper des problèmes reliés aux activités séparatistes / terroristes [sic] au Québec».

La personnalité de Pierre Trudeau et ses préjugés sur le Québec vont expliquer le reste. Son mépris pour l'armée est bien connu: pour lui, uniforme pour uniforme, envoyer des militaires en renfort à Montréal, cela n'a guère plus de signification que de déployer le Corps des Commissionnaires, ces anciens combattants à l'allure débonnaire qui assurent la sécurité au Parlement. Il n'a pas mesuré l'impact de ce qui, pour lui, n'est qu'une simple opération de maintien de l'ordre.

Le juriste qui sommeille en Pierre Trudeau lui dicte un respect scrupuleux de la séparation des pouvoirs: il n'a jamais voulu, il ne veut surtout pas en temps de crise, se mêler des affaires de la justice et de la police. Il va donc systématiquement fermer les yeux même si le défenseur des libertés civiles est un peu gêné. En tant que « Cité libriste » il ne croit pas que la démocratie soit bien enracinée au Québec. N'écrivait-il pas en septembre 1962 « La démocratie vient de naître au Québec » ? Et il ajoutait aussitôt, évoquant l'arrivée de Hitler au pouvoir : « Il m'est impossible de dire si la démocratie est née viable, ni quelles sont ses chances de survie. » Trudeau n'a pas dû se forcer beaucoup pour croire à la menace d'un renversement du pouvoir démocratique.

Pour ne rien arranger, ni Pierre Trudeau ni surtout ses conseillers ne font confiance à Robert Bourassa, qu'ils trouvent trop jeune et lâche à l'occasion. Au pire de la crise Marc Lalonde va crier, devant des témoins : « Ce Bourassa, il n'a pas de c... »

La crise d'octobre se déroule en quatre phases bien distinctes qui s'expliquent à la fois par la nature des événements et par la psychologie des personnes engagées.

- Pendant une semaine, de l'enlèvement du diplomate britannique James Richard Cross au refus officiel du ministre de la Justice du Québec, Jérôme Choquette, de négocier avec les ravisseurs, c'est le gouvernement fédéral qui a le contrôle des événements : Ottawa est le seul responsable de la sécurité des diplomates étrangers.
- Lorsque Pierre Laporte est enlevé, Robert Bourassa et ses ministres sont personnellement concernés. Dans les deux gouvernements, les Premiers ministres et certains de leurs ministres sont affectés au point de vue émotif : Laporte était le patron de Gérard Pelletier au *Devoir*, il était aussi de la première équipe de *Cité libre*.
- Au début de la deuxième semaine, il devient de plus en plus clair que la police est dépassée, que l'enquête piétine et que les négociations avec le FLQ ne vont nulle part. La Gendarmerie royale, qui entretient d'excellents rapports avec les dirigeants de la police de Montréal, se dit prête à prendre la relève.
  · Et les rumeurs d'un coup d'État s'amplifient.
- L'appel à l'armée et la proclamation de la Loi sur les mesures de guerre, deux événements qu'on a tendance à confondre, sont alors inévitables...

Dans les heures qui suivent l'enlèvement du diplomate britannique, le lundi 5 octobre, Pierre Trudeau communique lui-même avec Robert Bourassa. «C'est très sérieux et on est inquiets : il faut se concerter.»

Pendant deux semaines, les canaux de communication entre Ottawa et Québec sont modifiés. Traditionnellement, Trudeau ne traite généralement pas directement avec ses homologues provinciaux. C'est plutôt son secrétaire principal, Marc Lalonde, qui assure la liaison.

Pendant la crise, Trudeau et Bourassa communiquent directement, plusieurs fois par jour. Marc Lalonde est en contact avec le secrétaire du Conseil exécutif de la province, Julien Chouinard. Et c'est le secrétaire d'État aux Affaires extérieures, Mitchell Sharp, plutôt que le ministre de la Justice (John Turner), ou le solliciteur général (George McIlraith), responsable de la GRC, qui parle à Jérôme Choquette. L'affaire est donc encore traitée comme un «incident diplomatique».

C'est aussi ce qui explique que Robert Bourassa maintienne, comme prévu, son voyage à New York. Rester aurait de toute manière donné à l'événement un caractère encore plus dramatique.

Les ravisseurs de James Cross présentent leurs conditions pour sa remise en liberté dont deux — la libération de vingt-trois «prisonniers politiques» et la divulgation du nom d'un délateur qui a dénoncé des militants du FLQ en juin — ne sont absolument pas négociables pour Trudeau. L'imposition d'une «taxe volontaire» de cinq cent mille dollars et le réengagement des gars de Lapalme, deux autres conditions, n'ont jamais été considérées sérieusement.

En revanche, Ottawa entreprend immédiatement des démarches auprès des gouvernements de Cuba et d'Algérie, où les ravisseurs pourraient être conduits s'ils libèrent leur prisonnier. De vives discussions s'engagent au Conseil des ministres sur l'opportunité de diffuser le Manifeste sur les ondes de Radio-Canada, comme la cellule Libération l'exige.

Il ressort de tout cela qu'Ottawa est prêt à négocier, et la lecture du Manifeste devient inévitable puisque le journaliste Louis

Fournier, de la station de radio CKAC de Montréal, en a reçu un exemplaire et le diffuse dès le mercredi soir.

Discrètement, Ottawa met en place un groupe spécial — le *Strategic Operation Center* — où on retrouve, sous les ordres de Marc Lalonde, deux des jeunes loups québécois qui ont joué un rôle important dans l'accession de Pierre Trudeau au pouvoir : Jean-Pierre Goyer, secrétaire parlementaire de Mitchell Sharp puis de Pierre Trudeau lui-même, et Jim Davey, adjoint de Marc Lalonde au Cabinet du Premier ministre. Le groupe doit analyser la situation politique au Québec et une de ses antennes est Gérard Pelletier, qui passe presque toute la durée de la crise à Montréal. Après la crise, le groupe va se livrer à une longue chasse aux sorcières dans les rangs de la société québécoise.

Pierre Trudeau est personnellement opposé à la diffusion du Manifeste du FLQ sur les ondes de la télévision d'État mais les diplomates des Affaires extérieures, par solidarité sans doute pour un de leurs collègues, insistent. Trudeau s'est souvent reproché cette erreur par la suite. « Il a démontré qu'il était prêt à faire des concessions très humiliantes », reconnaît Robert Bourassa.

Le Manifeste reprend, en termes excessifs, toutes les frustrations du mouvement ouvrier québécois, énumère les conflits qui pourrissent dans la province à l'époque et pointe du doigt quelques grands patrons comme Steinberg, Paul Desmarais, les Bronfman, les Simard (cousins de Robert Bourassa). Le sentiment que le Parti québécois s'est fait « voler » l'élection six mois plus tôt transpire dans les références à la Brinks et aux « big shot » de Westmount et des « Town of Mount-Royal ».

Surtout, les felquistes crachent tout leur mépris pour les dirigeants politiques : « Rémi Popol la garcette (Rémi Paul avait été ministre de la Justice au temps de l'Union nationale), Drapeau le dog, Bourassa le serin des Simard, Trudeau la tapette… »

En fait, ce sont les deux derniers paragraphes qui frappent l'opinion publique.

« Faites vous-mêmes votre révolution dans vos quartiers, dans vos milieux de travail, lance le FLQ… Qu'aux quatre coins du Québec, ceux qu'on a osé traiter avec dédain de *lousy French* et d'alcooliques entreprennent vigoureusement le combat. »

À la surprise du gouvernement fédéral, un mouvement de sympathie pour les idées avancées par le FLQ se dessine dans la population, en particulier parmi les jeunes et les militants syndicaux. Les médias francophones du Québec, au comble de l'excitation, trahissent pour les ravisseurs une complicité d'autant plus marquée que la cellule Libération les alimente de «scoops» en leur remettant directement ses communiqués officiels.

Le FLQ a fixé au samedi 10 octobre, à 18 heures, l'ultimatum pour l'exécution de James Cross. Dans la matinée, le ministre de la Justice du Québec, Jérôme Choquette, s'apprête à offrir un ultime compromis en se servant d'une pratique plutôt courante chez les procureurs de la Couronne au Canada : recommander la libération conditionnelle de plusieurs des prisonniers dits politiques.

Pierre Trudeau se braque, essentiellement pour deux raisons. Il ne veut pas entendre parler de prisonniers politiques : pour lui, ce sont des «criminels de droit commun» et on leur a déjà fait une faveur de trop en leur permettant de raconter ce qu'ils voulaient sur les ondes de la télévision d'État.

«Mais surtout, explique Robert Bourassa, il y a des choses sur lesquelles il ne voulait pas négocier et je dois dire que j'étais d'accord. Il était en particulier intransigeant sur le principe de ne pas céder au-delà de ce qui pouvait s'accepter sans remettre en cause la séparation des pouvoirs, c'est-à-dire prendre des mesures qui se trouveraient à remettre en cause le fonctionnement de la justice.»

Pendant que les frères Paul et Jacques Rose, Francis Simard et Bernard Lortie, membres d'une deuxième cellule du FLQ (Chénier), attendent dans la clandestinité à Saint-Hubert, quelques heures de négociations dramatiques s'engagent entre Ottawa et Québec, d'autant plus compliquées que le Premier ministre du Québec est bloqué entre deux avions à New York.

À 17 heures 30, Jérôme Choquette expose la position des gouvernements à la télévision. On sait maintenant qu'il n'y aura plus de concessions autres que la promesse d'un sauf-conduit pour les ravisseurs.

À 18 heures, Pierre Laporte sort dans la rue pour jouer au ballon avec son fils Claude, dix-huit ans, devant leur maison de la rue Robitaille à Saint-Lambert. Il n'est vraisemblablement pas au courant des tractations qui ont eu lieu dans la journée entre Ottawa et Québec et le fait qu'il joue dans la rue, insouciant, montre à quel point on prend encore la question avec légèreté. Pour Québec, l'enlèvement de Cross est un cas isolé, qui embarrasse plutôt le gouvernement fédéral puisqu'il touche un diplomate étranger et ternit la réputation internationale du Canada.

À 18 heures 18, la crise prend une tout autre tournure : c'est un ministre québécois qui est enlevé et tout le monde se sent directement concerné.

Robert Bourassa, qui est rentré au Québec incognito, apprend immédiatement la nouvelle de l'enlèvement de Pierre Laporte. Il demande à Julien Chouinard et au secrétaire adjoint du cabinet, Paul Tellier, de convoquer discrètement les ministres à Montréal. «Nous ne voulions pas ajouter à la panique en organisant un convoi de ministres entre Québec et Montréal», explique Tellier qui partage, le dimanche matin, une voiture avec Bernard Pinard et Gérard D. Lévesque pour se rendre à Montréal.

Le Conseil des ministres se réunit, le dimanche après-midi, au siège social de Hydro-Québec où Robert Bourassa a son bureau, pour les jours où il est dans la métropole. Tout le monde est sous le choc des derniers événements et le sentiment général, maintenant, est qu'on fait face à un complot bien organisé.

Un enlèvement, cela pouvait être le fait de quelques extrémistes. Deux enlèvements, cela prenait une tout autre proportion.

Au milieu de l'après-midi, le directeur de la police de la Communauté urbaine de Montréal, Marcel Saint-Aubin, se présente à l'Hydro-Québec «avec un message important pour monsieur Bourassa». Paul Tellier sort de la salle du Conseil des ministres et ouvre l'enveloppe. Elle contient un message personnel de Pierre Laporte. «Lisez-le vous-même à voix haute», demande Robert Bourassa au secrétaire adjoint du Conseil, pour éviter de faire circuler le document autour de la table.

«Mon cher Robert,

«J'ai la conviction d'écrire la lettre la plus importante de toute ma vie... Nous sommes en présence d'une escalade bien organisée qui ne se terminera qu'avec la libération des prisonniers politiques. Après moi, ce sera un troisième puis un quatrième et un vingtième. Autant agir tout de suite et éviter ainsi un bain de sang… Cela pourrait se faire rapidement, car je ne vois pas pourquoi en mettant plus de temps on continuerait à me faire mourir à petit feu dans l'endroit où je suis détenu. Décide de ma vie ou de ma mort…»

Dix mois plus tôt, Pierre Laporte était candidat à la direction de son parti contre Robert Bourassa. Certains ministres présents ce dimanche-là à Hydro-Québec étaient très proches de lui ; Bernard Pinard et Gérard Lévesque sont particulièrement ébranlés.

Tout le monde a conscience de la gravité du moment : c'est la vie d'un ami ou d'un collègue qui se joue. De façon remarquable — et il en sera ainsi tout au long de cette crise au cours de laquelle personne ne va démissionner — les ministres réussissent à faire l'unanimité.

Pierre Trudeau lui-même se rend compte du drame qui se joue à Montréal ce soir-là. «Il comprenait que ma position était plus difficile que la sienne», note Bourassa.

Finalement, le Premier ministre du Québec émerge de la réunion avec une déclaration qui est un chef-d'œuvre d'ambiguïté. CBC et *Le Devoir* en déduisent qu'il est prêt à négocier, alors que Radio-Canada commente : «Bourassa dit non aux terroristes.»

En fait, le *Strategic Operation Center* de Marc Lalonde et la Gendarmerie royale n'allaient pas tarder à prendre en main les opérations. D'autant plus qu'un événement, bien anodin pour qui connaît les habitudes du directeur du *Devoir*, Claude Ryan, va prendre des proportions démesurées à Ottawa et dans l'esprit des dirigeants municipaux.

Dans l'après-midi du dimanche, Claude Ryan réunit en effet ses proches collaborateurs pour «réfléchir tout haut», comme il le fait souvent dans les circonstances graves, sur la ligne éditoriale à adopter. Il a déjà parlé à Robert Bourassa et à Lucien Saulnier, président de la Communauté urbaine de Montréal, et a cru constater un «profond désarroi».

Devant ses collaborateurs, Ryan envisage trois hypothèses : Bourassa cède aux pressions d'Ottawa et demande immédiatement la proclamation de la Loi sur les mesures de guerre ; Bourassa se révèle incapable de maîtriser la situation et il faudrait alors envisager la constitution d'un gouvernement provisoire faisant appel à tous les partis et à divers éléments de la société ; Bourassa opte pour la recherche d'une solution négociée et garde le contrôle de la situation. Les trois scénarios de Ryan reposent, consciemment ou non, sur une même prémisse : Bourassa est un faible.

Comme il le fait souvent aussi, Claude Ryan ne se contente pas d'en parler avec ses collègues du *Devoir* mais partage ses « hypothèses » avec Lucien Saulnier. En moins de vingt-quatre heures, Ottawa est informé que Claude Ryan envisage ouvertement la formation d'un gouvernement « parallèle ».

Le seul qui ne croit vraiment pas à un tel complot est Gérard Pelletier, et pour cause : il a lui-même dirigé un journal et il connaît bien les habitudes de Ryan. D'ailleurs, dès le lendemain, satisfait des ouvertures de Robert Bourassa, le directeur du *Devoir* oublie ses scénarios et appuie entièrement la position du gouvernement du Québec. Le jeudi suivant, le directeur du *Devoir* va même endosser le recours à l'armée : « Les forces policières, sur le qui-vive depuis près de deux semaines, sont au bord de l'épuisement total. Le gouvernement du Québec... a jugé de son devoir de faire appel aux forces armées. Et il avait raison de le faire. »

Mais une telle rumeur de coup d'État ne surprend pas Pierre Trudeau outre mesure : il a toujours craint que la « fragile » démocratie du Québec ne soit balayée par un groupe « fasciste ». Et lui qui n'aime pas particulièrement Claude Ryan se souvient que celui-ci a déjà travaillé à L'Action catholique canadienne.

Des négociations sont effectivement engagées entre Robert Demers, proche du Parti libéral et ami intime de monsieur Bourassa, et Robert Lemieux, avocat de plusieurs militants du FLQ. « Les rapports que Robert Demers me donnait indiquaient que les négociations n'étaient pas tellement sérieuses », se souvient cependant Robert Bourassa.

De plus, la police avait l'air passablement dépassée. Chaque fois que la SQ voulait effectuer une perquisition, elle devait en informer le Premier ministre puisque les ravisseurs avaient menacé de tuer Pierre Laporte si la police intervenait. Un jour que Robert Bourassa avait fini par donner une telle permission au directeur de la SQ, Maurice Saint-Pierre, de faire une descente « chez des suspects qu'on a vus avec des fusils », il s'avéra que la police courait après… de braves Québécois revenant de la chasse. Loin d'admettre son désarroi, la direction de la SQ et de la police de Montréal renforçait la théorie du complot pour expliquer ses difficultés : « Voyez, monsieur Bourassa, répétaient les dirigeants de la SQ, c'est du solide ! Ils doivent être drôlement organisés pour qu'on n'arrive pas à les trouver. »

Enfin, les forces policières, qui surveillaient jour et nuit des édifices publics et les résidences des hommes politiques, de leurs parents et de quelques hommes d'affaires directement visés par les déclarations du FLQ, souffraient d'épuisement.

Le jeudi 15 octobre, le gouvernement du Québec demande officiellement l'appui de l'armée et, comme la loi de la Défense nationale le prévoit, le gouvernement fédéral ordonne au 5e Groupement de combat de Valcartier, en banlieue de Québec, de faire route vers Montréal.

Quant à la proclamation de la Loi sur les mesures de guerre, on en discutait dans le plus grand secret depuis le début de la semaine. « Après deux ou trois incidents où il apparaissait évident que la police ne savait plus où aller, j'ai décidé qu'il faudrait agir… », dit Bourassa.

Dès le mercredi, le Premier ministre prévient Claude Ryan qu'il y aura un « petit virage » dans le sens de la fermeté. René Lévesque est également au courant du recours imminent à la Loi sur les mesures de guerre. Le chef du PQ a pris l'initiative d'inviter une quinzaine de personnalités au Holiday Inn le soir même pour étudier le texte d'une déclaration commune.

« L'affaire Cross-Laporte est avant tout un drame québécois…

« L'atmosphère de rigidité déjà presque militaire qu'on peut déceler à Ottawa risque à notre avis de réduire le Québec et son gouvernement à une impuissance tragique…

« C'est pourquoi, oubliant la variété des attitudes que nous pouvons avoir sur une foule de sujets, conscients uniquement pour l'heure d'être Québécois et à ce titre vitalement impliqués, nous tenons à donner notre appui le plus pressant à la négocia-tion d'un échange de deux otages contre les prisonniers politi-ques et ce, envers et contre toute obstruction de l'extérieur du Québec, ce qui implique nécessairement le concours positif du gouvernement fédéral...»

On retrouve, dans la déclaration, les appréhensions et même le style d'écriture de Claude Ryan. L'appel de René Lévesque, des chefs des grandes centrales syndicales, d'Alfred Rouleau, prési-dent du Mouvement des Caisses populaires Desjardins, suscite un vaste courant de sympathie dans la population. Les étudiants font la grève des cours et occupent les bureaux des universités et des cégeps.

Quelques heures après le déploiement de l'armée autour des grands édifices publics de Montréal, trois mille personnes se ras-semblent au Centre Paul-Sauvé.

«Le FLQ, c'est chacun de vous. C'est chaque Québécois qui se tient debout», lance Pierre Vallières.

La foule bondit et scande, le poing levé: «F-L-Q! F-L-Q! F-L-Q!»

«J'avais de bonnes raisons de croire que les chefs de file de l'opinion québécoise n'étaient plus tellement enclins à obéir à leur gouvernement légitime, expliquera Trudeau quelques années plus tard. Ils ont signé ce manifeste déclarant que le gouvernement du Québec et le gouvernement fédéral devaient libérer les "prison-niers politiques"... Jusqu'à ma mort, je resterai convaincu que ce fut là le tournant... Ces gens-là, les personnalités québécoises qui ont signé le manifeste, se sont recouverts d'une honte qui les sui-vra jusqu'à la tombe.»

En vérité, le gouvernement fédéral n'a pas attendu la décla-ration des personnalités québécoises pour agir. Dès le mardi 13 octobre, soit vingt-quatre heures avant le «petit virage» an-noncé par Bourassa, le Premier ministre du Canada informe offi-ciellement l'ambassadeur d'URSS qu'il doit annuler sa visite à Moscou, prévue pour la semaine suivante. Et la GRC commence à dresser des listes de «suspects à arrêter». Le mercredi 14, la po-lice fédérale propose de soumettre ces listes au Conseil des minis-tres. Trudeau désigne Gérard Pelletier et Jean Marchand, tandis qu'à Québec, ce sont Raymond Garneau et Claude Castonguay qui sont chargés de la corvée.

À Ottawa, la première liste porte cent cinquante-huit noms. Au Québec, la Sûreté en ajoute une cinquantaine d'autres. À la fin de la semaine, quatre cent soixante-cinq personnes vont être détenues.

« Je ne connais personne. Ça n'a ni queue ni tête », lance Raymond Garneau à Maurice Saint-Pierre en voyant les listes.

« Je me rappelle que j'ai sourcillé devant certains noms, dit Robert Bourassa. Je me souviens que Trudeau aussi s'était posé des questions. On en avait parlé ensemble. » Pierre Trudeau confirmera quelques années plus tard qu'il s'était étonné, entre autres, de voir le nom de la chanteuse Pauline Julien sur la liste, tandis que Robert Bourassa « sourcilla », comme il dit, sur le nom du poète Gérald Godin. Mais Trudeau et Bourassa s'entendaient au moins sur un point : il n'était pas question d'intervenir dans les affaires de la police. « Ce n'est pas moi qui dois choisir les noms, dit Robert Bourassa au chef de la SQ. Prenez vos responsabilités et établissez la preuve. »

Au début de l'après-midi du jeudi 15 octobre, le gouvernement du Québec demande officiellement le recours à la Loi sur les mesures de guerre. Mais la façon dont sa requête est rédigée ne convient pas à Ottawa. Marc Lalonde et Jean Marchand se rendent à Québec et rencontrent Robert Bourassa en secret à l'hôtel Clarendon, situé près de l'hôtel de ville de Québec. « Je me demandais pourquoi on ne pouvait pas se rencontrer à mon bureau, tout simplement, se souvient Robert Bourassa. Mais Marchand m'avait dit : "Robert, c'est sérieux !" »

Selon Marc Lalonde, Trudeau n'était pas favorable au recours à la Loi sur les mesures de guerre. Mais il était aussi le seul à pouvoir s'en prévaloir. « Si vous y tenez, dit-il à Bourassa, vous devez me le demander formellement et affirmer que vous êtes en état d'insurrection appréhendée. »

« Bourassa est dans les patates », affirme encore Lalonde en niant la rencontre à l'hôtel Clarendon. Il se rappelle plutôt, quant à lui, une réunion au Conseil exécutif de la province, logé dans une annexe de l'édifice de l'Assemblée nationale à Québec. Une chose est certaine : la lettre est négociée entre Marc Lalonde et Julien Chouinard, donc rédigée conjointement par les gouvernements d'Ottawa et de Québec, d'abord signée par Robert Bourassa à Québec, puis par Jean Drapeau et Lucien Saulnier à Montréal.

Robert Bourassa propose quand même un ultime compromis aux ravisseurs : il augmente de cinq à vingt le nombre de condamnés qui auront droit à une « recommandation favorable » devant la Commission des libérations conditionnelles et il promet qu'un avion sera mis à la disposition des ravisseurs dès qu'ils auront libéré les deux otages. Il donne au FLQ jusqu'à trois heures du matin, le vendredi 16 octobre, pour réagir.

À 3 heures 30, un fonctionnaire du Conseil privé réveille le Gouverneur général, Roland Mitchener, et lui fait signer la proclamation de la Loi sur les mesures de guerre.

« Les plus pessimistes disent qu'il y a près de trois mille membres du FLQ, déclare Jean Marchand aux Communes pour expliquer la décision. Nous savons certainement une chose : c'est qu'il y a une organisation qui a des milliers de fusils, de carabines, de "machine guns", de bombes et à peu près deux mille livres de dynamite, ce qui est suffisant pour faire sauter le cœur de la ville de Montréal. »

Il faudra attendre quelques années avant que Gérard Pelletier avoue que le noyau d'extrémistes felquistes variait, en importance, « de quarante à cinquante, peut-être cent ».

Jean-Luc Pépin va tenter d'expliquer, de son côté, pourquoi la panique s'est emparée du groupe Trudeau à Ottawa : « … Je crois que nous pensions tous à nous-mêmes. Nous formions, nous aussi, un tout petit groupe : Trudeau, Pelletier, Marchand, Lalonde, Chrétien, moi-même ; plus quelques fonctionnaires. Disons, une cinquantaine en tout… Et nous étions en train de faire la révolution à Ottawa ! Nous étions un groupe de "révolutionnaires" parfaitement organisés nous aussi mais, évidemment, nous n'employions pas les mêmes moyens. »

Moins de trente heures après le recours à la Loi sur les mesures de guerre, le corps de Pierre Laporte est retrouvé dans le coffre d'une voiture.

James Cross est libéré le 3 décembre ; ses ravisseurs se réfugient à Cuba.

Le 28 décembre, les membres de la cellule Chénier, qui se déclarent solidairement responsables de la mort de Pierre Laporte, sont arrêtés à Saint-Luc, sur la rive sud de Montréal.

Le 1er janvier, les derniers suspects détenus en vertu de la Loi sur les mesures de guerre sont libérés, à l'exception de leurs chefs : Michel Chartrand, Charles Gagnon, Robert Lemieux et Pierre Vallières.

Le 4 janvier 1971, l'armée réintègre ses casernes.

Les événements d'octobre n'ont entamé ni la popularité de Pierre Trudeau ni celle de Robert Bourassa. Une chose est certaine, les deux gouvernements ont collaboré tout au long de la crise et il est difficile d'affirmer que l'un a manœuvré l'autre. « Il pouvait y avoir désaccord sur le style, mais pas sur le fond », affirme Robert Bourassa.

Les deux Premiers ministres ont en revanche subi des torts irréparables dont ils paient encore aujourd'hui le prix politique. Sur le plan international, la réputation de Pierre Trudeau, champion des droits civils, a été sérieusement ternie. Et le Québec y a gagné l'image d'une région instable dont les investisseurs feraient mieux de se méfier. Sur le plan intérieur, Robert Bourassa s'en est sorti, souvent pour des raisons injustes, avec la réputation d'un chef trop faible pour protéger sa « souveraineté » contre les coups de force d'Ottawa.

Quant à Pierre Trudeau, il s'est définitivement coupé d'une partie du Québec. « C'est notre plus grand criminel de guerre en temps de paix », dit un ancien compagnon du Rassemblement démocratique. « Ils ont fabriqué une crise, accuse René Lévesque. Il y a eu un froid calcul du groupe Trudeau à Ottawa… »

« Just watch me ! » avait lancé Trudeau au reporter de CBC qui lui demandait jusqu'où il était prêt à aller. Et Trudeau n'aime pas les « cœurs tendres », ni les « poules mouillées ».

« Monsieur Trudeau, l'homme d'État, n'est pas un sentimental », se souvient encore Robert Bourassa…

Le Québec marque
des points

Au cours des premiers mois de 1971, pendant que le Canada se remet des « Événements », apparaissent plusieurs nouveaux personnages : une sorte de changement de la garde auquel personne ne prête vraiment attention.

En février, Bill Davis remplace John Robarts à la tête du gouvernement de l'Ontario. En mars, le néo-démocrate Allan Blakeney met fin à sept ans d'administration libérale en Saskatchewan. Et avant la fin de l'été, un certain Peter Lougheed s'installe dans le fauteuil du Premier ministre de l'Alberta.

Le 4 mars, Pierre Elliott Trudeau et Margaret Sinclair se marient en privé en l'église St. Stephen's de Vancouver. Quelques bigots chuchotent, sur les parvis d'église, des commentaires entendus sur « la différence d'âge », mais on se dit aussi que ce dandy de Premier ministre va se ranger.

Le Canada anglais croit bien à ce moment-là qu'on en a fini de la crise d'identité qui secoue le pays depuis cinq ans. Il y a bien quelques grincements de dents sur la politique des langues officielles. Mais on se console en comptant les rafles que la Gendarmerie royale multiplie chez les « révolutionnaires » québécois : PQ ou FLQ, on ne fait pas la différence.

Les Canadiens ont plébiscité Trudeau en 1968 pour qu'il règle la question du Québec. Eh bien, non seulement un présumé coup d'État de l'intelligentsia québécoise a-t-il été déjoué, mais le Premier ministre promet une nouvelle entente.

Le 9 février 1971, on croit en effet au déblocage des négociations constitutionnelles qui s'étirent depuis trois ans, depuis ce jour de 1968 où le Canada découvre un ministre de la Justice qui n'a pas froid aux yeux et peut remettre le «député de Bagot» à sa place. «Après une certaine grossesse, il était temps que l'accouchement vienne et il en est bien ainsi, soupire un Trudeau sans doute inspiré par son mariage prochain. Au train où se déroulait la conférence depuis trois ans, on risquait de perdre des joueurs.» Excès de confiance, en particulier face à un gouvernement du Québec qui a dû quêter le secours de son armée et de sa police? Trudeau pense que l'affaire est réglée, que personne ne s'opposera à ses propositions.

Mais à Québec, l'aile nationaliste du gouvernement Bourassa durcit ses positions. Claude Castonguay, ministre des Affaires sociales, revendique la «souveraineté» de l'Assemblée nationale sur la politique sociale. Jean-Paul L'Allier, ministre des Communications, jette les bases de la «souveraineté culturelle» et prétend prendre le contrôle de la télévision par câble.

Apparemment indifférent, Pierre Trudeau met la dernière main à la «Grande Charte»: cette nouvelle constitution, conçue au cours de l'été 1967, qui lui taillera une place dans les livres d'histoire. «Comment ça se fait que vous êtes pas capables de m'écrire un préambule comme celui de la Constitution américaine?» répète-t-il à ses adjoints en se prenant déjà pour le Thomas Jefferson du Nord.

C'est que le Jefferson en question, fondateur du parti antifédéraliste, avait tous les pouvoirs d'un gouvernement central fort. Trudeau, quant à lui, a l'obligation constitutionnelle de compter avec les provinces.

Ce n'est pourtant pas sur le préambule, qui garantit les droits politiques fondamentaux, que le gouvernement fédéral rencontre de la résistance. En fait, le projet de Pierre Trudeau est presque parfait, et d'une générosité remarquable pour la minorité canadienne-française et le Québec. Tout y est: les droits linguistiques, une réforme de la Cour suprême, une formule d'amendement qui protège le droit de veto et même, comme dans le futur Accord du lac Meech, la promesse d'une conférence annuelle des Premiers ministres.

Les fonctionnaires fédéraux sont cependant moins optimistes que leur patron. Il n'y a pas que le Québec qui regimbe dans les réunions préparatoires du printemps : le nouveau Premier ministre de l'Ontario, Bill Davis, lui-même ancien ministre de l'Éducation, n'aime pas beaucoup qu'on l'oblige à garantir les droits de sa minorité francophone.

Excès de confiance encouragé par le succès de la ligne dure adoptée pendant la Crise d'octobre ? Trudeau se fait cassant. En particulier avec le Québec.

Il réclame en effet le pouvoir pour le fédéral de lancer sa propre politique sociale : pensions de vieillesse, allocations familiales, allocations aux jeunes, formation de la main-d'œuvre. Bien sûr il s'engage à ne pas envahir la juridiction des provinces qui auraient déjà des programmes dans chacun de ces secteurs. Mais, si elles n'en ont pas, Ottawa pourra occuper le champ libre, après un préavis de quatre-vingt-dix jours.

Or il se trouve que le gouvernement du Québec a déjà des idées sur la question : un an plus tôt, la Commission Castonguay-Nepveu avait déjà soumis les grandes lignes d'une politique québécoise du revenu familial. Et certains fonctionnaires, Claude Morin en particulier, craignent que la « Charte de Trudeau » ne réduise la marge de manœuvre de la province.

Malheureusement pour Pierre Trudeau, les onze gouvernements se sont entendus — comme ils le feront en 1987 au lac Meech — sur une politique du « tout ou rien » : la Charte sera adoptée en bloc ou pas du tout.

Les chefs de gouvernement se sont donné rendez-vous à Victoria le 14 juin 1971. « Québec a intérêt à s'entendre, espère Trudeau. Il y a une convergence des points de vue assez large sur un tas de sujets. À défaut de s'entendre sur certains sujets, sur la division des pouvoirs par exemple, est-ce que ça va rater ? Je n'en sais rien. »

À Victoria, c'est l'euphorie : on va enfin régler la question constitutionnelle et passer aux choses sérieuses, aux problèmes économiques notamment qui s'accumulent dangereusement. Tout le monde semble d'accord, sauf le Québec que cette question des allocations familiales tracasse toujours.

Dans la soirée du 15 juin, Claude Castonguay se montre d'humeur de plus en plus maussade. « Wackie » Bennett, le Premier ministre créditiste de la Colombie-Britannique, donne une réception sur un traversier à vapeur. Tandis que tout le monde admire les gorges du fjord Juan de Fuca ou la robe-pantalon de la jeune madame Trudeau, en dévorant les petits fours, le ministre des Affaires sociales arpente le pont avec Claude Morin.

Dans la nuit du 15 au 16, comme s'il s'agissait de la répétition générale d'une autre nuit de novembre 1981, les fonctionnaires fédéraux, qui sentent que tout peut échouer, se livrent à toutes sortes de ruses de Sioux pour isoler Castonguay de son conseiller. Trudeau brandit même un chèque de soixante millions de dollars : les gains que les familles québécoises vont réaliser au chapitre des allocations familiales.

Rien n'y fait : dans la matinée du 16 juin, Robert Bourassa est plus hésitant que jamais. Cela n'empêche pas Trudeau et ses ministres de sortir de la conférence en laissant entendre que le Québec a donné son accord de principe à la Charte. « C'est faux, dit aujourd'hui Robert Bourassa. J'ai demandé à réfléchir pendant une dizaine de jours et le fait d'avoir demandé ce délai montre bien que je n'avais pas encore pris de décision. »

Pierre Trudeau espère quand même que son collègue va forcer la main de son Conseil des ministres et de son caucus, comme il le ferait lui-même en pareille circonstance. « Je vais évaluer la situation, promet Robert Bourassa en quittant Victoria. Mais il n'y a que six mois qu'on est sortis de la Crise d'octobre. Il y a toute une effervescence nationaliste au Québec : je ne peux pas prendre le risque de repartir encore pour sept ou huit ans de violence politique. Le climat ne me permet pas de prendre des risques non calculés. »

En fait, la situation de Bourassa est encore plus précaire à Québec que sur les rives du Pacifique. Le 22 juin, vers 19 heures, ses députés sont divisés « moitié-moitié pour et contre ».

À 21 heures, la majorité des ministres s'oppose à la Charte de Victoria, telle que proposée par Trudeau.

À 23 heures, Robert Bourassa appelle Marc Lalonde. « Préviens Trudeau, je vais rencontrer les journalistes : c'est non ! » Heureusement pour le Premier ministre du Québec, Marc Lalonde raccroche avant de dire ce qu'il en pense.

Le lendemain, veille de la Saint-Jean-Baptiste, le Premier ministre du Québec a droit à une ovation de tous les membres de l'Assemblée nationale. Péquistes, unionistes, créditistes applaudissent avec les libéraux. Tout le monde est ému, comme si c'était une revanche : le Québec vient, enfin, de retrouver son unanimité. Mais dix ans plus tard exactement, il va le payer cher.

Le 24 juin, le Premier ministre du Canada donne une garden-party à sa résidence d'été du lac Harrington. Ministres et principaux conseillers y partagent leurs impressions. Pierre Trudeau lui-même conclut qu'il ne sera jamais possible de s'entendre avec le Québec : si accord constitutionnel il doit y avoir, ce sera sans lui.

Le Premier ministre du Québec est désormais perçu comme un « lâcheur » au Canada anglais. Jean Chrétien n'aura aucune difficulté, en 1981, à convaincre ses collègues de l'Ontario et de la Saskatchewan d'abord, puis de tout le Canada anglais, qu'on ne peut pas se fier à la parole d'un Premier ministre du Québec. Et les fonctionnaires fédéraux vont se souvenir qu'il n'est jamais prudent de laisser les fonctionnaires du Québec semer le doute dans les autres délégations provinciales.

Pour Pierre Trudeau, Victoria reste le pire échec de sa carrière politique. « Si le Québec n'avait pas été aussi gourmand ! » soupire-t-il sans arrêt.

Commence alors, entre Ottawa et Québec, une incroyable guérilla qui ne s'arrêtera qu'avec l'élection du Parti québécois.

À l'automne 1971, Québec réclame un fauteuil de gouvernement participant à l'Agence de coopération culturelle et technique : « On en est rendu à se demander si le Québec doit avoir des ambassadeurs, s'il doit être indépendant et si les taxis auront des fanions », grogne Trudeau.

Pour calmer la mauvaise humeur du Canada anglais contre la politique des langues officielles, Pierre Trudeau dépose un Livre blanc sur le multiculturalisme. « Cela contredit clairement le mandat de la Commission d'enquête sur le bilinguisme et le biculturalisme, réplique Bourassa. Vous dissociez la culture de la langue : c'est là une assertion qui me paraît discutable. »

En 1972, Raymond Garneau, ministre des Finances du Québec, s'en prend à la politique de contrôle des investissements étrangers. Jean Cournoyer, ministre du Travail, accuse le gouvernement fédéral de ne pas savoir gérer les ports nationaux et se livre, en pleine Assemblée nationale, à une imitation de son cru de la voix nasillarde de Trudeau.

Quand Robert Bourassa réclame un nouveau partage de l'assiette fiscale, Trudeau l'envoie carrément promener : « Si vous avez besoin d'argent, augmentez vos impôts ! »

La nouvelle politique d'immigration du gouvernement du Québec agace tellement le gouvernement fédéral que Trudeau passe à un cheveu d'accuser son collègue de racisme. « J'hésite à critiquer la politique d'immigration d'un gouvernement provincial, quel qu'il soit, mais je crains que la réceptivité pour l'étranger ne soit pas dans le Québec ce qu'elle est dans d'autres parties du pays. C'est une mentalité qui n'est pas disparue. Cela est dû très souvent à cet acharnement qu'on met dans certaines nouvelles élites québécoises à faire du jargon, du joual, la langue officielle. »

Qu'à cela ne tienne : quelques mois plus tard, Robert Bourassa, à la tête d'une écrasante majorité de cent deux députés sur cent huit à l'Assemblée nationale, dépose le projet de loi 22... sans même se soucier des problèmes que cela pourrait causer au grand frère fédéral, plongé dans une campagne électorale difficile.

Car, depuis l'été 1971, tout va mal à Ottawa pour Pierre Trudeau. En août, le président des États-Unis, Richard Nixon, a annoncé l'imposition d'une surtaxe de 10 p. 100 sur toutes les importations américaines. Cent mille emplois sont ainsi menacés au Canada. Trudeau a beau réclamer un « statut spécial » pour le Canada, le chef de la Maison Blanche reste inflexible. Il y a déjà plus de sept cent mille chômeurs au Canada, une indigeste réforme fiscale passe mal en Ontario et l'Ouest refuse de plus en plus d'avaler des céréales « bilingues ».

Le 30 octobre 1972, Trudeau est virtuellement battu. Une erreur de quelques dizaines de voix dans le comté de Drummond laisse croire pendant quelques heures que Jean-Luc Pépin, son ministre de l'Industrie, est réélu. Trudeau s'accroche donc au pouvoir mais doit négocier chacune de ses décisions avec les néodémocrates de David Lewis, de plus en plus gourmands.

Au début de 1973, c'est la crise du pétrole qui donne quelques mois de répit au Québec. Le nouvel enfant terrible de la Confédération, c'est Peter Lougheed, le Premier ministre de l'Alberta, avec son ministre de l'Énergie, Don Getty. Aux cris de «No Kuweit in Canada», les mandarins fédéraux montent à l'assaut des puits de pétrole du «cheik aux yeux bleus».

Le 8 juillet 1974, nouvelles élections: Pierre Trudeau arrache une nouvelle majorité, mais la série noire continue.

En 1975, il n'est même plus capable de retenir son secrétaire d'État, Gérard Pelletier, qui part à Paris oublier les échecs d'une politique linguistique de plus en plus contestée. John Turner claque la porte et se recycle, à Bay Street, en homme d'affaires conservateur et critique de Trudeau. James Richardson retourne à Winnipeg et se lance dans des attaques vicieuses contre le «French Power». L'affaire Skyshop, dans laquelle on accuse le sénateur Louis de Gonzague Giguère d'avoir un peu trop profité des nouvelles boutiques hors taxes de l'aéroport de Mirabel, éclabousse au passage un Jean Marchand déjà affaibli.

En quelques mois, Pierre Trudeau perd sept ministres. Comble de l'insulte, son propre parti le conteste: en novembre 1975, quatre cent dix-huit délégués libéraux, près d'un sur cinq, réclament le départ du chef.

Pas étonnant qu'en ce vendredi 3 mars 1976, l'homme soit d'humeur massacrante. Quand Trudeau arrive au bunker de Robert Bourassa, sur la Grande-Allée à Québec, une meute de journalistes l'attend. Certains ont même l'impertinence d'évoquer ses problèmes conjugaux. Il veut leur échapper et, quand l'un d'eux demande ce qu'il va manger ce midi-là, Trudeau lance sans se retourner: «Je ne sais pas. Il paraît qu'il mange des hot-dogs celui-là...»

À l'aéroport de L'Ancienne-Lorette, en banlieue de Québec, Pierre Trudeau avait aperçu en passant une pile d'exemplaires du magazine *L'Actualité*. La première page arborait une photo du Premier ministre du Québec en train de mordre dans un splendide hot-dog. Trudeau pensait donc seulement faire une blague sans méchanceté ; mais René Lévesque d'abord, puis Brian Mulroney en 1984, vont se régaler avec le fameux hot-dog.

En vérité, c'est un autre incident qui va mettre « lord » Elliott en furie. « Il y avait une dizaine de sujets à l'agenda de notre rencontre, se souvient Bourassa, mais c'était de la Constitution qu'il voulait discuter. » Contesté dans son propre parti, à la tête d'un pays en proie à des difficultés économiques de plus en plus graves, Pierre Trudeau sait qu'il n'en a plus pour longtemps. Comme dans un dernier sursaut, il se demande une dernière fois s'il ne pourrait pas réaliser son rêve de « décoloniser » le Canada.

« Si on rapatrie unilatéralement, qu'est-ce que tu fais ? demande-t-il à Bourassa.

— Politiquement, c'est inacceptable, répond celui-ci. Je ne pourrai pas expliquer ça à la population. »

Le Premier ministre du Québec a d'autres chats à fouetter : les Jeux olympiques doivent se tenir dans trois mois à Montréal et le stade n'est pas terminé. Le déficit de l'opération grossit à vue d'œil. Sans cesse, Robert Bourassa veut revenir sur les problèmes économiques, mais Pierre Trudeau n'écoute pas et insiste pour aborder la question constitutionnelle.

« Écoute, finit par lui lancer Bourassa : j'en ai assez avec les Jeux olympiques et je ne veux pas m'embarquer dans une bataille sur la constitution maintenant.

— Bon ! je vais aller préparer mon discours », lance Trudeau en jetant sa serviette sur la table.

Le repas n'est même pas terminé et, pressentant sans doute le pire, Robert Bourassa lui murmure à l'oreille, avant qu'il ne s'engouffre dans l'ascenseur : « Fais attention, Pierre. Fais attention à ce que tu dis et à la façon dont ça va être interprété par les journalistes…

— Personne ne croit les journalistes », dit encore Trudeau en haussant les épaules.

Mais toute la province l'a écouté, et le prend au sérieux.

Pierre Trudeau rencontre les libéraux fédéraux du Québec ce soir-là, à quelques centaines de mètres du bureau de «celui-là, là-bas, le Premier ministre de la province»... Robert Bourassa a voulu parler du déficit olympique? Il va en avoir pour son argent. Lorsque Pierre Trudeau explique pourquoi Ottawa ne peut pas participer au financement du déficit, il lance aux libéraux fédéraux: «Pensez-y pendant vingt-quatre heures, et vous allez comprendre ça. Le Premier ministre, celui-là, je ne sais pas s'il va le comprendre en vingt-quatre heures, mais je lui donne deux, trois jours pour le comprendre.»

Les adjoints de Pierre Trudeau se demandent quelle mouche a piqué leur patron. Les journalistes, qui sont à couteaux tirés avec Bourassa, ricanent bruyamment. Les libéraux du Québec sont atterrés.

«Pourquoi cette attaque vicieuse et cette arrogance?» se demande Raymond Garneau.

«C'était bien la peine de travailler si fort pour limiter les votes d'opposition à son leadership en dessous des 20 p. 100», lance un organisateur désabusé.

Le lendemain, Marc Lalonde présentera des excuses au nom de son patron.

Quant à lui, Robert Bourassa déclare: «J'aimais mieux vivre avec la colère du Premier ministre qu'avec un débat constitutionnel alors que je portais le stade olympique à bout de bras.»

À Ottawa, Pierre Trudeau est coincé et n'a pas d'autre choix que d'attendre, tout en profitant du Sommet économique de Londres pour s'assurer, discrètement, que James Callaghan, Premier ministre de la Grande-Bretagne, ne s'opposera pas, le moment venu, au rapatriement «unilatéral».

La flamme olympique est à peine éteinte que Pierre Trudeau est encore une fois à Québec. La visite est plus discrète cette fois puisqu'il est là pour les funérailles de son député de Louis-Hébert, Albanie Morin. En secret, Trudeau et Bourassa se rencontrent une nouvelle fois, à l'hôtel Hilton. Le Premier ministre du Québec a beau faire valoir que sa popularité est en baisse, que les Anglo-Québécois veulent se venger de la loi 22, que la crise des Gens de l'Air a réveillé l'ardeur nationaliste... ce genre de discours n'émeut guère Trudeau. Après tout, si Bourassa n'avait pas concocté cette loi 22, les pilotes québécois n'auraient pas eu l'idée saugrenue de réclamer du français dans l'air.

«C'est ben d'valeur mais pour moi, c'est fondamental de rapatrier la Constitution. Ce n'est pas parce que l'histoire va mal te juger que je vais me sacrifier», semble penser Trudeau en regardant son collègue. «Cette fois, c'est sérieux! dit Bourassa à ses adjoints. Trudeau est sérieux pour le rapatriement unilatéral et s'il fait ça sur ma tête, mon gouvernement va être tourné en ridicule devant l'histoire.»

La seule porte de sortie de Robert Bourassa est donc le déclenchement d'élections générales. Trudeau pense d'ailleurs qu'il ne s'agit pas d'un mauvais calcul: personne à ce moment-là n'envisage le pire. Tout au plus, une majorité réduite, ou même un gouvernement minoritaire, rendront Bourassa plus conciliant.

Trois hommes de Trudeau, Jean Marchand, Bryce Mackasey et Roland Comtois, vont venir donner du renfort à un Bourassa chancelant. Mais les attaques continuelles de Pierre Trudeau contre Robert Bourassa, après le coup de force d'octobre 1970, ont totalement détruit la crédibilité du Premier ministre du Québec. Son gouvernement a l'air usé, corrompu.

Le 15 novembre 1976, René Lévesque, chef du Parti québécois, est lui-même surpris par l'ampleur de sa victoire. Et le Canada anglais entre en état de choc.

Le seul à ne pas s'énerver, c'est Pierre Trudeau. Pour un peu, il semblerait presque content. «Je ne déteste pas une bonne bagarre, confie-t-il au *Montreal Star,* et Lévesque va nous en donner pour notre argent. Dans le fond, c'est peut-être une bonne chose pour le pays qu'un homme de sa trempe oblige les Québécois et les Canadiens à se brancher.»

Publiquement, Pierre Trudeau annonce qu'il ne négociera «aucune forme de séparatisme avec aucune province». Dans le secret de la salle des réunions de son caucus, il prévient: «Les péquistes sont de mauvaise foi et la moindre ébauche de négociation suffirait à nous enferrer. Nous allons cesser notre strip-tease constitutionnel.»

Pour la galerie, surtout anglo-montréalaise, le Premier ministre du Canada compare un Québec indépendant au Pakistan ou à l'Irlande, où on s'entretue au nom de la race et de la religion. À Washington, Trudeau parle d'une crise « plus grave que celle des missiles ». (En 1962, les États-Unis et l'Union soviétique ont frôlé la guerre nucléaire à cause du déploiement de missiles soviétiques à Cuba.) « Restez au Québec pour enterrer Lévesque ! » lance encore Trudeau aux actionnaires de la Sun Life qui déménagent en grande pompe leur siège social à Toronto.

Bon prince, il prend sur lui une part de responsabilité de la défaite de Bourassa. À Winnipeg, quelques mois plus tard, il reconnaît que l'affaire des Gens de l'Air a sûrement contribué à la victoire du Parti québécois.

Passant par-dessus ses vieilles rancunes, Trudeau salue, comme un événement « extraordinaire », la candidature de Claude Ryan à la tête du Parti libéral du Québec. Du coup, les Canadiens anglais se rassurent. Marshall McLuhan, le gourou de l'intelligentsia torontoise, se fait prophète : « Trudeau a la face d'un Indien de l'Amérique du Nord et cela constitue un avantage énorme sur René Lévesque… Le sang indien circule partout au Québec, depuis que les marchands de fourrure ont épousé des Indiennes ! »

Trudeau, qui était en chute libre dans les sondages en 1976, recueille 51 p. 100 des intentions de vote après l'élection du PQ. C'est presque un retour à la Trudeaumanie.

Pendant deux ans, Ottawa et Québec vont jouer au chat et à la souris. Le gouvernement fédéral espère que le Parti québécois va abattre ses cartes en tenant le référendum qu'il a promis. Et Trudeau ne se gêne pas pour le culpabiliser devant l'opinion publique. Mais le gouvernement du Québec sait que le temps joue pour lui : le 15 novembre 1976, Trudeau n'avait plus que trois ans devant lui ; Lévesque en avait cinq !

La panique des députés et des ministres libéraux est parfois difficile à contrôler. Dès l'élection du PQ, Trudeau a créé un comité de stratégie qui regroupe Marc Lalonde et Michael Pitfield, Jim Coutts, son nouveau secrétaire principal, et Gordon Robertson, responsable des relations fédérales-provinciales.

« Cela nous prend quelqu'un qui peut travailler à plein temps là-dessus », décide Trudeau à Noël.

« Pourquoi moi ? demande Paul Tellier qu'on vient de choisir.

— Tu es resté Québécois : tu retournes chez toi toutes les fins de semaine. »

Après la Crise d'octobre, Tellier est en effet revenu à Ottawa où il a fait son chemin jusqu'au nouveau ministère des Affaires urbaines. « Je me situe à l'école de Trudeau, explique-t-il. Le fait d'être francophone ne me donne aucun complexe d'infériorité. Plutôt de supériorité. »

Mais la capitale fédérale étant située où elle est, Tellier commençait à s'énerver de voir ses enfants ramener l'anglais à la maison. Il avait donc décidé de passer toutes les fins de semaine dans un chalet des Laurentides. Pendant des mois, Paul Tellier va utiliser ses contacts au Québec — les Jean-Paul L'Allier, Maurice Pinard (de l'université McGill), Arthur Tremblay, les « columnists » de *The Gazette* comme Bill Johnson avec qui il prend « plusieurs longs soupers » — et écouter.

Le Groupe Tellier multiplie les sondages et, au plan politique, les libéraux fédéraux se rapprochent de leurs collègues du parti provincial. L'objectif : éviter toute friction qui divise les troupes avant la campagne référendaire. « Notre rôle était d'éviter qu'il y ait d'autres bavures comme l'affaire des Gens de l'Air, confie Tellier, et de tirer profit des bonnes occasions qui se présenteraient. »

Ainsi, lorsque la loi 101 est déposée, la première réaction de Trudeau est de monter aux barricades. « On retourne des siècles en arrière », dit-il en évoquant la grande noirceur. Mais six mois plus tard, il renonce à utiliser son pouvoir pour désavouer cette loi : « Je ne tiens pas à laisser à monsieur Lévesque le choix du moment et des armes », explique-t-il.

Lévesque se demandera lui-même, quelques années plus tard, si cette première manche arrachée à Trudeau ne fut pas, tout compte fait, une victoire à la Pyrrhus. Les Québécois, maintenant assurés de leur « État français », n'avaient peut-être plus autant envie de l'indépendance.

Pour Trudeau, les attaques contre le gouvernement du Québec deviennent de plus en plus difficiles. À la faveur des conférences fédérales-provinciales, les ministres des autres provinces commencent à aimer ces Québécois qui ne sont pas des terroristes après tout et qui — assurance automobile, réforme de la loi électorale, zonage agricole et surtout politique fiscale aidant — ressemblent de plus en plus au «bon gouvernement» qu'ils prétendent former. La bavure de la taxe de vente, que le Groupe Tellier ne réussit pas à éviter, en est une preuve éclatante.

Jean Chrétien, alors ministre des Finances, avait proposé aux provinces de réduire de trois points leur taxe de vente. Il semble même que Jacques Parizeau avait trouvé l'idée plutôt bonne. Convaincu d'avoir fait un bon coup, Chrétien annonce la bonne nouvelle aux contribuables, mais les journalistes enfermés dans le Centre des conférences à Ottawa pour étudier le budget reçoivent soudain un communiqué laconique : les négociations ne sont pas terminées avec la province de Québec.

Il semble bien que Jacques Parizeau n'était pas tout à fait de bonne foi mais l'occasion était trop belle. Une réduction générale de la taxe de vente, même de trois points seulement, favorisait les industries de l'Ontario. Quelqu'un au ministère québécois des Finances eut le génie de proposer d'abolir *toute* la taxe de vente sur quelques produits comme les chaussures, les vêtements et même les chambres d'hôtel, ce qui devait surtout profiter à des entreprises québécoises.

Les calculs de Parizeau ne sont pas tout à fait bons et ses arguments sont un peu tordus, mais il gagne la bataille de l'opinion publique. Et pas un seul collègue de Chrétien, pas même Darcy McKeough, de l'Ontario, ne lève le petit doigt pour voler à son secours. Ottawa a eu sa leçon : il ne faut pas jouer au plus fin avec ces diables de péquistes! La bataille de la taxe de vente va faire d'autres victimes : Serge Joyal et Pierre De Bané, deux libéraux, sont furieux contre Jean Chrétien et menacent de rejoindre les néo-démocrates.

Tout cela arrive au moment où Pierre Trudeau perd un autre ministre, Francis Fox, celui qu'il considérait comme son dauphin et que Marc Lalonde couvait minutieusement. Le solliciteur général avait signé, sous une fausse identité, la demande d'une amie qui voulait subir un avortement thérapeutique.

Cette année 1978 a donc été bien sombre pour Trudeau.

Dans un moment d'euphorie, Lévesque se laissa même aller à menacer Trudeau de lancer ses troupes dans la prochaine campagne électorale fédérale. Pour l'achever sans doute!

«Si Lévesque veut avoir une taloche aux élections fédérales, ricane Trudeau, qu'il mette ses troupes en jeu. Si c'est ça qu'il veut, eh bien, bienvenue! On n'aura pas la peine d'avoir un référendum après ça…»

Trudeau abandonne

«… Tel qu'en lui-même, enfin, l'éternité le change.»

Dans la salle de bal du Château Laurier à Ottawa, des militants libéraux de la région, des secrétaires et des adjoints de députés et de ministres, et même quelques fonctionnaires, sont en larmes. Le carillon de la Tour de la Paix, au Parlement tout proche, vient de sonner la fin de cette mémorable journée du 22 mai 1979. Il est un peu plus de minuit et on vient d'annoncer que la Colombie-Britannique a donné dix-neuf députés, sur un total de vingt-huit, aux conservateurs de Joe Clark.

Depuis 19 heures, Trudeau et quelques conseillers, dans la résidence officielle du Premier ministre, griffonnent des calculs sur des bouts de papier. Le Québec est resté fidèle au parti, avec soixante-sept élus sur soixante-quinze, mais l'Ontario est massivement passé aux conservateurs, donnant cinquante-sept sièges sur quatre-vingt-quinze à Joe Clark.

Quand les résultats des provinces des Prairies sont compilés, Trudeau peut compter sur cent treize sièges aux Communes et Joe Clark sur cent dix-sept. Trudeau sait que la Colombie-Britannique ne peut qu'aggraver sa situation et il se prépare à téléphoner à son adversaire pour lui concéder la victoire. Mais Jim Coutts insiste: «Le NPD a déjà dix-huit sièges, et il y a toujours les six créditistes de Fabien Roy au Québec: nous finirons peut-être par en avoir assez pour former une coalition…» Mais dès 23 heures, quand les premiers résultats de Colombie-

Britannique arrivent, il est clair que la magie de Pierre Trudeau ne joue plus, pas plus de l'autre côté des Rocheuses que dans le reste du Canada anglais.

« Eh bien ! On vient de le gagner, ce référendum », dit René Lévesque à son beau-frère, Philippe Amyot, qui regarde, avec le reste de la famille, la *Soirée des élections* dans le bureau du Premier ministre, à Québec.

« Non ! ne lâchez pas », lancent les libéraux à leur chef, à Ottawa.

Mais les conservateurs ont cent trente-six sièges, et les libéraux seulement cent quatorze. Rester serait s'accrocher. Et Trudeau n'en a déjà plus envie : comme tous les chefs politiques, il se sent soulagé que le destin mette fin pour lui à un combat qui dure depuis quatorze ans déjà.

« Tel qu'en lui-même... »

Ce n'était pourtant pas la première fois que le découragement le prenait.

Trois ans plus tôt, Pierre Trudeau avait bien failli tout lâcher. Non que le peuple ne voulait plus de lui : au contraire, il n'avait jamais été aussi populaire depuis 1968. Mais il espérait encore protéger ses trois fils des horribles scandales dont il pressentait l'éclatement.

Ses conseillers avaient bien raison de se demander « quelle mouche l'avait piqué », ce vendredi soir de mars 1976, à Québec, où il crachait le fiel à chacune des phrases de son discours. Ce que personne n'a jamais su, c'est que la hâte soudaine de Pierre Trudeau à réaliser son plan de rapatriement de la Constitution venait surtout de son désir de quitter la vie politique pour sauver son mariage avec Margaret.

« Il avait ses problèmes, se souvient Robert Bourassa en évoquant la rencontre du 3 mars 1976 à son bureau de Québec. Trudeau n'en parlait pas mais je sentais bien que le temps qu'il lui restait pour réaliser sa raison d'être en politique était limité pour des raisons familiales. »

Au début de 1977, quelque temps après l'arrivée du Parti québécois au pouvoir, Trudeau avait passé trois heures, en tête à tête, avec René Lévesque. Longuement, il avait parlé de sa femme et de l'espoir qu'il avait eu de quitter la politique avant que la séparation ne soit inévitable.

Dans le cours de la conversation, Trudeau confia à Lévesque : « Maudit ! Moi, je m'en allais. Le soir de ton élection, Margaret a pleuré : elle a tout compris… »

« René a peut-être été touché, se souvient Corinne Côté-Lévesque. En sortant de son entretien avec Trudeau, il nous a dit : "Christ qu'il l'aime, sa femme !" »

« La victoire de Lévesque a beaucoup peiné Margaret, a confié Trudeau à son biographe officiel. Sa première réaction a été : "Maintenant, tu ne pourras plus quitter la politique." Elle se voyait prise dans cette affaire pour toujours, tandis que jusqu'alors nous avions toujours essayé de garder un avenir libre devant nous… Tout à coup, cette liberté devenait inaccessible, comme si le destin m'avait acculé au pied du mur pour accomplir la chose précise qui avait motivé mon entrée en politique. »

« Margie » est née en septembre 1948 à Vancouver. Son père, James Sinclair, est alors député de Colombie-Britannique depuis 1940 et va bientôt devenir ministre des Pêches dans le dernier Cabinet de Louis Saint-Laurent.

Margaret Sinclair a tout juste dix-neuf ans lorsqu'elle rencontre Pierre Trudeau pour la première fois, sur les plages de Tahiti. C'est deux ans plus tard, en 1969, au cours d'un dîner intime au Grouse Nest, dans les Rocheuses, alors qu'il la cache sous le faux nom de Miss Patterson, que le Premier ministre lui parle pour la première fois de mariage.

À Noël, Pierre Trudeau invite Margaret à Montréal pour la présenter à sa mère. À Pâques, il se rend en secret à Vancouver pour demander officiellement sa main à l'Honorable James Sinclair en véritable fils de bonne famille. Tout au long de l'automne et de l'hiver 1970, Pierre et Margaret se fréquentent régulièrement sans que le pays n'en sache rien. Et leur mariage, le 4 mars 1971, est tellement secret que le couple est déjà parti en voyage de noces lorsque le monde l'apprend.

Il n'y a pas qu'en politique que les responsabilités gênent Pierre Trudeau. « Pourquoi me suis-je marié si tard ? Je dis toujours, confie-t-il un jour, que c'est parce que je voulais jouir de ma liberté et ainsi de suite, mais c'est aussi que, de toute évidence, je ne me sentais probablement pas prêt à en assumer la responsabilité.»

Les premières années de mariage du couple prolongent la lune de miel de Trudeau avec le pays. À deux ans d'intervalle, en 1971 et en 1973, Margaret lui donne deux fils, Justin et Sacha, le jour même de Noël. «La création est une incessante merveille et je pense que la plus belle chose qui puisse m'arriver, c'est de voir se développer ces êtres humains: avec eux je ris tout le temps, dit Trudeau à propos de ses fils. Cela m'émerveille: l'homme est toujours attiré par la beauté, la vérité, un beau coucher de soleil, une belle femme, une belle symphonie, et voilà que vous avez devant vous ces petits êtres humains qui font de si belles choses. On se sent si bien, à voir sous ses yeux la beauté, la réalité en train de se faire.»

Pendant la campagne électorale de 1972, le Premier ministre refuse que sa femme et son jeune fils jouent quelque rôle que ce soit. Mais en 1974, alors qu'il faut tout faire pour reconquérir une majorité, Trudeau se laisse convaincre par les organisateurs du Parti libéral de se faire accompagner par Margaret. C'est un succès sans précédent dans les annales de la politique canadienne. Elle est jeune, belle, spirituelle: c'est comme si elle permettait aux Canadiens de retrouver le Trudeau de 1968. En voyant apparaître cette espèce de «Jackie», le Canada redécouvre son «Kennedy».

En 1972, Trudeau avait bien failli se faire mettre dehors par les électeurs parce qu'ils le trouvaient froid, distant, arrogant. «Rien de tout ça n'est vrai, lance Margaret de ville en ville pendant la campagne de 1974. En fait, il est timide, modeste, gentil... Il m'a appris l'amour!» Et Trudeau baisse les yeux, gêné.

À vingt-six ans, Margaret découvre que tout le pays l'adore, en particulier ces journalistes qui la courtisent dans l'avion au cours de la campagne. Les membres de la Tribune de la presse parlementaire, en ce temps-là encore plus qu'aujourd'hui, étaient surtout des mâles extrêmement chauvins. Les épouses de Premier ministre qui n'éprouvent aucune gêne à jouer les faire-valoir, comme Margaret ou Mila Mulroney, ont toujours beaucoup plus de succès avec les journalistes que les femmes indépendantes, aux allures franchement féministes, comme Maureen McTeer, l'épouse de Joe Clark.

Dans le courant de l'été 1974, Margaret partage, avec les journalistes d'ailleurs, ce qu'on appelle à Ottawa les «post élection blues»: après l'adoration des foules, l'ivresse des longues randonnées à haute altitude, la fièvre des nuits électorales, il faut retomber sur terre, dans un ennui d'autant plus mortel que le gouvernement, le Premier ministre pour Margaret, se replonge dans ses épais dossiers, moins accessible que jamais. Margaret tente d'organiser sa vie autrement. Un travail de photographe pour *Châtelaine* soulève un tel tollé qu'elle doit y renoncer. Quand elle veut s'évader à bicyclette, à travers le parc du Gouverneur général et le long de la promenade de Rockliffe vers la rivière des Outaouais, deux agents de la GRC la suivent, eux aussi à bicyclette, tandis que des photographes de presse l'attendent au détour d'un virage.

Elle s'enfuit à Paris, sans passeport, pour tenter de se changer les idées. Elle en revient, deux semaines plus tard, avec une dépression nerveuse qu'elle fait soigner au Allan Memorial Institute de Montréal, le département de psychiatrie de l'hôpital Royal Victoria dont le patron est alors Dimitrije Pivnicki, le père de Mila Mulroney.

Quelque peu apaisée, elle tente de reprendre son rôle d'épouse et de mère, et donne à Trudeau un troisième fils, Michel. Pierre Trudeau aurait peut-être encore pu, à ce moment-là, la rendre heureuse et la garder près de lui. «Je n'ai jamais aimé être responsable...», avoue-t-il cependant.

Et puis, il est absorbé par son travail de Premier ministre qui ne lui laisse même pas de soirées libres. «Il va falloir changer ça, rencontrer du monde», promet-il toujours à Margaret qui veut organiser des dîners avec leurs amis. Mais le Premier ministre rentre tous les soirs avec ce qu'elle appelle «les maudites boîtes brunes», ces lourds dossiers du Conseil privé qu'il doit étudier le soir même. Michael Pitfield a calculé, en 1979, que Trudeau passait au moins cinquante-deux heures par semaine au bureau et qu'il n'avait pas plus d'une heure par jour pour réfléchir ou travailler, seul à son bureau. Même les soirs où il ne rapporte pas du bureau des «maudites boîtes brunes», il a besoin de s'isoler dans le petit bureau de sa résidence officielle.

Découragée, Margaret reprend ses frasques pour se faire remarquer des journalistes qui, eux au moins, semblent la trouver drôle. En fait, ils ne font que courir les scandales. Dès que Trudeau ne sera plus Premier ministre, on ne prêtera plus jamais attention à elle.

Trudeau est de plus en plus furieux, d'autant que certains députés conservateurs, sans parler des échotiers de la Tribune de la presse, font maintenant ouvertement allusion à ses problèmes conjugaux. Un jour que le député de Calgary, Harvie André, qui sera ministre de Brian Mulroney, lance des insinuations un peu plus précises que d'habitude, Trudeau éclate.

«Fils de chienne!

— On l'a piqué hein?» ricanent les députés conservateurs.

Pendant un an, le pays va assister, gêné, aux folies de Margaret et certains journaux vont publier, sans pudeur, les secrets d'alcôve de celle qu'on appelle maintenant «the estrange wife of the Prime Minister».

Le 27 mai 1977, le Service de presse du Premier ministre distribue à Ottawa un court communiqué de deux paragraphes:

«Pierre et Margaret annoncent que, conformément au désir de Margaret, ils vont désormais vivre séparément. Margaret renonce à tous ses privilèges comme épouse du Premier ministre et souhaite mettre fin à son mariage pour poursuivre sa propre carrière.

«Pierre aura la garde de leurs trois fils et Margaret pourra les voir librement. Pierre se plie avec regret à la décision de Margaret et tous les deux espèrent que leurs relations s'amélioreront à la suite de cette séparation.»

C'est de tout cela, autant que des contraintes du pouvoir, que Trudeau se sent enfin libéré, le soir du 22 mai 1979. Il continue à fanfaronner devant les journalistes, surtout lorsque le président de la Tribune de la Presse parlementaire, à sa première conférence de presse, le 19 juillet 1979, commet l'inévitable lapsus:

« Monsieur le Premier ministre…

— Pas encore ! réplique Trudeau. Mais, selon mon jugement, actuellement, je suis encore le meilleur. »

Trudeau confirme alors qu'il a l'intention de demeurer chef du Parti libéral du Canada.

En fait, il part en vacances avec ses fils en Nouvelle-Écosse, chez les parents de Donald Johnston, le député de Westmount-Saint-Henri, qui est surtout un ami et un confident.

Margaret a publié, en pleine campagne électorale d'ailleurs, un livre — *À cœur ouvert* — où elle raconte sa vie intime avec Trudeau, ses escapades avec les Rolling Stones, son aventure avec Ted Kennedy. Devant Johnston et ses parents, Trudeau répète souvent sa volonté de protéger ses enfants du scandale. « Ce qui lui fait le plus mal, dit un ami, c'est de penser qu'un jour ses fils seront assez grands pour lire ça. »

À la fin de l'été, Pierre Trudeau retrouve l'ivresse des grands espaces au cours d'un voyage en canot dans les Territoires du Nord-Ouest et, en septembre, il repart en Chine et au Tibet, où il se laisse pousser la barbe.

Pendant l'été, Margaret est revenue s'installer à Ottawa, à quelques rues de Stornoway, la résidence officielle du chef de l'Opposition aux Communes. Trudeau sait qu'il ne pourra vraiment éloigner ses fils de leur mère tant qu'ils habiteront dans la même ville. Il donne alors l'ordre à un agent immobilier de lui chercher une maison à Montréal. C'est loin et c'est surtout français : deux façons d'éloigner ses fils de leur mère.

Le 21 novembre, à neuf heures du matin, Trudeau réunit son personnel dans ce bureau du troisième étage du Parlement où il a exercé ses fonctions de Premier ministre pendant onze ans, et que Joe Clark a eu l'amabilité de lui laisser.

« Il n'y a pas de manière aisée ni de moment idéal pour s'en aller. À un moment donné, il faut tout simplement choisir ce qu'on estime être sa destinée », déclare-t-il. À 10 heures, il dit la même chose aux rares députés qui sont venus à la réunion hebdomadaire du caucus. « On se sent comme des orphelins », disent-ils, les élus québécois en particulier. Ils avaient bien tenté de le retenir jusqu'à la campagne référendaire qui s'annonçait pour le printemps. Mais Trudeau les avait convaincus qu'il serait tout autant écouté comme simple Québécois que comme Premier ministre, si le chef des partisans du NON, Claude Ryan, faisait appel à lui.

Déjà, Trudeau se dirige vers l'amphithéâtre de l'Édifice national de la presse où il a donné tant de conférences de presse depuis quatorze ans. Il lit une courte déclaration, en français et en anglais, et se lève. Tous les journalistes, spontanément, l'applaudissent. Trudeau se retourne, apparemment un peu surpris.

À 14 heures, à la Chambre des communes, le Premier ministre Joe Clark exprime à Trudeau «la gratitude des Canadiens envers un homme aux longs états de service». Tous les députés, conservateurs, créditistes, néo-démocrates aussi bien que libéraux, se lèvent et l'applaudissent pendant cinq longues minutes. Trudeau se cache le visage dans les mains.

À Québec, René Lévesque et ses ministres appuient une motion des libéraux rendant hommage à Pierre Trudeau. Seul Gérald Godin ne peut pardonner tout à fait: «Il m'est impossible de féliciter un homme qui a permis, à un moment donné de notre histoire, l'établissement au Québec d'un régime casqué et armé.»

Quand il sort enfin du Parlement, vers 16 heures, Pierre Trudeau est brisé: la fatigue marque durement son visage de sexagénaire, son regard est vide, une écume blanche s'agglutine au coin de ses lèvres.

Cette fois, c'est bien fini!

Certains ont prétendu qu'il ne s'agissait là que d'un faux départ. Mais il faut avoir vu cette silhouette voûtée s'éloigner, sous le regard désemparé d'une poignée de fidèles, pour comprendre que ce n'était pas du cinéma.

«Les conservateurs sont tirés d'affaire», titre le *Toronto Star* du lendemain. En effet, l'émotion causée par le départ de Trudeau est à peine passée que, déjà, la liste des prétendants à sa succession s'allonge. Un congrès est prévu pour le mois de mars, à Winnipeg.

Le gouvernement de Joe Clark, sentant qu'il a du temps devant lui, se met à gouverner comme s'il était majoritaire. Le mardi 11 décembre, à 20 heures, le ministre des Finances, John Crosbie, présente le premier budget conservateur depuis dix-sept ans.

Et c'est un budget vraiment conservateur. Ayant en tête l'objectif de réduire le déficit de moitié d'ici quatre ans, Crosbie augmente les impôts de près de quatre milliards de dollars. Il décrète surtout une taxe spéciale de dix-huit cents sur le gallon d'essence, qui va devenir le symbole de la perte des conservateurs.

« Nous allons devoir voter contre le budget », dit simplement le chef de l'Opposition.

Mais depuis le début de la session parlementaire, il y a déjà eu deux votes de censure aux Communes et nombre de libéraux n'ont pas daigné se présenter, ne mettant pas en danger le pouvoir des conservateurs. À tout hasard, Allan MacEachen donne l'ordre au whip du parti, « Charlie » Turner, de faire rentrer tous les députés à Ottawa. Deux d'entre eux, qui se trouvent à Bruxelles avec Flora MacDonald, ministre des Affaires extérieures, se sauvent en pleine nuit comme des voleurs.

Le mercredi matin, l'ancien vice-premier ministre, Allan McEachen, explique à ses collègues libéraux qu'il est temps de faire tomber le Gouvernement. Trudeau n'est pas contre, mais assure qu'il n'est pas question pour lui de redevenir chef du Parti. « Pour ça, il faudrait que le souverain vienne me le demander à genoux, et par trois fois ! »

À midi, John Crosbie rencontre un journaliste québécois au restaurant du Parlement.

« Avez-vous une idée de ce que les créditistes vont faire ? demande le ministre.

— Êtes-vous en train de me dire que personne, dans votre gouvernement, ne parle à Fabien Roy ? » demande le journaliste, incrédule.

Aux Communes, les conservateurs ont cent trente-six sièges et les créditistes, six. Une coalition entre conservateurs et créditistes semble toute naturelle, mais les deux partis font face à l'alliance possible de cent treize libéraux (Joe Clark a nommé un libéral, James Jerome, de Sudbury, à la présidence) et vingt-six néo-démocrates.

Cent quarante-deux contre cent trente-neuf : c'est une majorité fragile que les voyages et la maladie peuvent entamer de façon fatale. C'est justement ce qui arrive ce 12 décembre 1979, alors que Flora Macdonald assiste à un Conseil de l'OTAN à Bruxelles, qu'Alvin Hamilton est à l'hôpital et que Lloyd Crouse est en vacances à l'autre bout du Pacifique. Cent trente-neuf à cent trente-neuf !

C'est vraiment le temps de parler aux créditistes. D'autant plus que le ministre des Finances du Québec, Jacques Parizeau, a conseillé à Fabien Roy de négocier son appui. « Les agriculteurs du Québec doivent être dispensés de la fameuse taxe de dix-huit cents sur le gallon d'essence. » C'est justement ce que suggère Fabien Roy pendant la période de questions, le mercredi après-midi. Mais sur les banquettes du gouvernement conservateur, personne n'a mis les écouteurs qui auraient permis de comprendre la traduction simultanée des propos du chef créditiste, qui ne parle pas un mot d'anglais.

Le soir, les libéraux se moulent en célébrant Noël par leur fête traditionnelle. Ils offrent à Pierre Trudeau une scie à chaîne, « pour tailler les conservateurs en pièces ».

MacEachen se penche vers Trudeau et lui glisse à l'oreille : « Vous devriez penser à ce que vous allez faire : je crois que le Gouvernement va être renversé !

— Ce qu'il faut faire ? répond Trudeau en souriant. Mais son devoir, bien sûr… »

Sur un autre étage de l'Édifice de l'Ouest, à Ottawa, Fabien Roy est seul dans son bureau. Il confie à un journaliste, les larmes aux yeux, que plusieurs de ses députés sont déjà repartis dans leur comté. Il est trop tard pour offrir à Joe Clark de le tirer d'affaire.

Le jeudi matin, quand le Premier ministre se rend compte qu'il risque d'être défait en chambre le soir même, il tente de faire revenir Flora Macdonald de Bruxelles. Mais les avions pour l'Amérique du Nord ont déjà tous quitté la Belgique, et il n'y a même plus assez de temps pour foncer à Paris, et attraper le dernier Concorde à destination de New York.

À 22 heures 21, le jeudi 13 décembre 1979, cent trente-neuf libéraux et néo-démocrates votent contre le budget, cent trente-trois conservateurs votent pour, et les six créditistes s'abstiennent. Un député libéral qui sort à peine d'une grave opération cardiaque a été amené au Parlement en ambulance et ses collègues doivent le soulever de son fauteuil, au moment du vote : blanc comme un linge, il arrache un sourire à son visage crispé par la douleur.

Au même moment, à Québec, le secrétaire du Conseil exécutif, Louis Bernard, laisse simplement échapper : « Tabarnak ! »

Le lendemain, Allan MacEachen sort soudain un sondage qui traînait dans sa poche depuis une semaine : les libéraux sont suffisamment en tête pour gagner des élections. Et la présence de Trudeau à leur tête ne ferait qu'augmenter leurs chances. C'est un autre sondage, encore plus secret celui-là, qui va cependant décider Pierre Trudeau à « faire son devoir ».

Il n'a pas perdu tout contact avec ses amis du Groupe Tellier, et ceux-ci l'ont informé confidentiellement qu'au Québec le NON n'a qu'une avance de cinq points sur le OUI.

« Répondant au pressant appel du caucus national et de l'exécutif du Parti libéral, j'ai décidé de reprendre la tête de notre Parti dans la campagne électorale en cours.

« Cette décision est sans doute la plus difficile qu'il m'ait été donné de prendre dans ma vie. Vous connaissez les raisons qui m'avaient conduit à renoncer à la vie publique. Mon plus profond désir était de quitter la politique et d'élever ma famille à Montréal.

« Pourtant j'ai décidé qu'étant donné les sérieux problèmes auxquels le Canada est confronté, il était de mon devoir d'assumer de nouveau le leadership de mon parti... »

Le 3 mars 1980, Pierre Elliott Trudeau, quinzième Premier ministre du Canada, succède au seizième Premier ministre, Joe Clark. (À Ottawa comme sur les patinoires de hockey, les Premiers ministres conservent toujours le même numéro.)

Ironiquement, Jacques Parizeau aura été, en voulant manipuler les créditistes de Fabien Roy, l'un des instruments du destin qui permit à Pierre Trudeau et à René Lévesque de se retrouver, encore une fois, face à face...

Le PQ est encore
dans le chemin

«Bienvenue aux années quatre-vingt!» lance Pierre Elliott Trudeau dans la nuit du 18 février, devant les deux mille partisans qui ont envahi la grande salle de bal et les couloirs du Château Laurier à Ottawa. Quelle différence avec cette autre nuit, de mai 1979, où l'homme, rejeté par les Canadiens, confiait son avenir à «l'éternité»!

Le retour de Pierre Trudeau a sans doute été un peu forcé par le destin, auquel les gaffes des conservateurs de Joe Clark ont sûrement donné un petit coup de pouce. Mais dans la nuit du 17 décembre précédent, au cours d'une longue marche dans la neige dans les rues de Rockliffe, Trudeau a aussi réfléchi à cette question que plusieurs de ses intimes, Marc Lalonde, Michael Pitfield et Allan MacEachen en particulier, n'arrêtent pas de lui poser. «Toi qui prétends qu'aucun Canadien français, depuis Laurier, ne s'est révélé "indispensable à l'histoire telle qu'elle s'est faite", quelle place, penses-tu, va-t-on t'y réserver?»

Bien sûr, les onze années de Pierre Trudeau à la tête du gouvernement fédéral n'ont pas été entièrement perdues: le programme des langues officielles, la péréquation des revenus entre régions riches et pauvres, le développement régional, des lois plus libérales, des programmes sociaux améliorés… La société canadienne est un peu plus juste qu'à la fin des années soixante.

Mais en cette fin de décennie, le bilan semble plutôt quelconque.

Le grand rêve de l'unité retrouvée, que le Canada anglais lui a demandé de réaliser, se bute plus que jamais à la résistance du Québec : dans quelques mois, avec un référendum sur la souveraineté-association à l'horizon, le pays fera peut-être face à la pire impasse de son histoire.

Au début des années soixante-dix, le Trésor fédéral accumulait des surplus mais, après le choc pétrolier de 1973, alors que le prix du baril de pétrole monte en flèche, la valse des déficits commence : deux milliards de dollars en 1974, cinq en 1975, dix en 1977. En 1979, c'est presque un gouvernement en faillite que Trudeau laisse aux conservateurs.

Le taux de chômage frôle dangereusement la barre des 8 p. 100 et, malgré le programme de lutte à l'inflation, la hausse des prix s'accélère.

Si Trudeau devait effectivement entrer dans les livres d'histoire en cette soirée du 18 février 1980, Wilfrid Laurier ne serait peut-être pas très fier de l'y accueillir.

Mais on lui a fixé, pour trois mois plus tard, un rendez-vous avec l'histoire auquel il se prépare depuis longtemps.

Trudeau a toujours craint d'affronter les nationalistes sur leur propre terrain : dans un référendum, au Québec. En 1969, alors que René Lévesque vient de fonder son Parti québécois, il laisse entendre : « Si les Québécois tiennent un référendum et que la lutte soit serrée, j'aurai peut-être envie de m'y lancer. Mais je préférerais qu'il en soit autrement. »

Quand le PQ a pris le pouvoir à Québec, Trudeau s'est mis à jouer les sophistes. Contrairement à ce qu'on pense, il n'a pas attendu la panique des derniers jours avant le référendum pour lancer sa promesse de renouveler le fédéralisme si les Québécois lui donnent « une autre dernière chance », comme dirait René Lévesque.

Deux jours après sa démission, en novembre 1979, Pierre Trudeau est à Montréal, dans le salon du rédacteur en chef du *Devoir*, Michel Roy... « Il est sûr que ceux qui votent NON à la souveraineté-association devront savoir que ce NON veut dire OUI à la réforme constitutionnelle. Cela est important et c'est un message que je dois diffuser surtout au Canada anglais. »

Dès 1978 en fait, Trudeau a commencé à préparer le terrain au Canada anglais avec son Livre blanc, *Le Temps d'agir*. Et il ne cesse de répéter qu'il « agira » unilatéralement s'il le faut.

Les Québécois ont beau élire un gouvernement séparatiste à Québec, cela ne les empêche pas de donner à Trudeau ses plus belles majorités dans la province : soixante-sept députés (sur soixante-quinze) en 1979, et... soixante-quatorze, presque un blanchissage, en 1980. « Le paradoxe évident, ironise Trudeau, c'est qu'aux dernières élections le Québec nous a donné un mandat. Pourquoi au fond ? Pour rapatrier la Constitution, unilatéralement s'il le fallait ! »

Le moins qu'on puisse dire est que cette volonté de faire comme si le gouvernement québécois n'existait pas n'a pris personne par surprise. D'ailleurs, le chef de Cabinet de René Lévesque, Jean-Roch Boivin, reconnaît encore aujourd'hui : « C'est presque lui rendre hommage que de dire que Trudeau est conséquent avec lui-même. »

En 1980, la passation des pouvoirs entre Joe Clark et Pierre Trudeau se fait rapidement, presque précipitamment. C'est que, de Québec, les nouvelles arrivent, de plus en plus inquiétantes.

Pendant que Trudeau lançait sa campagne électorale dans le nord de l'Ontario, le 19 décembre 1979, René Lévesque négociait, avec ses ministres, chaque virgule de *la* question.

« Le gouvernement du Québec a fait connaître sa proposition d'en arriver, avec le reste du Canada, à une nouvelle entente fondée sur le principe de l'égalité des peuples ;

« Cette entente permettrait au Québec d'acquérir le pouvoir exclusif de faire ses lois, de percevoir ses impôts et d'établir ses relations extérieures, ce qui est la souveraineté — et, en même temps, de maintenir avec le Canada une association économique comportant l'utilisation de la même monnaie ;

« Tout changement de statut politique résultant de ces négociations sera soumis à la population par référendum.

« En conséquence, accordez-vous au gouvernement du Québec le mandat de négocier l'entente proposée entre le Québec et le Canada ? »

Le pays ne prête guère attention au débat sur la question qui commence à Québec. Mais les sondages du Groupe Tellier confirment bientôt ce que tout le monde au Québec a compris : laissés à eux-mêmes, Claude Ryan et son petit groupe de « rescapés de l'élection du 15 novembre » font difficilement le poids face à la machine du Parti québécois. Ministres et députés du PQ livrent une performance exceptionnelle, et toutes les officines gouvernementales rivalisent d'imagination pour mettre les programmes de publicité de l'État au service de la cause.

En mars, quand Trudeau tient la première réunion de son nouveau Cabinet, les fonctionnaires lui remettent les derniers sondages : OUI, 46 p. 100 ; NON, 43 p. 100. Il reste 11 p. 100 d'indécis qui devraient grossir le camp du NON, mais l'option souverainiste se rapproche dangereusement de la barre des 50 p. 100.

« René (Lévesque) a toujours cru qu'avec une bonne campagne, on pourrait récupérer cela, affirme Corinne Côté-Lévesque. Il visait à obtenir une nette majorité chez les francophones, quelque chose comme 75 p. 100. » Le chef du PQ est tellement confiant qu'une « bonne campagne » va lui permettre de gagner la bataille qu'il prend, avec sa femme, sa sœur et son beau-frère — les Amyot — quelques jours de repos aux Bermudes.

Dans l'avion qui les ramène à Montréal, Lévesque tombe sur un journal du Québec qui traîne par là. On y raconte comment Lise Payette, ministre de la Condition féminine, a déchiré en public un vieux manuel scolaire où on vantait les chances du petit Guy et où on rappelait, pas très subtilement d'ailleurs, la petite Yvette à ses devoirs de « ménagère ».

Pendant que l'avion descend doucement vers les pistes de Mirabel, les Lévesque et les Amyot rient de bon cœur de cette sortie de Lise Payette : à deux ou trois mille mètres d'altitude, et avec plein de soleil sur le front, « on trouvait ça drôle », se rappelle Corinne.

Mais quand les « Yvettes » sont sorties de leur cuisine et se sont massées, à plusieurs milliers, dans le Forum, un drapeau

234

canadien dans une main et le fleurdelisé dans l'autre, les stratèges du OUI ont trouvé ça moins drôle!

La campagne du NON avait bien besoin de cela d'ailleurs.

Quand il revient au pouvoir, Trudeau nomme Jean Chrétien ministre de la Justice et «responsable des troupes fédérales pour la campagne référendaire». Ryan est furieux: il a compris que le Premier ministre n'a pas très confiance dans le débat d'intellectuels qu'il espère mener contre Lévesque et qu'il lui envoie un populiste pour faire la différence.

Ryan et Chrétien se connaissent depuis 1964, lorsque le «petit gars de Shawinigan» demanda au directeur du *Devoir* s'il ferait mieux d'aller renforcer l'équipe de Jean Lesage à Québec ou de rester à Ottawa.

«Votre place est à Ottawa», décide Ryan.

Puis, en 1977, Jean Chrétien songe sérieusement à prendre la succession de Robert Bourassa. Il commet l'erreur de consulter une fois de plus le directeur du *Devoir*... qui s'empresse de couler l'information en première page de son journal.

Chrétien peut se montrer gentiment gaffeur à l'occasion. Quand Claude Ryan lui dit qu'il songe lui-même à briguer la direction du Parti libéral du Québec, le député de Saint-Maurice y va d'un conseil fort peu diplomatique. «Vous êtes journaliste, dit Chrétien à Ryan. C'est votre vie et vous excellez dans ce métier difficile et important. Si j'étais vous, je n'entrerais pas dans l'arène politique, je resterais directeur du *Devoir*.»

Il était inévitable que ces deux-là, ensemble sur les mêmes tribunes pendant soixante jours, fassent des étincelles.

Robert Bourassa a décidé lui aussi de profiter de la campagne pour «reconquérir ses galons». Mais il se tient délibérément à l'écart de la campagne officielle. «Je crois que je ne souhaitais pas être vu sur la même tribune que Trudeau car, à ce moment-là, l'affaire des hot-dogs était encore très vivante dans la mémoire des gens.»

La campagne du NON part donc plutôt mal, avec des chefs qui ont de la difficulté à s'entendre. En face, dans le camp du OUI, c'est l'euphorie. À un mois du scrutin, Trudeau est franchement inquiet : « Je sens une lacune du côté des forces du NON : le PQ a été assez habile à faire croire qu'il suffit d'avoir un peu de fierté pour voter OUI. Mais, bien au-delà de la question du gros bon sens, le Canada est une noble entreprise ; ce n'est pas une entreprise mesquine d'avoir mis ensemble dans la moitié d'un continent deux cultures parmi les plus importantes de l'Occident, qui vivent ensemble de façon fraternelle ; au contraire, c'est une noble cause à défendre. Voilà le message que je voudrais voir livrer. »

Claude Ryan est furieux, Jean Chrétien se sent trahi : l'un et l'autre reprochent à Trudeau de torpiller un bateau qui prend déjà l'eau.

Et Trudeau décide de se jeter personnellement dans la mêlée.

Déjà, aux Communes, le 15 avril, il avait prévenu les Québécois qu'un OUI conduirait à une impasse. « Quand René Lévesque se présentera à moi pour négocier, la réponse sera : vous n'avez pas de mandat pour discuter de souveraineté, parce que vous n'avez pas posé cette question purement et simplement dans votre référendum. »

Le 25 avril, Trudeau adresse une *Lettre ouverte aux Québécois*.

« Je ne promets pas de miracle en cas de victoire du NON, écrit-il, car un véritable déblocage ne sera pas possible tant qu'un gouvernement voué à la destruction du fédéralisme demeurera au pouvoir à Québec. Mais je promets que nous n'épargnerons aucun effort pour rendre possible le renouvellement de la Constitution. »

Lequel ? demandent les Québécois : celui de Claude Ryan ? Ou celui de Jean Chrétien ?

Trudeau ne répond pas mais son premier discours public, le 2 mai, devant la Chambre de commerce de Montréal, en dit long sur l'état de panique qui commence à gagner Ottawa. Les partisans du OUI qui inspirent la fierté aux Québécois ne sont, selon lui, que des « lâches » qui pensent s'en tirer avec une question « ambiguë ». Et il cite en exemple le « courage » des « vrais » indépendantistes de la première heure, qui n'ont pas peur d'appeler la « chose » par son nom !

Il se retranche aussi derrière les déclarations de plusieurs Premiers ministres du Canada anglais à qui on a demandé de laisser savoir qu'ils ne sont pas intéressés à négocier une « association » avec un Québec « souverain ». Et Trudeau de tourner en ridicule la stratégie du PQ, en se servant d'exemples historiques comme ceux de l'Irlande, de l'Algérie, de Grenade, des Îles Fidji, et même de Cuba et d'Haïti.

À la suite de ce discours, on lui fait comprendre qu'il a été un peu trop loin et il s'en excuse presque, à Québec, devant six mille personnes. Les partisans du NON ont prévu pour le 14 mai une grande manifestation de masse à Montréal. Ils ont pensé la tenir au Vélodrome du Parc olympique. Mais le Centre Paul-Sauvé, le sanctuaire des grandes célébrations du Parti québécois, a le double avantage d'être moins difficile à remplir et d'être le symbole du terrain ennemi où Trudeau livre une dernière bataille.

« Si c'est un non, nous avons tous dit que ce sera interprété comme un mandat de changer la Constitution et de renouveler le fédéralisme. Ce n'est pas moi seul qui le dis, ce sont soixante-quatorze députés libéraux à Ottawa et les Premiers ministres de neuf autres provinces…

« Je m'adresse solennellement aux Canadiens des autres provinces. Nous mettons notre tête en jeu, nous du Québec, quand nous disons aux Québécois de voter non ; nous vous disons que nous n'accepterons pas qu'un non soit interprété par vous comme une indication que tout va bien, que tout peut rester comme avant.

« Nous voulons des changements. Nous mettons nos sièges en jeu pour avoir ces changements ! »

René Lévesque attendait avec appréhension ce dernier discours de Trudeau. Il en écoute la diffusion en direct, dans le sous-sol du restaurant Sambo, sur la rue Sherbrooke, à quelques minutes de ce Centre Paul-Sauvé dont il pourrait entendre monter une clameur — « Ell-i-ott ! Ell-i-ott ! Ell-i-ott ! » — s'il sortait dans la rue.

« C'est un maudit bon discours, dit Lévesque à ses proches en bon sportif. Mais il nous fait mal parce qu'il arrive à la fin. »

« Ce qui lui a fait mal, expliqua Corinne Côté-Lévesque, c'est que quelqu'un vienne dire aux Québécois qu'ils n'avaient rien à perdre à dire NON. »

Si les partisans du NON scandaient ainsi «Elliott» au Centre Paul-Sauvé, ce soir-là, c'est que René Lévesque avait publiquement mis en doute les racines québécoises de Pierre Trudeau. «Oui, répondit celui-ci, Elliott est le nom de ma mère. C'était le nom porté par ses ancêtres, arrivés au Canada il y a deux cents ans. Mon nom est un nom du Québec mais il est aussi un nom canadien!»

René Lévesque prenait de plus en plus mal ces interventions de Trudeau. Il racontait à ses proches que lors des réunions de Premiers ministres, à la résidence de la rue Sussex à Ottawa, les enfants de Trudeau venaient dire bonjour mais il n'y avait jamais moyen, à Michel en particulier, de leur faire dire un mot en français. «Cela me choque d'autant plus qu'on voit bien que Trudeau en est gêné, expliquait Lévesque. Je ne comprends tout simplement pas pourquoi Pierre est si peu Québécois...»

Finalement, le soir du référendum, Lévesque ne réussira pas à arracher mieux qu'une mince majorité de 50 ou 51 p. 100 de OUI aux francophones. Ce n'est même pas la victoire morale dont il avait pris l'habitude de se contenter dans les premières batailles électorales que menait le Parti québécois

«À la prochaine!» lance le chef du PQ en entonnant, de sa voix de fausset enrouée par soixante jours de discours et deux fois plus de paquets de cigarettes, la chanson de Vigneault, *Gens du pays*.

D'Ottawa, Trudeau tend la main aux perdants. «Je ne peux m'empêcher de penser à tous ces tenants du OUI qui se sont battus avec tant de conviction et qui doivent ce soir remballer leur rêve et se plier au verdict de la majorité. Et cela m'enlève le goût de fêter bruyamment la victoire...»

Claude Ryan n'a pas le triomphe aussi modeste à Montréal. Il s'en faut de peu en fait que les caméras de télévision ne surprennent un Jean Chrétien furieux qui veut s'emparer du micro que Ryan tient fermement et refuse de lui passer. Tous les bulletins de vote ne sont pas encore comptés que le camp des fédéralistes est profondément divisé, que la coalition hétéroclite de partis politiques qui l'avaient formé retourne à ses querelles de village.

« Si l'on fait le décompte des amitiés brisées, des amours écorchées, des fiertés blessées, il n'en est aucun parmi nous qui n'ait quelque meurtrissure de l'âme à guérir dans les jours et les semaines à venir », dit Trudeau à la télévision.

Mais il en est un au moins qui n'aura pas le temps de reprendre quelques-unes des quinze livres qu'il dit avoir perdues pendant la campagne référendaire.

Le 21 mai 1980, Pierre Trudeau décide en effet qu'il faut immédiatement profiter du sentiment de soulagement qui souffle au Canada anglais et poser les cartes sur la table le plus tôt possible. Il sait déjà ce qu'il veut : c'était écrit dans son discours à l'Association du Barreau canadien à Montréal en septembre 1967.

Mais les provinces anglaises, à qui on a demandé de mettre la main à la roue dans le camp des fédéralistes, ont maintenant une « liste d'épicerie » dans la poche.

« Va donc voir ce qu'elles veulent ! » ordonne Trudeau à Chrétien.

Commence alors la plus folle équipée qu'aucun ministre fédéral ait jamais entreprise à travers le pays. Flanqué de son fidèle chef de Cabinet, Eddy Goldenberg — fils de Carl Goldenberg, qui conseillait Trudeau sur les affaires constitutionnelles en 1967 —, Jean Chrétien monte dans un de ces Challenger dont il est si fier puisque, ministre de l'Industrie en 1976, il a sauvé son constructeur, Canadair, d'une faillite certaine en le rachetant à General Dynamics qui voulait s'en débarrasser.

Le mardi soir, Chrétien soupe donc avec Bill Davis au chic Club Albany de Toronto. Le Premier ministre de l'Ontario sera un allié sûr… si on ne lui force pas la main sur la question du français. En 1978, quand il a bloqué un projet de loi libéral faisant de l'Ontario une province officiellement bilingue, son bureau a reçu une avalanche de lettres et de coups de téléphone favorables à sa décision… à dix contre un ! Il sait où sont ses intérêts.

Le mercredi matin, Chrétien prend le petit déjeuner à Winnipeg avec le conservateur Sterling Lyon. Celui-là ne veut rien savoir d'une Charte des droits qui vienne rogner son propre pouvoir de légiférer. À midi, lunch avec le néo-démocrate Allan

Blakeney, de la Saskatchewan : on parle de juridiction sur les ressources naturelles. À cinq heures, Chrétien prend le thé avec un autre conservateur, Peter Lougheed, de l'Alberta, et il arrive juste à temps à Victoria pour un souper en tête-à-tête avec le créditiste Bill Bennett, de la Colombie-Britannique.

Le jeudi matin, alors que le soleil pointe à peine au-dessus des Rocheuses, Chrétien s'envole vers l'Île-du-Prince-Édouard où, décalage horaire oblige, il n'arrive qu'à l'heure du thé. Le « maire de Charlottetown », comme on surnomme le Premier ministre Angus MacLean, n'est jamais bien difficile. Le soir, entre deux pinces de homard, à Halifax, le conservateur John Buchanan parle de ressources au large des côtes.

Le vendredi matin, le même sujet revient avec le Terre-Neuvien Brian Peckford qui rêve à ses barils de pétrole d'Hibernia, tandis que Richard Hatfield, dans cet hôtel de Fredericton qui lui sert de résidence officielle, promet d'aider Trudeau.

Quand il rentre à Ottawa le vendredi soir, Jean Chrétien a tout juste le temps de faire sa valise et de sauter dans un autre avion pour la Floride où, a-t-il promis à sa femme Aline, il va enfin se reposer. On n'a plus besoin de lui pour le moment.

Car c'est Trudeau lui-même qui prend la relève. Michael Pitfield, qui avait dû s'exiler à Harvard pendant le court règne de Joe Clark, est revenu à ses côtés aussitôt après sa victoire de février et a fait le ménage dans la haute fonction publique. Il a nommé notamment Michael Kirby responsable des relations fédérales-provinciales. Dans son cas cependant, il faudrait plutôt parler de tensions fédérales-provinciales.

Émule de Machiavel, Kirby ne croit pas à une entente entre Ottawa et les provinces. Tout ce qu'il faut, selon lui, c'est négocier avec assez de mauvaise foi pour les obliger à rompre elles-mêmes les négociations et justifier ainsi un appel à Londres en faveur d'un rapatriement unilatéral de la Constitution.

Pendant le week-end — on est décidément devenu efficace à Ottawa ! —, Trudeau met au point la lettre qu'il enverra aux provinces dès le mardi matin 28 mai. « Nous avons l'obligation d'exploiter le nouveau climat favorable créé par les résultats du référendum, écrit Trudeau à ses collègues du Canada anglais. Il nous incombe de tenir notre promesse de *modifier* sans tarder la Constitution du pays.»

Trudeau n'emploie déjà plus le mot «renouveler» dont il se servait deux semaines plus tôt au Centre Paul-Sauvé et il prévient ses collègues qu'il faudra «faire preuve de réalisme».

À René Lévesque, le Premier ministre tient un langage un peu différent. «Les Québécois ont choisi majoritairement la voie de la fidélité au Canada et, selon vos propres termes, ils ont décidé de "donner une autre chance" au renouveau dans le cadre de la fédération canadienne.»

Pierre Trudeau convoque ses dix collègues à un déjeuner privé à sa résidence d'Ottawa. Entre la poire et le fromage, il leur soumet une liste de douze priorités et leur donne trois mois pour s'entendre là-dessus.

À Québec, Claude Ryan est consterné. La liste de Pierre Trudeau comprend en effet les priorités du gouvernement fédéral, il fallait s'y attendre, et quelques revendications des provinces anglaises, de celles en particulier qui s'intéressent aux ressources naturelles. Mais rien des sujets traditionnellement abordés par le Québec.

La politique culturelle, l'immigration, la politique sociale, les accords fiscaux, les relations internationales, rien de tout cela n'est abordé au cours du déjeuner du 9 juin à Ottawa. Claude Ryan craint un «désastre». René Lévesque parle de «rafistolage précipité du régime fédéral».

De même qu'en 1976 Pierre Trudeau a lourdement contribué à la défaite de Robert Bourassa en le diminuant aux yeux des Québécois, il s'apprête cette fois à causer la perte de Claude Ryan en refusant de négocier avec le Québec.

Le 13 avril 1981, le Parti québécois formera à nouveau un gouvernement majoritaire, avec 49,21 p. 100 des suffrages exprimés.

«Mais qui sera l'interlocuteur pour ce renouvellement du fédéralisme? avait demandé Trudeau pendant la campagne référendaire. Le gouvernement péquiste veut détruire le fédéralisme. Alors, je le répète, même un vote NON ne mènera pas nécessairement au nouveau fédéralisme que tout le monde désire…»

Cinq jours en novembre

La liste de questions constitutionnelles à régler à la faveur d'un rapatriement s'allonge de semaine en semaine au cours de l'été 1980.

C'était prévisible d'ailleurs : chaque fois qu'on ouvre le panier de crabes de la Constitution, chaque Premier ministre met sur la table quelques sujets qui lui tiennent à cœur, ou qui vont lui permettre de marquer des points. Et comme il y a onze Premiers ministres autour de la table… (En 1978, par exemple, les dix provinces ont soumis à Pierre Trudeau une liste de vingt-neuf questions, dont une dizaine n'avaient d'ailleurs d'autre but que de limiter les pouvoirs d'Ottawa. Un « *non starter* », dirait Trudeau !)

Lors du déjeuner du 9 juin 1980 à Ottawa, les chefs de gouvernement ont confié à leurs ministres de la Justice l'impossible mission d'écrire une nouvelle Constitution. Après cinquante-quatre ans d'échecs, personne ne croit plus au miracle.

Le 7 juillet, au Complexe Desjardins de Montréal, un véritable cirque ambulant prend le départ ; il conduira les onze ministres et une cinquantaine de fonctionnaires à Toronto, à Vancouver et enfin à Ottawa.

Comme toujours dans ce genre de circonstances, des amitiés se lient, en particulier entre Claude Morin et son collègue de la Saskatchewan, Roy Romanow. Les fonctionnaires de la Colombie-Britannique, de l'Alberta et de Terre-Neuve sont impressionnés

243

par la solidité des arguments de la délégation québécoise. Et les fonctionnaires fédéraux, de plus en plus isolés, se rapprochent de leurs collègues de l'Ontario.

Les Premiers ministres se retrouvent à Ottawa le 8 septembre. La réunion, un désastre, va passer à l'histoire comme le «septembre noir» constitutionnel du Canada.

L'ordre du jour est trop chargé. Un mémorandum ultrasecret de Michael Kirby — *For ministers eyes only* — qui détaille la stratégie fédérale finit, on ne sait trop comment, dans la boîte aux lettres de Claude Morin à Cap-Rouge. La conférence s'ouvre sur un dîner offert par le gouverneur général, Ed Shreyer, au cours duquel Pierre Trudeau fait preuve d'une inexplicable arrogance. Et le vendredi soir, au cours d'un autre dîner, chez le Premier ministre cette fois, c'est la rupture définitive.

«Entre la vision du Premier ministre du Canada et celle du Premier ministre du Québec, je préfère encore celle de René Lévesque», laisse tomber Brian Peckford.

«J'ai envie de vomir!» chuchote Chrétien.

Ottawa a cependant appris sa leçon. Pendant toute la semaine de ce «septembre noir», les Premiers ministres des provinces se sont réunis, chaque matin, pour ce qu'on a vite surnommé le *«consensus breakfast»*.

«C'est Lévesque qui tient le front commun des provinces à bout de bras, en a conclu Jean Chrétien. Il fera toujours avorter n'importe quel projet d'entente.»

Quatre jours plus tard, Pierre Trudeau confie à ses députés qu'il ira «jusqu'au bout» et passera par-dessus le corps de ses collègues des provinces s'il le faut.

Au début de l'été en effet, il a profité d'un passage à Londres pour prévenir Margaret Thatcher qu'elle recevrait peut-être une demande de rapatriement unilatéral d'Ottawa. La Dame de fer n'est guère enthousiaste mais Trudeau lui dit: «Bouchez-vous le nez, et regardez ailleurs!»

Le 6 octobre, Trudeau lance la plus dure bataille parlementaire de sa carrière. Les conservateurs refusent un rapatriement de la Constitution qui n'ait pas l'appui des provinces, en particulier des sept Premiers ministres conservateurs qui tiennent l'avenir politique de Joe Clark entre leurs mains.

Toutes les tactiques sont bonnes pour retarder l'étude du projet Trudeau au Parlement: l'opposition dépose des pétitions interminables pour forcer le gouvernement à tenir des audiences télévisées.

C'est qu'entre-temps, cinq Premiers ministres d'abord, puis la «bande des Huit» (soit toutes les provinces à l'exception de l'Ontario et du Nouveau-Brunswick) ont décidé de se battre contre Trudeau en cour, et jusqu'en Cour suprême s'il le faut.

Le 16 avril 1981, trois jours après la réélection de René Lévesque, les Huit ont signé un pacte: le Québec renonce à son droit de veto pour les futurs amendements à la Constitution, mais ses collègues promettent de se battre avec lui pour obtenir en échange un «droit de retrait» — la fameuse clause de l'*opting out* qui permet à une province d'obtenir, en argent ou en points d'impôts, l'équivalent d'un nouveau programme national dont elle ne voudrait pas ou qu'elle souhaiterait organiser à sa façon.

La Cour suprême finit par trancher le débat, le 28 septembre 1981. Un jugement à la Salomon qui veut dire, en gros: Trudeau n'a pas l'obligation légale de rechercher le consentement de «toutes» les provinces pour réaliser sa réforme constitutionnelle. Mais «moralement», il ne peut se contenter de l'appui de deux provinces seulement.

C'est du moins l'interprétation qu'en fait Margaret Thatcher. Il se trouve qu'au moment de cette décision de la Cour suprême, la Première ministre de Grande-Bretagne et son collègue du Canada participent tous deux à une conférence du Commonwealth à Melbourne, en Australie.

Le message de Londres est clair: Trudeau doit, une dernière fois, tenter d'arracher un accord de ses collègues.

Le soir du jugement de la Cour suprême, Roy Romanow et son collègue de l'Ontario, Roy McMurtry, rendent visite à Jean Chrétien, à sa résidence de la rue Bower, sur le bord du canal Rideau à Ottawa. Le ministre de la Saskatchewan a perdu une bouteille de scotch avec le jugement de la Cour suprême et il vient payer ses dettes de jeu.

Les trois hommes, qui espèrent succéder à leurs chefs respectifs, Chrétien à Trudeau, Romanow à Blakeney (Saskatchewan) et McMurtry à Davis (Ontario), voudraient bien sortir leurs patrons de l'impasse, et lancer ainsi du bon pied leur campagne pour les remplacer.

D'un côté, la bande des Huit tient à sa formule d'amendement, concoctée par Peter Lougheed en 1978, qui consacre l'égalité de toutes les provinces dans la Constitution. Pierre Trudeau, quant à lui, veut sa Charte des droits et libertés fondamentales.

S'il doit jamais y avoir un accord, il tournera autour de ces deux pivots : la Charte d'Ottawa contre la formule d'amendement des provinces. On en aura le cœur net dans la première semaine de novembre 1981, ont décidé les Premiers ministres.

Commence alors une incroyable odyssée de cinq jours…

* * *

Samedi (31 octobre 1981)

Les conférences des Premiers ministres à Ottawa ressemblent aux assemblées générales de l'ONU. Les délégations s'installent dans leurs hôtels avec leur propre secrétariat, des photocopieurs, des ordinateurs au besoin et un plein chargement de classeurs.

Les médias nationaux installent leurs émetteurs micro-ondes sur le toit des mêmes hôtels, équipent leurs journalistes de téléphones portatifs, poursuivent les Premiers ministres à l'aéroport, dans les lobbies de leurs hôtels, et jusque dans les couloirs qui conduisent à leurs chambres.

Fonctionnaires, ministres et journalistes constituent alors un petit monde à part qui communique en circuit fermé, court les rumeurs de couloirs, transcrit la moindre déclaration publique et en fait immédiatement l'analyse. Un mot suffit parfois à relancer un débat, à provoquer l'impasse ou à débloquer des pourparlers qui traînent en longueur.

La première règle est de savoir qui est important dans chaque délégation. Où couche-t-il ? Dans quelle chambre ? A-t-il un téléphone cellulaire ? Une radio ? À quel numéro ou sur quelle fréquence peut-on le joindre ?

Ce jour-là, la bande des Huit installe son quartier général au Château Laurier, un vieil hôtel du Canadien Pacifique qui a l'avantage de communiquer, par un tunnel, avec l'ancienne gare Union, transformée en Centre de conférences.

Allan Blakeney s'installe au Château Laurier avec Sterling Lyon, du Manitoba, John Buchanan, de la Nouvelle-Écosse et Angus MacLean, de l'Île-du-Prince-Édouard. Blakeney est l'un des deux pivots de la négociation : membre de la bande des Huit, il cherche un compromis, comme son lieutenant Romanow. Il va faire le lien entre Trudeau et les Huit, via Davis.

Le Premier ministre de l'Ontario s'installe, comme toujours, au Four Seasons, à cinq minutes de marche du Château. Avec lui, Richard Hatfield, du Nouveau-Brunswick, Bill Bennett, de la Colombie-Britannique, qui agit comme « président » du groupe des provinces, et Brian Peckford, de Terre-Neuve.

Peter Lougheed, de l'Alberta, est seul dans un vaste penthouse qui surplombe la rivière des Outaouais. De son salon, il peut apercevoir les briques rouges de l'Auberge de la Chaudière, le plus chic hôtel de Hull. René Lévesque s'y installe dans la Suite du président, mais sa délégation loue quand même une chambre au quatrième étage du Château Laurier. Celle-ci restera la plupart du temps inoccupée.

Plusieurs Premiers ministres sont arrivés au début du long week-end de la Toussaint, Richard Hatfield en particulier, qui passe le samedi après-midi au ministère de la Justice, rue Wellington à Ottawa. Les fonctionnaires fédéraux lui dictent une proposition qu'il devra faire à l'ouverture de la conférence : scinder la Charte en deux, une partie devant être soumise à l'approbation des législatures provinciales. Trudeau acceptera pour montrer qu'il est d'humeur conciliante et ainsi convaincre quelques-uns des Huit que la « Charte de Trudeau » n'est pas vraiment sacrée, qu'il y a peut-être un accord en vue.

Dimanche (1er novembre)
17 heures — Bill Davis est un partisan acharné des Argonauts de Toronto. La retransmission de la partie de football vient de se terminer et il se dirige maintenant vers la résidence de Trudeau.

Comme son ministre McMurtry et Michael Kirby le lui ont recommandé, Davis avertit Trudeau qu'il renoncera lundi matin à son droit de veto. Comme Lévesque y a déjà renoncé le 16 avril précédent, Trudeau se retrouve seul à défendre sa «formule de Victoria».

19 heures — Peter Lougheed révise ses dossiers avec son ministre des Affaires intergouvernementales, Dick Johnston. Une note en particulier lui suggère de se préparer à l'éventualité où le Québec refuserait de signer un accord : «Il y a des précédents, explique la note. Lesage qui refuse la formule Fulton-Favreau après l'avoir acceptée en 1964, Bourassa en 1971 qui fait faux bond à son retour de Victoria dans la Vieille Capitale... »

20 heures — La bande des Huit prend un premier dîner dans la suite du quatrième étage, au Château Laurier, qui va désormais lui servir de quartier général. Les huit Premiers ministres conviennent de se revoir, tous les matins jusqu'à la fin de cette conférence, à huit heures, pour un petit déjeuner de stratégie. Ils prêtent également serment de ne préparer aucune proposition, de ne participer à aucune discussion, de ne faire aucun compromis qui n'ait d'abord été approuvé par le groupe.

Lundi (2 novembre)

10 heures 15 — Pierre Trudeau, président de la Conférence, cogne les traditionnels coups de son maillet de bois. Un sentiment de déjà vu en étreint plusieurs quand Jean Chrétien s'assoit à sa droite, près de Bill Davis, tandis que le taciturne Allan MacEachen s'installe près de René Lévesque. Cette première séance publique, devant deux millions de téléspectateurs, estiment les grands réseaux de télévision, n'apporte rien de concret. Comme prévu, Pierre Trudeau se montre conciliant — «nous sommes là pour nous entendre» — et Bill Davis comme Richard Hatfield font les ouvertures mises au point avec les fonctionnaires fédéraux la veille. Chaque Premier ministre prend la parole, dans l'ordre où sa province est entrée dans la Confédération. René Lévesque se montre intraitable et, comme pour chercher une revanche sur le 20 mai 1980, met Trudeau au défi de proposer son projet à la population canadienne.

(Pierre Trudeau a *déjà* donné tous les détails de son plan de rapatriement le... 10 mai 1979, à Montréal, douze jours avant de perdre le pouvoir. «Je le répète, avait-il promis, je n'agirai pas unilatéralement. Je demanderai le consentement des provinces. Et, à défaut, je demanderai le consentement de la population...» Mais personne n'a prêté attention à ce discours.)

Quelques observateurs commencent à s'assoupir quand John Buchanan prend la parole. Les journalistes sont en train de boire une tasse de café et d'engloutir les traditionnels beignets qu'on leur sert pendant toutes les conférences fédérales-provinciales lorsque Angus MacLean commence à parler. Sterling Lyon et Peter Lougheed sont les plus durs pour Trudeau: «Vous avez perdu en Cour suprême», rappellent-ils cruellement. Le premier signe d'ouverture venant de la bande des Huit est le fait de Bill Bennett qui soupire: «On n'a pas besoin d'une autre guerre de cent ans pour régler nos problèmes constitutionnels.»

12 heures 30 — Trudeau offre à ses collègues de partager le buffet qu'il s'est fait servir au cinquième étage du Centre des conférences où se tiendront désormais toutes les réunions à huis clos. La plupart des Premiers ministres refusent.

14 heures 30 — La première séance à huis clos commence. Pierre Trudeau fait sentir à tout le monde que c'est bien, cette fois, «la dernière chance». Les Premiers ministres s'attaquent d'abord à la formule d'amendement mais personne ne semble avoir remarqué le beau geste de Bill Davis qui a solennellement renoncé à son droit de veto.

16 heures — Fausse alerte! Alan Blakeney entre précipitamment dans le bureau réservé à sa délégation et demande une paire de ciseaux. «En sont-ils déjà à négocier si sérieusement?» se demandent les fonctionnaires. Le Premier ministre de la Saskatchewan voulait tout simplement découper un article de journal. Car cette première séance ne mène à rien de concret: les participants ne font que s'observer.

À la fin de la journée, on a déjà classé les onze joueurs dans différents groupes qu'il s'agira de faire bouger, au bon moment, comme des pions:
- le clan fédéral avec Trudeau, Davis et Hatfield;
- la bande des Huit;

- les trois B (Bennett, Buchanan et Blakeney), qu'on surnomme aussi les trois colombes parce qu'ils sont les plus disposés à conclure un accord ;
- les faucons, soit Lougheed, Lyon et Peckford.

Angus MacLean est oublié comme toujours lorsqu'il s'agit du «maire de Charlottetown». Et René Lévesque n'est nulle part.

Mardi (3 novembre)

7 heures 30 — Peter Lougheed vient de donner une entrevue en direct à l'émission *Canada AM* du réseau anglais CTV. «Si Trudeau n'arrive pas à obtenir l'appui des provinces, il devrait en appeler au peuple», dit le Premier ministre de l'Alberta. Ces entrevues télévisées sont importantes parce que, rapportées dans la salle de réunion des Premiers ministres, elles déclenchent inévitablement de nouvelles discussions.

8 heures — Les Premiers ministres se retrouvent devant leurs œufs brouillés et leurs croissants ramollis par une demi-heure de chauffe-plat. Bennett annonce qu'il aura peut-être une proposition à mettre sur la table mais Lougheed et Lyon ne veulent rien savoir : «Voyons d'abord les cartes que Trudeau a dans ses mains.»

En effet, au même moment, dans le bureau provisoire que Trudeau s'est fait aménager au Centre de conférences, Bill Davis annonce pour la première fois qu'il est prêt à proposer un échange à la bande des Huit : «une» Charte contre leur formule d'amendement.

9 heures 30 — La journée commence bien mal et rappelle les pires moments du septembre noir de 1980. Trudeau ne veut rien savoir de la formule d'amendement des provinces et surtout pas de cette fameuse clause de l'*opting out*.

«C'est une prime à la séparation, répète-t-il.

— Alors je suppose que le peuple va devoir décider, lance Lévesque.

— Nous on ne tripotera pas la question !» riposte Trudeau.

Hatfield, dont les émotions sont toujours dangereuses dans ce genre de conférence, accuse Lévesque de se retrancher dans son petit «ghetto de Varsovie»...

11 heures — Trudeau demande du café pour détendre l'atmosphère. Comme toujours, de petits groupes se forment et Bill Davis commence à parler de son «échange» avec Allan Blakeney: «"Notre" Charte contre "votre" formule d'amendement.»

À la reprise de la session, la proposition de Davis suscite d'autant plus d'intérêt qu'elle est vague et que certains Premiers ministres comprennent qu'on ne leur imposera qu'une «mini» Charte.

14 heures 30 — Hatfield et Trudeau, qui sont restés au Centre de conférences avec leurs fonctionnaires, s'étonnent de ne voir personne revenir après le dîner. En fait, les Huit ont invité Bill Davis à venir écouter la proposition de Bennett: la formule d'amendement contre une «mini Charte». Davis se garde bien de réagir parce qu'il a obtenu ce qu'il voulait: une contre-offre du front commun des provinces récalcitrantes. Il propose d'aller en parler à Trudeau avec Bill Bennett et les Huit envoient avec eux une colombe, John Buchanan, et un faucon, Peter Lougheed.

«C'est une blague ou quoi? lance Trudeau lorsque Bennett lui parle de sa mini Charte. Vous êtes en train de devenir les marionnettes de René Lévesque!»

Lorsque Bennett, Buchanan et Lougheed reviennent au Château Laurier faire rapport au reste de la bande des Huit, c'est l'explosion. En sortant du Château Laurier, René Lévesque brise la consigne du silence et confie à quelques journalistes: «Trudeau se montre intraitable comme toujours: Bill Davis songe à le laisser tomber.»

La rumeur vient aux oreilles de Richard Hatfield qui écoute, au Cock'n Lion, le bar du Château Laurier, un groupe western, les Sneezy Waters. Il tente de joindre Trudeau, ou Chrétien, mais les deux hommes sont pris par une réunion spéciale du Cabinet.

20 heures — Le Premier ministre a réuni son Cabinet dans la salle voisine de son bureau, au troisième étage du Parlement. Le rapport qu'il présente n'augure rien de bon: on se dirige vers une rupture. Les ministres fédéraux se demandent surtout s'il faut consulter la population *avant* ou *après* avoir demandé à Londres de rapatrier la Constitution au Canada. Peu importe la réponse, Trudeau a obtenu ce qu'il voulait: un chèque en blanc pour lancer

le pays dans une bataille référendaire ou négocier avec quelques provinces seulement.

22 heures — Dans la soirée, Bill Davis et Allan Blakeney, avec leurs ministres et quelques hauts fonctionnaires, se retrouvent chez Mama Teresa, rue Kent à Ottawa. Les restaurants, comme les lobbies d'hôtel, jouent toujours un rôle important dans les conférences fédérales-provinciales. (À Ottawa, le *Guide des meilleurs restaurants* a aussi un chapitre politique : les conservateurs se tiennent par exemple au Four Seasons pour le petit déjeuner, chez Hays à l'heure du déjeuner [au rez-de-chaussée d'un édifice bourré de bureaux de lobbyistes], aux Saisons, le chic restaurant de l'hôtel Westin, à l'heure du dîner. Les libéraux sont Chez Nates, rue Rideau, à l'heure du déjeuner, ou dans quelque alcôve du Grill du Château Laurier. Les néo-démocrates sont dans l'une ou l'autre des cafétérias de la colline parlementaire à l'heure du lunch mais le soir, Ed Broadbent et ses principaux conseillers se retrouvent à l'occasion au Soupçon, un restaurant français de la rue Rideau. Et ainsi de suite.)

Le soir du 3 novembre, les délégations de la Saskatchewan et de l'Ontario se retrouvent par accident à des tables voisines. (En fait, on a donné au groupe de Blakeney une table qu'on avait d'abord réservée à la délégation de la Colombie-Britannique.)

C'est là que, pour la première fois, Romanow et McMurtry lancent l'idée d'assortir la Charte de Trudeau d'une clause « nonobstant ». Cette clause permet techniquement aux provinces de se soustraire à une ou à plusieurs obligations de la Charte des droits jusqu'à ce qu'elles se sentent prêtes à la respecter. C'est, en gros, un genre d'*opting in* plutôt qu'un *opting out*.

Davis et Blakeney semblent intéressés mais ne peuvent pas vraiment en discuter, trônant chacun à l'extrémité de leurs tables respectives. Ils demandent à tout hasard à leurs fonctionnaires d'étudier cette question entre eux au cours de la nuit.

Mercredi (4 novembre)

7 heures — Jean Chrétien réveille son vieil ami Roy Romanow dans sa chambre du Four Seasons. Il veut lui donner les dernières nouvelles de la réunion du Cabinet fédéral, la veille. Mais Romanow lui parle du souper chez Mama Teresa.

«Pourquoi ne se voit-on pas pour en parler? propose Chrétien.

— J'appelle McMurtry et j'arrive», répond Romanow.

8 heures — Le *consensus breakfast* passe mal ce matin-là. Bennett annonce qu'il acceptera de garantir les droits de sa minorité francophone, si c'est le prix à payer pour s'entendre avec Trudeau. Lévesque n'en revient pas. Ce que la délégation du Québec ne sait pas, c'est qu'un mois plus tôt, à la résidence de la rue Sussex, Trudeau a pris Bennett par les sentiments: «La langue, c'est l'essence même de mon existence. Vous devez me l'accorder.»

Et Trudeau de rappeler au Premier ministre de la Colombie-Britannique comment, dix ans plus tôt, son père, «Wackie» Bennett, et lui, Trudeau, avaient négocié un accord constitutionnel à Victoria. Le «lâcheur» en 1971, ça avait été Bourassa. «Don't trust Lévesque», termine Trudeau qui vient de marquer un point.

Et puis, Allan Blakeney parle de la proposition sur laquelle ses fonctionnaires et ceux de Bill Davis ont travaillé une partie de la nuit. Enfin, Brian Peckford, qui n'a encore rien dit, laisse entendre que lui aussi aura peut-être une proposition plus tard dans la journée.

9 heures — Lévesque passe à travers une haie de caméras et, l'air sombre, refuse de parler. Un sous-ministre du Québec, resté en arrière, confie à un journaliste: «Bennett nous glisse dans les doigts. Blakeney nous fait dans les mains. Et Peckford glisse dans la merde du second!»

9 heures 30 — Lévesque a, inconsciemment ou non, conclu qu'on ne pourra jamais faire confiance aux «*Canadians*». Aucune des propositions mises sur la table ne semble soulever un intérêt suffisant et Trudeau s'énerve de plus en plus. Il n'a jamais aimé, à son Conseil des ministres, les discussions qui s'éternisent.

«Ton affaire est pas mûre», lance-t-il aux ministres qui n'ont pas convaincu leurs collègues après quinze ou vingt minutes de discussion.

Ce matin-là, Trudeau commande du café…

11 heures — Trudeau et Lévesque se retrouvent ensemble, près de la machine à café.

«Rapatrions la Constitution tout de suite, propose Trudeau. Et si on ne s'est pas mis d'accord dans deux ans, on jouera la Charte et la formule d'amendement sur un coup de dés, devant le peuple.»

Lévesque se contente de hausser les épaules, comme s'il disait «je veux voir», dans une de ces parties de poker qu'il affectionne prolonger, tard dans la nuit.

À la reprise des discussions, Trudeau sort un document marqué «Confidentiel 15/020». Dans ces conférences, tous les documents déposés à la table de négociations sont numérotés et répertoriés par le Secrétariat des Conférences fédérales-provinciales, une sorte de secrétariat général, comme il en est dans toutes les conférences internationales. Au moment où Trudeau dépose le document, personne ne remarque qu'il n'existe pas encore de numéro «15/019».

Le référendum proposé par Trudeau dans son document, visant à plébisciter la Charte ainsi que la formule d'amendement, prévoit une majorité simple des voix (50 p. 100 et plus), doublée d'une autre majorité simple en Ontario, au Québec, dans l'ensemble des quatre provinces de l'Ouest et dans l'ensemble de celles de l'Est. (La proposition du Premier ministre est curieuse: l'idée d'un référendum ne lui a jamais plu. L'été précédent, au cours d'un voyage à Stockholm, en Suède, il en avait longuement discuté avec un journaliste: il considérait qu'un référendum divise inutilement les familles et les amis et que, dans un pays comme le Canada, il est difficile de se mettre d'accord sur une règle de majorité. En fait, ancien adversaire de la conscription, il savait que tout référendum national risque d'opposer dangereusement le Canada français et le Canada anglais.)

Lévesque saute à pieds joints dans la proposition de référendum, peut-être pour se venger du coup bas que lui ont fait ses collègues de la Colombie-Britannique et de la Saskatchewan le matin même. Ou tout simplement parce qu'il est pressé de rentrer à Québec et de préparer son Discours du Trône.

12 heures 30 — Lévesque et Trudeau se succèdent au micro qui a été installé pour les journalistes dans l'entrée du Centre de conférences. La nouvelle se répand dans le pays comme une traî-

née de poudre : « Il y a une nouvelle Alliance Canada-Québec », disent les deux hommes.

Les fonctionnaires fédéraux courent après les journalistes du Québec et s'épanchent, la larme à l'œil : « Trudeau tenait tellement à s'entendre avec Lévesque... »

Seul Lougheed s'accroche encore à l'idée d'un référendum : « On va se battre et on l'aura ! » lance-t-il sur un ton de défi.

Blakeney grogne : « La dernière chose dont on ait besoin dans l'Ouest, c'est d'un référendum sur les droits des francophones ! »

Sterling Lyon, qui est retourné poursuivre sa campagne électorale au Manitoba (des élections auront lieu le lundi suivant), entend la nouvelle à la radio et appelle Peter Lougheed. Il est tout simplement furieux.

14 heures 30 — Nouvelle session à huis clos : c'est un tir de barrage des Premiers ministres contre cette folle idée de référendum national. Plusieurs insistent pour avoir des détails. C'est alors que Trudeau dépose un autre document, numéroté « 15/019 » celui-là, et qui change tout.

Le délai pour la tenue d'un référendum n'est plus de deux ans mais de six mois, et si une seule province refuse l'accord, le projet initial de Trudeau sera adopté sans qu'on y change une virgule. De plus, le projet « détaillé » de Trudeau est tellement compliqué que des experts comme Gérald Beaudoin, alors doyen de la Faculté de droit de l'université d'Ottawa et aujourd'hui sénateur conservateur, se demandent s'il n'a pas été rédigé en chinois.

C'est la pagaille dans la salle de réunions du cinquième étage. Lévesque veut repartir à Québec immédiatement et Trudeau fait donner un avis à CBC de se préparer à entrer en direct pour la séance de clôture à partir de 18 heures. Ce genre de mot d'ordre, à la télévision d'État, fait aussi partie de la stratégie : la rumeur se répand vite en effet parmi les journalistes, remonte jusqu'aux délégations provinciales dans les étages et accroît la pression sur elles.

C'est ce qui arrive ce soir-là alors que Bill Davis insiste pour laisser la nuit « porter conseil ».

Il sait que Romanow, Chrétien et McMurtry se promènent depuis le matin avec, dans leur poche, des notes griffonnées à la main au revers d'une feuille de messages téléphoniques. La formule à laquelle les trois hommes ont pensé requiert des compromis des deux clans : la Charte sera assortie d'une clause « nonobstant », mais la formule de l'*opting out* n'aura pas de compensation financière. Finie la « prime à la séparation ».

19 heures — La séance est encore une fois ajournée. Les Huit promettent de s'appeler si quelque chose se passe durant la nuit.

20 heures — Le principal conseiller de Bill Bennett, Norman Spector — qui sera responsable des relations fédérales-provinciales dans le gouvernement Mulroney —, appelle la suite de René Lévesque pour rappeler la tenue du petit déjeuner le lendemain matin. C'est Claude Morin qui prend le message. Le ministre des Affaires intergouvernementales appelle ensuite un journaliste pour lui dire à quel point il est pessimiste. Découragé, il décide d'aller souper avec une adjointe.

Le reste de la délégation québécoise, avec René Lévesque, descend au Châteauneuf, le restaurant de l'Auberge de la Chaudière. On boit beaucoup ; c'est une sorte de veillée funèbre qui commence.

20 heures 30 — À la résidence du Premier ministre, rue Sussex, les ministres importants — Chrétien, Lalonde, MacEachen — et une poignée de fonctionnaires préparent un constat d'échec. Jean Chrétien, qui croit tenir une entente avec ses deux collègues de la Saskatchewan et de l'Ontario, insiste pour que Trudeau appelle une dernière fois Bill Davis.

21 heures 40 — En raccrochant, le Premier ministre de l'Ontario confie au petit groupe réuni dans sa suite : « Rappelez-vous ce moment, il est peut-être historique. »

Ce qui s'est passé : Trudeau vient de suspendre pour la nuit sa menace de référendum et il accepte la formule d'amendement des provinces, si elle n'est pas assortie d'une compensation financière automatique. Davis ne lui parle pas de la fameuse clause « nonobstant ».

23 heures — Lévesque se retire dans sa suite et téléphone à sa femme, Corinne, qui participe à une campagne de financement pour Centraide, à Chicoutimi. Il n'a reçu aucun message et il laisse entendre qu'il sera rentré tôt le lendemain à Québec.

23 heures 30 — Les négociations, qui se poursuivent depuis le début de la soirée, sont sur le point d'aboutir. Successivement, Peter Lougheed, Brian Peckford et Angus MacLean (qu'on a réveillé) ont visité la suite d'Allan Blakeney au Château Laurier. McMurtry est là aussi et fait le lien avec son patron, le Premier ministre de l'Ontario. John Buchanan est rejoint *in extremis* à l'aéroport d'Ottawa où il attend le dernier vol pour Halifax : sa belle-mère est décédée et il doit rentrer d'urgence chez lui.

Dans la suite de Bill Davis, Bill Bennett puis Richard Hatfield se penchent sur le même projet tandis que Roy Romanow fait la liaison avec son chef, le Premier ministre de la Saskatchewan. Michael Kirby surveille l'opération par-dessus l'épaule de Davis.

Minuit — Chrétien appelle Roy Romanow pour savoir où en sont ses négociations avec les autres provinces, mais le ministre de la Saskatchewan ne retourne pas son appel. Chrétien, anxieux, ne dort pas de la nuit, ce qui explique, selon lui, ses yeux cernés du lendemain matin.

« Je n'ai pas pris part aux négociations de la nuit du 5 novembre », prétend-il aujourd'hui.

Trudeau non plus ne semble pas un acteur important de cette « nuit des longs couteaux ». C'est que, des deux côtés de la table des négociations, chacun sait ce qu'il est prêt à accepter. Trudeau et Lévesque passent la nuit dans leur lit. Les Canadiens anglais s'arrangent entre eux, dans le dos des Québécois.

Jeudi (5 novembre)

1 heure 30 — Les négociations sont virtuellement terminées. On passe les brouillons aux secrétaires qui en tapent une version de deux pages. Les documents sont glissés sous la porte de plusieurs Premiers ministres et ministres. Allan Blakeney appelle Ed Broadbent chez lui et lui lit le projet d'entente au téléphone.

7 heures — Quand René Lévesque se lève, il n'y a rien sous sa porte. Il appelle sa femme avant de partir pour le *consensus breakfast*. Oui, il a bien dormi. Non, il ne s'est rien passé depuis hier soir.

Au 24 de la rue Sussex, les limousines arrivent : celle de Michael Pitfield, puis de Michael Kirby, et de Chrétien enfin. « Jean, j'ai envie de t'embrasser », lui dit Trudeau.

Un peu après 8 heures — Lévesque arrive en retard à la suite du Château Laurier où ses collègues ont déjà fini leurs œufs brouillés.

«On a quelque chose pour vous», lui dit Peckford négligemment. (Dans la nuit, pour le neutraliser, Blakeney lui a proposé de devenir le parrain de la proposition de compromis : «Terre-Neuve fut la dernière province à entrer dans la Confédération… C'est bien normal après tout.»)

«Qu'est-ce que c'est encore que ça?» demande simplement Lévesque.

Ses œufs brouillés figent dans son assiette et son café refroidit. Six des membres de la bande des Huit s'éclipsent sur la pointe des pieds. Pendant vingt minutes, Lévesque reste seul avec Peter Lougheed. L'Albertain se sent mal d'avoir trahi. Cette fois, c'est Lévesque qui a «envie de vomir».

10 heures — Pour une dernière fois, dans la salle de réunions du cinquième étage, les onze Premiers ministres sont là.

«Je n'aime pas cette clause "nonobstant", ronchonne Trudeau. Pourquoi ne pas en limiter les effets à cinq ans? Tous les cinq ans, les Premiers ministres auront ainsi l'odieux de passer par-dessus les droits de leurs électeurs…»

«C'est une bonne idée», déclarent aussitôt plusieurs Premiers ministres, pressés d'en finir.

Bill Davis tente une dernière conciliation entre Trudeau et Lévesque. La Charte risque en effet de tailler la loi 101 en pièces et Lévesque ne peut l'accepter : «Jamais, dit-il. Il y aurait des émeutes dans les rues de Montréal.»

Trudeau offre au Québec une compensation financière pour les amendements constitutionnels reliés à l'éducation et à la culture.

Lévesque s'accroche une dernière fois à son idée de référendum.

Lougheed murmure à Chrétien : «Je ne veux rien avoir à faire avec un arrangement qui renie à Lévesque sa juridiction sur la langue!

— C'est entre nous, Québécois», le rassure Chrétien.

11 heures — Les onze Premiers ministres sont revenus dans la grande salle du Centre des conférences, sous les projecteurs de la télévision.

«Cette farce macabre demeurera sans conteste un événement historique, déclare Lévesque. Jamais, jamais nous n'accepterons dans le tissu de notre vie collective les effets de ce coup de poignard.»

16 heures — Sur la route de l'aéroport de Gatineau où, symboliquement, l'avion du gouvernement du Québec attend pendant les conférences fédérales-provinciales, Lévesque appelle une dernière fois sa femme.

«On s'est fait fourrer!»

«Il était démoli, se souvient Corinne Côté-Lévesque. Comme après le référendum il gardait ça en dedans mais sa voix le trahissait. Je ne l'ai jamais vu aussi démoli. Même après le référendum…»

Trudeau reste en embuscade

(1982-2000)

« *Nous devons nous rendre à l'évidence que le Canada n'est pas immortel, mais s'il doit disparaître, que ce soit avec éclat, non en douce.* »

D'abord s'occuper
de Bourassa

«Nous allons faire l'histoire», annonce Pierre Trudeau à Québec, une semaine après la signature de l'accord constitutionnel.

Mais à Vancouver, le 24 novembre 1981, il ajoute que son œuvre n'est pas encore tout à fait terminée: «Si nous ne voulons pas que les forces centrifuges aillent jusqu'à la brisure du pays, il faut que nous arrêtions le pendule avant qu'il balance trop loin.»

Le gouvernement fédéral va donc encore une fois tenter de faire basculer le fragile équilibre des pouvoirs de son côté. Et il ne s'agit plus de Constitution ou de droits individuels, mais d'économie. On passe aux choses sérieuses.

L'année 1982 vient à peine de commencer que Trudeau prend tout le monde par surprise en annonçant la création d'un nouveau ministère de l'Expansion industrielle régionale et de «conseils régionaux», des directoires dont les membres, exclusivement des technocrates fédéraux, véritables commissaires de la nouvelle république trudiste, vont désormais intervenir dans le développement des régions, sans même consulter les provinces.

La réforme administrative était préparée dans le plus grand secret par Michael Pitfield, au moment même où Pierre Trudeau tendait la main aux provinces anglaises pour leur faire signer l'acte de rapatriement de la Constitution.

« Le vieux type de fédéralisme, explique Trudeau, où nous donnions de l'argent aux provinces qui, en retour, nous tapaient sur la gueule parce que ce n'était pas assez tout en dépensant cet argent en disant qu'il venait d'elles... Cette sorte de fédéralisme-là, c'est fini ! »

Car c'est bien de cela qu'il s'agit : le gouvernement fédéral ne veut pas seulement décider de l'avenir des régions, mais il tient surtout à être « visible ». C'est que la réélection du Parti québécois, le 13 avril 1981, a surpris les libéraux fédéraux.

Ils croyaient pourtant bien avoir envoyé René Lévesque au tapis en mai 1980. Mais ce qu'ils considèrent être le « mythe du bon gouvernement » a ressuscité l'hydre séparatiste des cendres du camp du OUI. Les libéraux de Trudeau le prennent d'autant plus mal qu'ils « contrôlent » soixante-quatorze comtés sur soixante-quinze dans la province : seul le conservateur Roch LaSalle a résisté dans Joliette.

« Ils prennent l'argent et ils ne disent même pas merci ! » se plaignent les députés de Trudeau qui ne sont jamais invités à couper le ruban lors de l'ouverture des nouvelles usines financées par le Trésor fédéral.

Malheureusement pour Michael Pitfield et ses acolytes du Conseil privé, ils sont peut-être d'excellents experts en systèmes de gouvernement, mais ils gèrent mal la caisse. La réforme tombe en pleine récession, et le gouvernement fédéral n'a pas un sou à y mettre. La « visibilité » se résumera donc à quelques grands « coups de gueule » de ministres.

En décembre 1981, Pierre Trudeau ouvre un autre front : il accuse René Lévesque et ses ministres de trahir la Révolution tranquille : « Il faut que le Québec cesse d'écouter ceux qui lui prêchent le repli sur ses frontières. »

C'est au Sénat que, coup sur coup, le Gouvernement va essayer de passer en douce des projets de loi visant directement des acquis de la Révolution tranquille. L'Hydro-Québec et la Caisse de dépôt et placement sont maintenant dans le collimateur de Trudeau.

Marc Lalonde, alors ministre de l'Énergie, donne à son Office national de l'Énergie (ONE) le pouvoir d'exproprier un corridor à travers toute la province de Québec si Terre-Neuve se met en frais, avec l'aide des Américains par exemple, de développer le bassin hydro-électrique des chutes Churchill.

Le projet est tellement audacieux que personne ne le prend au sérieux. Il faudrait envoyer l'armée au Québec encore une fois, avant de griffer ainsi son territoire d'une longue balafre de pylônes et de câbles.

Bien sûr, il s'agit en même temps de faire pression sur la Saskatchewan qui refuse de laisser passer les mégawatts que le Manitoba veut expédier à l'Alberta. Mais la vraie cible est le Québec et la ficelle est tellement grosse qu'aucun gouvernement, même pas celui de Pierre Trudeau, n'a jamais songé à utiliser un tel pouvoir.

Au Québec cependant, l'alerte a été chaude et a servi de répétition générale.

Quelques mois plus tard en effet, André Ouellet, alors ministre de la Consommation et des Corporations, dépose en douce un projet de loi (S-31) qui bloque le développement de la Caisse de dépôt et placement du Québec.

Créée en 1963, la Caisse gère les épargnes forcées que les Québécois investissent dans le Régime des rentes du Québec. Le 20 avril 1966, le Québec a profité, pour la dernière fois de son histoire, de la formule de l'*opting out* et a institué son propre régime public de retraite. La Caisse se met alors à grossir d'autant plus vite que les fonctionnaires se sont trompés dans leurs calculs. En 1966, on prédisait que le Fonds de retraite des Québécois atteindrait quatre milliards de dollars vingt ans plus tard. Il était déjà de quinze milliards en 1982, et il dépasse largement plus de cent milliards du début de l'an 2000!

En 1982, c'est le Canada anglais qui demande à Pierre Trudeau de mettre la Caisse à sa place. Dix-huit ans après avoir écrit son manifeste pour une politique fonctionnelle, celui-ci va le mettre en application.

Du moins il va essayer…

Le président du Canadien Pacifique, Fred Burbidge, demande personnellement à Pierre Trudeau de limiter le montant des actions que les provinces peuvent acquérir dans des entreprises liées de près ou de loin au transport interprovincial.

À l'époque, le gouvernement de l'Alberta, via son *Heritage Fund*, venait d'acquérir la compagnie aérienne Pacific Western, et de transférer son siège social de Vancouver à Calgary. Officiellement, le gouvernement Trudeau veut donc empêcher l'Alberta de récidiver en mettant la main sur le Canadien Pacifique et en déménageant ce qu'il reste de son siège social de Montréal à Calgary.

Mais le chat ne met pas longtemps à sortir du sac, d'autant que la « vente » du projet est confiée à André Ouellet, l'un des ministres les plus maladroits de Pierre Trudeau. Celui-ci n'est pas seulement passé à l'histoire comme le « ministre de la MIUF », il a surtout été l'exécuteur des basses œuvres de Pierre Trudeau au Québec. Il devint d'ailleurs la tête de Turc des conservateurs et de Brian Mulroney en particulier.

Le plus gros actionnaire du Canadien Pacifique est en effet la Caisse de dépôt : elle en détient près d'une action sur dix. Avec Paul Desmarais, du Groupe Power, qui contrôle de son côté 12 p. 100 des actions, c'est près du quart des actifs du géant du transport intercontinental — CP Rail, CP Air, CP Navigation, les camions Smith, etc. — que les Québécois ont en main. Dangereux !

D'autant plus que depuis l'arrivée du PQ au pouvoir et surtout depuis la nomination de Jean Campeau à la présidence de la Caisse, celle-ci se montre gourmande.

« C'est de la nationalisation par la porte arrière, proteste André Ouellet, du socialisme déguisé. Et Campeau n'est qu'une marionnette dans les mains de Parizeau. »

« Dans l'intérêt national, je préfère faire confiance aux grandes entreprises du secteur privé, plutôt qu'aux provinces », affirme Jean-Luc Pépin, alors ministre des Transports.

Et Fred Burbidge mobilise le Canada anglais contre « la provincialisation d'une entreprise nationale par un gouvernement voué au séparatisme ».

Mais le ministre des Finances du Québec est alors un certain Jacques Parizeau qui, en 1963, concevait pour Jean Lesage la Caisse de dépôt et placement comme « un instrument de développement économique de la province de Québec ».

266

Parizeau rassemble ce qu'il appelle la « garde montante » et fait sensation à Ottawa, envahissant l'auguste Sénat canadien à la tête d'une nouvelle génération d'entrepreneurs d'État : Campeau de la Caisse, Jean-Claude Lebel de la Société Générale de Financement, François Lebrun de la Société de Développement Industriel, Paul Bourassa de Soquem, Pierre Martin de Soquip.

Et il n'y a pas que les technocrates du PQ qui montent à l'assaut du projet de loi S-31 : le secteur privé, sous la direction du président de la Bourse, Pierre Lortie, sonne la charge. Et les sénateurs conservateurs du Québec — Arthur Tremblay, Jacques Flynn, Martial Asselin — mènent une véritable guerre de tranchées.

Le Gouvernement avait pourtant espéré mener l'opération discrètement, dans l'indifférence somnolente de quelques sénateurs. « Quand la police fait une descente chez un criminel, elle ne le prévient pas à l'avance », dit André Ouellet pour expliquer pourquoi il a fait déposer le projet de loi devant une poignée de sénateurs, en fin d'après-midi.

En fait, la plupart des ministres fédéraux n'étaient même pas au courant du projet. « Le dépôt du projet de loi S-31, c'est le genre de décision que Trudeau prenait avec un petit groupe d'initiés sans qu'on ait grand-chose à dire », se rappelle Francis Fox.

Trudeau va finir par reculer, le 23 novembre 1983 : il renonce à son projet de loi. Mais les dégâts sont considérables : interdite de séjour à Bay Street, la Caisse de dépôt est obligée de se tourner vers les marchés américains. Pourtant, le dollar canadien est en chute libre et ce n'est pas le moment de faire sortir les devises. Mais une fois de plus, Trudeau a fait passer son obsession du séparatisme et son besoin de faire la guérilla avec le PQ avant les intérêts économiques du Canada.

(Ironie de l'histoire : en 1989, Marc Lalonde, alors administrateur de Steinberg, se retrouva plongé au cœur d'une autre bataille contre la Caisse de dépôt. Cette fois, la Caisse met la main, avec Socanav, sur l'héritage de Sam Steinberg. Michael Pitfield, vice-président du Conseil de Power Communications, parle de « The Caisse » comme d'une gangrène qui ronge tout le secteur privé québécois. Et comme la Caisse possède aussi un bloc d'actions de Provigo, les trois faucons, désormais sans pouvoir, n'ont d'autre ressource que de grogner contre le «nationalisme d'épicier» qui envahit «l'État-Provigo» de Robert Bourassa…)

Au moment où Pierre Trudeau renonce à son projet de loi S-31, il perd également une autre bataille: contre Robert Bourassa cette fois…

En 1969, les libéraux fédéraux avaient envisagé, avec Jean Marchand, de bloquer sa candidature à la direction de la Fédération libérale du Québec. En 1983, Trudeau va s'en mêler. Personnellement.

«Je suppose qu'une de mes grandes déceptions est de n'avoir pu convaincre le Parti libéral provincial de devenir vraiment fédéraliste, ni sous Lesage ni sous Bourassa, confie Trudeau à son biographe officiel… Il y a encore trop de chefs libéraux qui continuent à croire, comme ceux qui les ont précédés, que le vrai gouvernement des Québécois est à Québec.»

Pierre Trudeau ne s'est pas non plus très bien entendu avec Claude Ryan et, quand celui-ci abandonne la direction du Parti, c'est le branle-bas de combat à Ottawa.

«Les fédéraux n'étaient sans doute pas assez sûrs de ma foi fédéraliste, dit Bourassa en souriant d'un air entendu: ils étaient convaincus que ma conception du fédéralisme n'était pas la leur!»

Déjà en 1982, Marc Lalonde avait laissé entendre à Robert Bourassa que Pierre Trudeau pourrait le nommer à quelque poste prestigieux. Pour s'en débarrasser?

Toujours est-il qu'au cours de l'été 1983, les libéraux fédéraux cherchent désespérément un candidat susceptible de battre Bourassa et de prendre en main le Parti provincial.

«Ils ont essayé avec André Ouellet, avec Marc Lalonde, avec Jean Chrétien, ils ont essayé avec un paquet de noms, se souvient Robert Bourassa. Ils savaient fort bien que j'étais au courant qu'ils voulaient me bloquer.»

En fait, le seul candidat susceptible de battre Bourassa, c'est Raymond Garneau. Pierre Trudeau l'a remarqué pour la première fois en 1964, dans le salon de Georges Bussières, un homme d'affaires de Québec. Garneau et Lévesque discutaient vivement de l'orientation de la Fédération libérale…

«C'est à l'intérieur des structures fédérales que les nationalistes québécois doivent mener leur lutte», dit le jeune Garneau.

«Garneau, vous êtes rien qu'un p'tit crisse!» lance un René Lévesque excédé.

Trudeau, qui observe la scène de loin, tape sur l'épaule de Garneau et conclut: «Je pense que vous avez gagné: quand René Lévesque commence à sacrer, c'est qu'il a perdu!»

Depuis ce temps-là, Garneau n'a cessé d'être le protégé des libéraux fédéraux. Son fédéralisme est jugé plus orthodoxe que celui de Ryan ou de Bourassa. En 1979, Marc Lalonde lui offre le siège de Louis-Hébert, dans la ville de Québec, subitement libéré par la mort d'Albanie Morin. «Je ne vois pas ce que je ferais: cinquième, sixième ou septième violon à Ottawa», répond Garneau.

En 1983, il est président de la Banque d'épargne et gagne plus de trois cent mille dollars par année. Mais il sait que le prochain chef du Parti libéral deviendra inévitablement Premier ministre du Québec et le poste le tente même si sa femme, Pauline, ne veut plus rien savoir de la politique.

Les anglophones du Québec, les milieux d'affaires, les libéraux fédéraux, et une bonne partie de l'organisation provinciale dans la région de Québec, sous le contrôle de Marc-Yvan Côté, se mettent à son service. Il décide d'en parler ouvertement avec Bourassa, qui est tout de même resté son ami…

«Moi, je me suis préparé: je ne vois pas pourquoi je devrais me retirer, dit Bourassa. Prouvez-moi que je nuis au Parti et je ne resterai pas cinq minutes de plus. Mais dans la mesure où j'aide le Parti, j'aime ça. Je suis libre. J'ai de l'expérience. J'ai été Premier ministre sept ans et je peux l'être encore. Ne me demandez pas de me retirer…»

Malgré tous ses appuis, les sondages ne sont pas très bons pour Raymond Garneau. C'est alors que Pierre Trudeau intervient personnellement. Au début de l'été 1983, il invite Raymond Garneau et sa femme à sa résidence officielle d'Ottawa.

«L'épouse de Raymond était hostile à son retour en politique, se souvient Bourassa, et Trudeau a essayé de la convaincre de laisser son mari se présenter contre moi au leadership. J'ai trouvé plutôt inhabituel le zèle manifesté personnellement par monsieur

Trudeau. En le voyant ainsi convoquer un candidat et son épouse chez lui, j'en ai conclu qu'il voulait vraiment me bloquer.

« Connaissant Pierre Trudeau tellement distant, tellement au-dessus de la mêlée, j'ai trouvé que c'était là un geste tout à fait extraordinaire de sa part. »

Et cela faillit bien réussir. Raymond Garneau est ébranlé et son épouse sans doute flattée par tant d'insistance de la part du Premier ministre du Canada. Mais Henri Dutil et quelques hommes d'affaires de Québec ont commandé un sondage et se sont rendu compte que, malgré tout, Bourassa était en avance parmi les militants libéraux.

Pendant un interminable week-end de l'été 1983, en compagnie de Pierre Lortie, de Marc-Yvan Côté et d'un noyau d'organisateurs, Raymond Garneau réfléchit. Plusieurs fois, Marc Lalonde appelle, monte les enchères et offre un appui de plus en plus concret.

Enfin seul avec sa femme, vers deux heures du matin, Raymond Garneau renonce à se présenter contre Robert Bourassa.

« À Ottawa, ce fut la panique, se rappelle Bourassa. Ils savaient que si j'étais élu, j'aurais les mains totalement libres. Je ne leur devais rien et ils se sont dit : il ne nous aidera pas ! »

On ne parlait pas encore d'un Accord du lac Meech pourtant... « Mais ils savaient qu'il pourrait y en avoir un, prétend Bourassa. En fait, il y en a eu un ! Les libéraux fédéraux savaient qu'il y aurait un prix à payer pour permettre au Québec d'adhérer à la Constitution canadienne. Un prix qu'ils n'étaient pas prêts, qu'ils ne sont toujours pas prêts à accepter... »

Après le succès constitutionnel retentissant de novembre 1981, Pierre Trudeau perd donc toutes ses batailles contre les séparatistes et contre les fédéralistes du Québec. En fait, c'est maintenant le déclin d'un homme qui va bientôt finir comme une sorte de Maurice Duplessis national : avec la réputation d'un tyran, à la tête d'un régime corrompu.

Quand, à la surprise générale, il fait preuve d'indulgence pour le général Jaruzelski et la proclamation de la Loi martiale en Pologne, ses anciennes victimes, comme Gérald Godin, se souviennent.

« L'empressement de notre premier fédéraliste à donner sa bénédiction à la version polonaise de la Loi sur les mesures de guerre me conduit à conclure que dans notre « Cité libriste », il y a vraiment une foudre de guerre. Et qu'il y a, dans les rêves les plus secrets du cher homme, du militaire et du char d'assaut. Et donc qu'en 1970 il ne pouvait s'agir d'un accès passager de l'acné du légionnaire… »

Et les années Trudeau vont se terminer dans une véritable orgie de patronage.

Les années du « fédéralisme rentable » sous Bourassa et l'élection du Parti québécois ont en effet convaincu le gouvernement fédéral que les Québécois ne resteront loyaux au régime que s'ils bénificient directement de ses largesses.

Marc Lalonde a donc mis en place, au fil des années, un système de distribution des contrats tellement incrusté dans la machine administrative et subtilement programmé dans les ordinateurs des ministères de l'Expansion industrielle régionale, des Travaux publics et des Approvisionnements et Services, que même le Vérificateur général du Canada, et davantage encore les conservateurs de Brian Mulroney, y perdent leur latin.

Entrepreneurs, architectes, ingénieurs, avocats : les contrats vont toujours aux amis du pouvoir.

Et tous les jeudis matin, dans une salle du restaurant parlementaire, une demi-douzaine de ministres québécois alignent des noms devant la liste des postes à combler que leur soumettent les adjoints de Marc Lalonde.

En seize ans, Pierre Trudeau a de son côté nommé cent huit personnes au Sénat : en particulier ses intimes comme Jacques Hébert, Michael Pitfield, Jean Le Moyne et Philippe Gigantès (ses rédacteurs de discours), Michael Kirby, l'architecte du coup de force constitutionnel, Roméo LeBlanc, son ancien secrétaire de presse, Allan MacEachen, son fidèle lieutenant…

Juste avant de partir, voilà qu'il se laisse aller à dix-sept nominations qui vont pendre au cou de John Turner comme un terrible boulet. Certains osent presque parler de « régime de la grande noirceur » : triste revanche de l'histoire sur le polémiste de *Cité libre* !

Quand il fait une ultime pirouette sur la grande scène du Centre civique à Ottawa et qu'il prend enfin le chemin des coulisses avec ses trois fils, le 13 juin 1984, Pierre Trudeau est une dernière fois ovationné par les militants libéraux.

On n'entend pas de « Trudeau, Canada ! » comme le soir du 6 avril 1968. Personne ne « se sent orphelin », comme le matin du 21 novembre 1979. Il flotte plutôt dans l'air quelque vague inquiétude.

Avant de partir, Trudeau a en effet laissé les militants libéraux sur une dernière promesse, ou une dernière menace… « La réalité politique est telle qu'un gouvernement du Canada qui essaie d'aller à l'encontre du sentiment collectif et massif des Québécois ne garderait pas le pouvoir et serait donc remplacé par un Gouvernement plus respectueux du Québec… »

« *Il y a, au Québec, des blessures à guérir...* »

Le 3 mars 1980, c'était jour de transition à Ottawa. Les conseillers de Pierre Trudeau retrouvaient, dans l'édifice Langevin de la rue Wellington à Ottawa, les bureaux qu'ils avaient cédés aux adjoints de Joe Clark neuf mois plus tôt.

Dans l'ascenseur qui conduit au bureau du Premier ministre, un plaisantin avait collé une feuille de papier où on lisait simplement : « Plus jamais 74 ! »

C'était, bien sûr, une allusion à l'année 1974 : après deux ans de purgatoire dans un gouvernement minoritaire, l'entourage de Trudeau reprenait alors le contrôle de la situation. Et retrouvait en même temps son arrogance. En 1980, après neuf mois dans l'opposition, on suggérait donc d'éviter une répétition des mêmes erreurs.

Mais il se trouve aussi qu'aux élections générales du 18 février 1980, les libéraux avaient fait élire soixante-quatorze députés, sur un total de soixante-quinze, dans la province de Québec. Personne, et surtout pas les Marc Lalonde et les André Ouellet qui se gonflaient déjà d'importance au Canada anglais avec leur puissante « machine rouge » du Québec, ne pensait que le « Plus jamais 74 » prendrait une signification autrement cruelle en septembre 1984.

Quand Trudeau démissionne, le 29 février 1984, la question du Québec est carrément glissée sous le tapis dans son propre parti. Il n'y a même pas de «candidat du Québec»: malgré John Turner, qui s'est fait élire à Montréal en 1962; malgré Jean Chrétien, qui se pose en candidat du Canada français; et malgré Donald Johnston de Saint-Henry-Westmount, qui partage avec Trudeau l'héritage d'une certaine culture anglo-montréalaise.

Les deux seuls moments de la campagne à la succession de Trudeau où les intérêts de la province font timidement surface, c'est d'abord à l'occasion de la première bourde d'un John Turner rouillé par neuf ans de conseils d'administration à Bay Street, lorsqu'il suggère qu'Ottawa n'a pas à se préoccuper des intérêts des minorités de langues officielles; ensuite, au tout début de la course au leadership, lorsque Marc Lalonde laisse entendre que «ce n'est pas le tour» d'un Canadien français de devenir chef du Parti libéral puisque, alternance oblige, la couronne revient de droit à un Canadien anglais. Pierre Trudeau, inquiet de voir ses héritiers se déchirer — déjà! —, intervient personnellement devant l'ensemble de ses députés pour encourager Jean Chrétien à se présenter malgré tout.

Pour le reste, on veut un gagnant. On recherche le pouvoir pour le pouvoir et tout ce qui intéresse le Parti libéral dans le Québec, c'est un bloc d'électeurs susceptibles de l'aider à le conserver.

Quant aux «74», l'idée ne leur traverse même pas l'esprit de négocier leur appui au futur chef, contre un droit de veto par exemple. Roch LaSalle ne s'y trompe pas et les appelle désormais «les nouilles».

Chez les conservateurs, c'est une tout autre affaire.

Le 22 février 1976, le Canada anglais s'est ligué contre un Québec divisé: entre Claude Wagner et Brian Mulroney, c'est Joe Clark, le troisième choix, qui a été élu chef du Parti!

Mais les tories l'ont payé très cher: aux élections de 1979 et de 1980, le Parti conservateur s'est non seulement fait exclure de tout le Québec, mais de l'Acadie, du nord et de l'est de l'Ontario, et de Saint-Boniface au Manitoba.

Pendant les négociations sur le rapatriement de la Constitution, en 1981, Brian Mulroney se range derrière celui des trois chefs de parti à Ottawa qu'il admire le plus : Pierre Trudeau. Fédéraliste plutôt orthodoxe, et alors résident de Westmount, il épouse volontiers la ligne dure contre René Lévesque. Lorsqu'on lui demande s'il est prêt à accorder au Québec une compensation financière pour des programmes nationaux dont la province voudrait se retirer, Mulroney ne se gêne pas pour donner son avis : « Avant que je ne demande au Canada de donner un cent à René Lévesque, dit-il à Toronto au cours d'un débat télévisé sur la chaîne Global de l'Ontario, je vais lui demander ce qu'il est prêt à faire pour le Canada. »

Pierre Trudeau prend note de cette déclaration on ne peut plus claire : « J'ai l'impression que monsieur Mulroney a des loyautés profondes vis-à-vis du Canada et que cela le mettra en contradiction avec un Québec qui voudrait évoluer vers l'indépendance… Il a fait plaisir aux délégués des autres provinces en se prononçant contre la compensation financière pour le Québec : ce sont mes positions. »

Mais Brian Mulroney fait aussi un calcul qui séduit le « Tory Party » du Canada anglais : « Depuis cent seize ans, le Parti ne s'est jamais donné un chef canadien-français. Compte tenu qu'il y a huit millions de francophones au Canada et qu'ils boudent, avec raison, notre parti, il semble que le moment est venu d'avoir un chef qui puisse, de lui-même, attirer la sympathie des francophones d'abord. »

En brillant stratège politique qu'il est, Brian Mulroney reprend à son compte le raisonnement tout à fait opportuniste que le Parti libéral du Canada et Jean Chrétien en particulier ont tenu depuis longtemps : il y a cent deux comtés, dans tout le Canada, où les francophones, représentant plus de 10 p. 100 de la population, choisissent à toutes fins pratiques le député en votant, en bloc, pour « l'un des leurs ».

En 1980, ce genre de calcul a laissé, dans l'ensemble du Canada, un solde de deux députés sur cent deux au Parti conservateur.

Brian Mulroney est finalement élu chef de son parti avec le mandat bien clair de gagner la bataille du Québec. Il n'y a rien là pour inquiéter Trudeau. « J'ai l'impression que Mulroney essaiera d'être plus près de mes positions (que Joe Clark), qu'il essaiera d'aller chercher la population plutôt que les Premiers ministres provinciaux. »

Au cours de l'été 1984 cependant, Brian Mulroney lit dans l'âme des Québécois avec une lucidité renversante : « Cessez de vous engueuler sur la Constitution, créez des emplois : c'est ça le message des Québécois ! »

Raymond Garneau, lui aussi, a senti que les Québécois sont à l'affût d'une revanche sur Pierre Trudeau. Au tout début de la campagne électorale de 1984, il surprend tout le monde, y compris son chef, en annonçant qu'il part à Ottawa pour « récupérer le droit de veto du Québec ».

« Une perte de temps et d'énergie », commente Gil Rémillard qui, deux ans plus tard, chargé des affaires constitutionnelles dans le gouvernement de Robert Bourassa, sera bien content de retrouver un tel allié dans l'entourage de John Turner.

Mais Garneau commet une erreur en s'en prenant en même temps au Parti québécois, qu'il accuse d'avoir échangé ce droit de veto « contre un plat de lentilles ». Car ce n'est pas à Lévesque qu'en veulent les Québécois mais bien à Pierre Trudeau. On s'en rend compte lorsque les libéraux de John Turner lancent une chasse aux sorcières, version 1984, et pointent du doigt les candidats de Brian Mulroney qui ont voté OUI au référendum de mai 1980. Ils en ont repéré trois, alors qu'ils sont plusieurs dizaines !

Un incroyable revirement de l'histoire survient alors : le parti de Pierre Trudeau devient celui des « mange canayens », et ce sont les conservateurs — les bourreaux de Louis Riel tout de même ! — qui se posent en défenseurs de la « race » !

Du même coup, Brian Mulroney réunit la plus formidable coalition dont un chef de parti puisse rêver à Ottawa : non seulement le million et demi de partisans du OUI se mettent-ils au service des candidats conservateurs, mais les créditistes, les unionistes, les libéraux provinciaux font de même. Un large bloc de partisans du NON y trouvent eux aussi une occasion de se venger du marché de dupes dans lequel Trudeau les a entraînés.

La « coalition arc-en-ciel » dont on parle à l'époque, ce sont les grandes retrouvailles qui réunissent les rouges, les bleus, les verts, et même les péquistes, et leur permettent d'oublier les meurtrissures du 20 mai 1980. La réconciliation nationale a commencé là : le Parti libéral réalise qu'on ne gagne pas contre un Québec qui se serre les coudes.

« Il y a au Québec des blessures à guérir, lance Mulroney de sa Côte-Nord, des inquiétudes à dissiper, de l'enthousiasme à re-créer, et des liens de confiance à rétablir. Après le référendum, les Québécois et les Québécoises ont subi un véritable traumatisme collectif. Les Québécois et les Québécoises aiment le Québec et sont fiers du Canada. Ils ont le cœur assez grand pour ces deux allégeances... »

Pour Mulroney, il ne s'agit plus d'un simple calcul électoral. Comme dirait Arthur Tremblay : « Il a aussi la tripe québécoise. »

Le 5 septembre 1984, vers une heure du matin, comme étourdi par cette immense clameur qui monte du Centre récréatif de Baie-Comeau, séduit autant que converti par les arguments d'Arthur Tremblay et les appels passionnés de Lucien Bouchard, la voix couverte par deux mois de fatigue et d'émotions, le successeur de Pierre Trudeau lance au pays tout entier : « Nous devons imprégner notre fédéralisme de l'esprit de fraternité et de créativité qui lui a donné naissance. Ce qui nous unit d'une région à une autre, d'une ethnie à une autre, d'une langue à une autre, c'est quelque chose comme le lien sacré de l'intelligence, du cœur et de l'âme. » Ce soir-là, comme eût dit Wilfrid Laurier, « la province de Québec n'avait pas d'opinions. Elle n'avait que des sentiments. »

Pour Brian Mulroney, c'est une reprise de la coalition des Canadiens français de Sir Wilfrid Laurier et des Anglais de Sir John A. Macdonald. Contre les ultra-nationalistes de Toronto et du « golden square mile » de Montréal.

Robert Bourassa commente, évoquant la transition de Trudeau à Mulroney : « Certes, l'échiquier politique est modifié : mais on retrouve toujours à Ottawa un " Quebec power ", une présence du Québec encore très forte. »

Ce n'est sans doute pas un hasard si Bourassa parle de « Quebec power » plutôt que de « French power ». C'est d'abord avec le gouvernement des Québécois, plutôt qu'avec la population du Québec, que Mulroney veut négocier. Et Trudeau s'était trompé, en pensant qu'il essaierait d'aller «chercher la population, plutôt que les Premiers ministres provinciaux».

Même René Lévesque se laisse prendre au charme du «beau risque». Moins d'une semaine après son assermentation comme ministre des Communications, Marcel Masse saute dans un avion et ouvre une longue série de consultations fédérales-provinciales sur toutes sortes de dossiers gelés par l'ancien gouvernement.

«Il est essentiel que nous tournions la page», déclare Masse après sa première rencontre avec ses homologues québécois, Jean-François Bertrand (Communications) et Clément Richard (Affaires culturelles).

Brian Mulroney reste malgré tout un politicien rusé et prudent.

Il sait que René Lévesque est un chef de parti en déclin, probablement «sur son départ». Sentimentalement, par fidélité au souvenir de Daniel Johnson avec qui il prenait un verre dans les années soixante au bar du Château Frontenac de Québec, il aurait pu essayer de transiger avec le fils de celui-ci, Pierre-Marc Johnson.

Il décide plutôt d'attendre. Mulroney n'a rien à perdre de toute manière : Robert Bourassa est un chef politique aussi froidement réaliste que lui, et il offre un programme constitutionnel «vendable» au Canada anglais. Il ne parle même plus de ce «droit de veto» dont l'Ouest ne veut rien savoir.

Et Trudeau dans tout cela?

Pour un temps, il s'est carrément fait oublier. On l'invite de partout dans le monde, à prononcer des conférences, à se joindre à des groupes de réflexion sur la situation internationale. On l'honore, on lui distribue des prix et des médailles, et il passe à quelques voix d'obtenir le prix Nobel pour son «pèlerinage de la paix».

Il entre dans un bureau d'avocats où il retrouve des connaissances : Roy Heenan, un spécialiste des relations patronales-ouvrières qui s'est bâti une réputation de dur, au début des années soixante-dix dans le conflit de la United Aircraft, sur la rive sud de Montréal ; Peter Blaikie, un Anglo-Montréalais proche du Parti conservateur (il en a même été président et candidat à sa direction) et champion des causes contre la loi 101 en Cour suprême ; Donald Johnston enfin, candidat malheureux à sa succession, champion de l'orthodoxie «trudiste» dans le parti.

Pierre Trudeau voyage aussi beaucoup. Il utilise ses anciens contacts de chef de gouvernement pour défendre les intérêts de quelques hommes d'affaires montréalais : de Paul Desmarais en Chine par exemple, ou de Bernard Lamarre en Union soviétique.

À Ottawa comme à Québec, on s'est peu à peu convaincu que l'homme se désintéresse maintenant de la politique canadienne. Un seul incident vient rappeler à Pierre Trudeau que les Québécois ne sont pas encore prêts à lui pardonner ses coups de force.

Comme le veut la tradition, le gouvernement du Canada offre à ses anciens Premiers ministres un portrait qu'il commande au peintre de son choix. Trudeau fait savoir qu'il aimerait avoir un portrait de ses trois fils par Jean Paul Lemieux. Mais le vieil homme de l'île aux Coudres refuse, «pour des raisons personnelles». C'est finalement un peintre de la Nouvelle-Écosse, Tom Forrestall, qui va exécuter la commande.

En juin 1985, quand le Parti libéral du Québec réclame un préambule à la Constitution canadienne «reconnaissant explicitement le Québec comme foyer d'une société distincte et pierre d'assise de l'élément francophone de la dualité canadienne», Trudeau ne sourcille même pas. Personne, et surtout pas lui qui a connu tant d'échecs aux conférences constitutionnelles, ne croit à la possibilité d'un dénouement aussi rapide, surtout avec un programme aussi ambitieux.

(Le Parti libéral du Québec réclame aussi le rétablissement d'un droit de veto sur toute question de nature constitutionnelle ; un encadrement du pouvoir de dépenser du gouvernement fédéral ; des pouvoirs accrus en matière d'immigration et une participation à la nomination des juges à la Cour suprême : ce sont, avec la clause sur le caractère distinct de la société québécoise, les cinq conditions du Québec.)

L'élection de Robert Bourassa, en décembre, laisse encore Trudeau indifférent. «Je ne sais pas si Bourassa nouvelle manière sera conforme à l'idée que je me fais d'un chef du Parti libéral du Québec, laisse-t-il tomber. C'est possible qu'il ait un certain nombre d'idées claires sur l'endroit où il veut aller, mais ce n'était certainement pas le cas dans sa première période!»

Or, Bourassa sait très bien où il veut aller. Et il décide même de lui en parler.

Les deux hommes déjeunent ensemble dans un restaurant de la rue Saint-Denis à Montréal. C'est Rémi Bujold, ancien député des Îles-de-la-Madeleine à Ottawa, devenu chef de cabinet de Bourassa, qui a organisé la rencontre. Officiellement, Trudeau et Bourassa doivent seulement faire le point sur les grandes questions nationales et internationales. «Je lui ai parlé des cinq conditions du Québec pour signer la Constitution de 1982, explique Bourassa. Il n'était pas d'accord mais on n'en était qu'au début des négociations et on ne savait pas si on aboutirait à une entente.»

Le Premier ministre du Québec se garde bien de dire à Trudeau qu'il a demandé à Raymond Garneau de convertir le Parti libéral du Canada aux vertus de la société distincte.

C'est par Serge Joyal que, quelques semaines plus tard, Trudeau va apprendre que John Turner «achète», presque sans réserves, les cinq conditions posées par Robert Bourassa, qu'il est déjà en route pour une entrevue importante au *Devoir* au cours de laquelle il va annoncer sa conversion, et que les libéraux fédéraux du Québec vont proposer au congrès national du Parti, en novembre, d'entériner la reconnaissance du caractère distinct de la société québécoise.

Pierre Trudeau se sent trahi. Brian Mulroney est pris par surprise.

Des négociations se poursuivent en effet, dans le plus grand secret, entre Québec, Ottawa et les provinces anglaises. Mulroney et Bourassa ne veulent rien précipiter et surtout pas lancer un débat à travers le pays. Au moins, avec la conversion du Parti libéral du Canada, Mulroney et Bourassa sont débarrassés d'un important foyer d'opposition.

Le 30 avril 1987, vers 22 heures 45, une meute de journalistes monte le chemin de terre qui conduit à la maison Wilson, un vieux manoir de pierres perché sur une colline de la Gatineau, juste au-dessus du lac Meech. Les projecteurs des équipes de télévision et les flashes des photographes trouent la nuit d'encre qui enveloppe les cèdres tout proches.

Onze premiers ministres se sont enfermés, un peu avant midi, dans une salle de réunion du premier étage. Seuls deux fonctionnaires, l'un du fédéral, et l'autre de l'Alberta représentant les provinces, assistent passivement aux discussions, prenant des notes sans jamais intervenir.

Quand les onze chefs de gouvernement sortent de la maison Wilson, ils brandissent deux petites feuilles de papier.

Le lendemain matin, les journaux du Québec titrent : « Le Canada dit OUI au Québec » ; « Mulroney tient la promesse faite par Trudeau en mai 1980 ».

Cela tenait un peu de la provocation : se faire rappeler qu'il avait « trompé » les Québécois en mettant la tête de ses députés du Québec « sur le billot », c'était plus que Trudeau ne pouvait en supporter.

« Il faut que je fasse quelque chose, dit Trudeau à Gérard Pelletier. Mais comment ?

— Tu peux intervenir dans un grand journal du Canada français, dans *La Presse*, répond Pelletier. Mais tu devrais te méfier de ton agressivité », ajoute-t-il comme s'il savait que son ancien collègue de *Cité libre* ne pourrait s'empêcher de reprendre sa « plume ébréchée ».

En effet, quelques jours plus tard, Gérard Pelletier contacte son successeur à *La Presse*, Michel Roy, qui connaissait Pierre Trudeau depuis les années cinquante et avait toujours maintenu avec lui des rapports amicaux. « Trudeau et moi, nous sommes préoccupés par cet Accord du lac Meech, dit Pelletier. On ne peut pas laisser passer ça. On veut lancer un débat et, pour ça, on veut faire un gros coup. *La Presse* accepterait-elle... ?

— Mais comment donc ! » interrompt Michel Roy qui, tout en étant devenu rédacteur en chef d'un grand journal, n'en a pas moins gardé un incroyable flair de journaliste et un appétit légendaire pour le scoop.

Quelques jours plus tard, c'est Trudeau qui l'appelle cette fois... « Je songe à un texte genre *Cité libre*, quelque chose de très polémique. Je ne peux pas accepter cet accord et je veux mettre le paquet ! » prévient-il.

Lorsque Michel Roy reçoit le premier projet de texte de Pierre Trudeau, il fronce le sourcil en y lisant certaines attaques personnelles. La conclusion en particulier le choque : « Hélas ! on avait tout prévu sauf une chose, écrit en effet Trudeau : qu'un jour le gouvernement canadien pourrait tomber entre les mains d'un pleutre. C'est maintenant chose faite. Et le très honorable Brian Mulroney, C.P., M.P., grâce à la complicité de dix premiers ministres de province, est déjà entré dans l'histoire comme l'auteur d'un document constitutionnel qui — s'il est accepté par le peuple et ses législateurs — rendra l'État canadien tout à fait impotent. Dans la dynamique du pouvoir cela voudrait dire qu'il sera éventuellement gouverné par des eunuques. »

« J'ai signalé à monsieur Trudeau que certains passages de son texte allaient un peu loin, se souvient Michel Roy. Il a été Premier ministre lui aussi et un certain respect de la fonction, sinon des hommes, s'impose. Il y a eu un long silence à l'autre bout du fil. »

Le lendemain, Pierre Trudeau portait lui-même la version définitive de son texte à *La Presse,* sans en avoir changé un seul mot.

La version anglaise, qui sera publiée le même jour, le 27 mai, dans le *Toronto Star,* a été traduite par un employé de son bureau d'avocat. « Je n'ai pas envie de faire ce texte en anglais », avait en effet confié Trudeau. Comme si l'homme réservait son vitriol de polémiste aux Québécois.

Un texte pareil, d'une telle longueur et surtout coiffé d'une signature aussi prestigieuse, vaut une petite fortune dans la presse nord-américaine. Tout autre collaborateur ayant une certaine expérience recevrait plus de mille cinq cents dollars pour ce genre de collaboration spéciale.

Alors, Pierre Elliott Trudeau a-t-il été payé pour son « intervention genre *Cité libre* » ? Le rédacteur en chef de *La Presse,* à qui on pose la question, pense d'abord « lui avoir envoyé un chèque ». Mais vérification faite dans les livres du journal, Michel Roy revient sur ses propos. « Non, j'étais dans l'erreur, on n'a rien payé à Pierre Trudeau pour sa contribution… quoiqu'on sait que l'homme n'est pas tout à fait indifférent à ces petites choses. »

La dernière charge...

«Êtes-vous heureux ? demande Jack Webster, le Pierre Nadeau de la télévision de la Colombie-Britannique.

— J'espère passer une retraite heureuse, répond Pierre Elliott Trudeau. Quant à la place qu'on me réservera dans les livres d'histoire cela dépendra, je suppose, de qui les écrit.»

Pierre Trudeau n'a jamais aimé s'expliquer. Encore moins s'excuser. «Quand on fait une erreur, on vit avec», dit-il un jour à Jacques Hébert.

En vérité, Trudeau a tout pour être content de lui en ce 30 juin de l'année 1984. Au volant de son coupé Mercedes, il retrouve sa liberté et fonce vers le parc de la Gatineau avec une jolie blonde de vingt-quatre ans.

Le Canada est enfin «décolonisé»; les droits fondamentaux de tous les Canadiens, ceux des francophones de l'extérieur du Québec et des Anglo-Québécois, des autochtones — Indiens, Inuits et Métis — et des femmes sont protégés contre d'éventuelles lois d'une majorité oppressive au Parlement et dans toutes les législatures provinciales. Le principe de la péréquation, la redistribution des richesses entre régions riches et pauvres, une formule d'amendement plus souple et qui ne contient surtout pas cette «prime à la séparation» qu'est la formule de l'*opting out*, même l'odieuse clause dérogatoire — le «nonobstant» —, qu'un arrangement de dernière minute condamne à l'extinction automatique au bout de cinq ans : tout cela est protégé, «enchâssé», coulé dans le béton en somme.

Mais Brian Mulroney et le successeur de Trudeau lui-même, John Turner, ainsi qu'une foule de commentateurs du Québec commencent à ternir sa mémoire. «Ce n'est pas comme cela qu'il faut écrire l'histoire», proteste-t-il.

Dans le courant de l'été 1988, son ancien secrétaire principal, Tom Axworthy, le convainc de superviser la rédaction d'un livre sur «les années de Pierre Trudeau». Il en écrira lui-même la conclusion, comme pour poser un couvercle sur la marmite encore sous pression de dix-neuf années d'affrontements politiques.

En 1989, l'ancien secrétaire d'État du président Richard Nixon, des États-Unis, persuade Trudeau à son tour. «Vous devriez écrire vos mémoires, lui dit Henry Kissinger.

— Je n'ai jamais aimé écrire, et je n'en ai pas le temps, proteste Trudeau en haussant les épaules de dépit.

— Mais ce n'est pas comme ça que ça marche, explique Kissinger : vous demandez un million de dollars à un éditeur, vous engagez cinq ou six anciens collaborateurs en qui vous avez confiance, et ils écrivent le livre pour vous.»

Trudeau est franchement tenté. Non pas par l'argent, qu'il devrait de toute manière partager avec ses nègres, mais par l'occasion que cela lui donne enfin d'écrire lui-même l'histoire. Et de choisir la place qu'il pense y mériter !

C'est que son intervention «genre *Cité libre*» dans *La Presse* et le *Toronto Star* a provoqué toute une tempête qui pourrait bien l'emporter, en même temps que ses adversaires.

Après avoir publié le texte de Trudeau dans son journal, Michel Roy commande une réplique à Claude Ryan et se montre accueillant pour d'autres critiques comme celles du ministre des Relations fédérales-provinciales, le sénateur Lowell Murray, et de cet ancien compagnon de *Cité libre*, Maurice Blain, professeur de droit à l'Université de Montréal : «Cette dernière provocation, *Cité libre* ne l'aurait probablement pas publiée, pour cause de morgue et surtout d'usurpation de démocratie.»

Malgré tout, Pierre Trudeau n'est pas encore totalement isolé. Plusieurs commentateurs — Marcel Adam et Lysiane Gagnon, la cohorte des «trudistes» qui se commettent régulièrement dans la *Gazette* et le *Toronto Star*, les parlementaires libéraux nostalgiques des années Trudeau — lui donnent raison de relever que l'Accord constitutionnel, concocté en dix heures au lac Meech, se révèle, à l'examen, un peu bâclé.

Michel Roy offre d'ailleurs à Pierre Trudeau de «poursuivre la polémique» et de répondre à ses détracteurs. L'homme ne retient même pas l'offre puisque ses fidèles, à la Chambre des communes et au Sénat, lui offrent une tribune prestigieuse.

Le 27 août 1987, Pierre Trudeau se présente à 18 heures 28 devant le Comité mixte du Sénat et des Communes, dans une grande Salle des chemins de fer, près de la bibliothèque du Parlement remplie de jeunes «trudistes» pour la plupart anglophones, recrutés à Montréal et à Toronto.

(L'ancien Premier ministre se fait discrètement rappeler qu'il n'exerce plus de pouvoir sur le déroulement des événements: Brian Mulroney effectue en effet, le même jour, un important remaniement de son Conseil des ministres. Pierre Trudeau doit partager la manchette des journaux du lendemain avec son successeur; il s'en plaindra d'ailleurs.)

Essentiellement, Trudeau dit deux choses: le Canada anglais a payé trop cher sa paix avec le Québec, et la trêve sera de courte durée. Pire encore, l'Accord du lac Meech sape les fondements mêmes de l'État canadien: le pouvoir exécutif, le pouvoir législatif et le pouvoir judiciaire.

Hormis de la part du thuriféraire de son propre parti, l'ancien ministre Robert Kaplan, de Toronto, Pierre Trudeau n'a droit qu'à des critiques. Aucun des «Canadiens français» qui interviennent dans le débat de cent cinquante minutes, pas même le Franco-Ontarien Jean-Robert Gauthier (libéral), encore moins le Franco-Manitobain Léo Duguay (conservateur), n'endosse le pessimisme de Pierre Trudeau.

Mais c'est surtout le 30 mars 1988 que l'homme laisse poindre, une nouvelle fois, tout son dépit contre les intellectuels du Québec. (Autre provocation de Brian Mulroney: celui-ci annonce le même jour, comme en août 1987, un autre remaniement ministériel!)

Pierre Trudeau est là pour faire une mise au point, car cela l'«afflige un peu de voir comment d'aucuns se permettent de réécrire l'histoire du Québec.»

Devant ces anciens collaborateurs qu'il a lui-même nommés au Sénat et qui y resteront jusqu'à l'âge de soixante-quinze ans, l'ancien Premier ministre trahit l'angoisse d'un homme rejeté par l'élite d'une société de plus en plus distante dans laquelle il a malgré tout décidé de passer les derniers moments de sa vie et d'élever ses trois fils.

Trudeau reconnaît qu'il est de plus en plus difficile de reculer et de retirer au Québec cette promesse qu'on lui a faite le 30 avril 1987 : « Il y aurait du brasse-camarade en Landernau s'il fallait que Meech Lake soit rejeté. Je crois qu'à court terme on verrait un fort mouvement d'indignation au Québec, et non seulement parmi les leaders d'opinion. Mais je dirais aux Québécois que ce n'est pas la première fois que la chose se produit... Et si les médias le disaient aussi, au lieu de pousser de grands cris d'indignation, je pense que les Québécois tourneraient la page et regarderaient qui a gagné le dernier match de hockey »... C'est sans doute ce que Pierre Trudeau espérait qu'ils fassent, dans la nuit du 5 novembre 1981.

Quant à cette intelligentsia dont *le général Jaruzelski* des Québécois s'est toujours plaint amèrement qu'elle ne l'aime point davantage, il en profite pour régler un dernier compte avec elle... « Naturellement, c'est agréable de bénéficier d'un traitement spécial, et c'est pourquoi les intellectuels québécois sont restés tellement silencieux sur l'Accord du lac Meech...

« Un écrivain québécois, un artiste, un musicien, un poète réussiront sans doute, s'ils ont du talent, que le Québec ait un statut particulier ou non. Mais s'ils sont moins doués, les écrivains, les poètes, les artistes ou les musiciens québécois ont de meilleures chances de réussir au Québec parce qu'ils n'auront pas besoin de livrer concurrence au reste du pays. Voilà pourquoi le fédéralisme m'a toujours semblé être un système formidable, parce qu'il oblige les Québécois à faire ce dont ils sont fort capables, concurrencer les autres, faire concurrence à ces gens de la Nouvelle-Écosse qui se croient le nombril du monde. Ils peuvent leur montrer que nous valons autant qu'eux. C'est ainsi qu'on s'améliore. Si l'on s'enferme dans un statut spécial, avec des pouvoirs à soi, il ne reste plus qu'à faire concurrence aux autres membres du clan, ce qui est plus facile... »

Ce sont, presque mot pour mot, les termes que Trudeau employait dans ses articles de *Cité libre* au début des années cinquante.

Pourtant, le Québec a changé et plusieurs de ses anciens disciples le reconnaissent volontiers.

« C'est une bonne chose qu'il y ait des élections et que des députés se fassent battre, reconnaît Francis Fox : on renvoie les joueurs sur le banc, en quelque sorte. »

L'ancien député d'Argenteuil-Deux-Montagnes, ministre dans le gouvernement Trudeau, a été emporté par le « grand tonnerre bleu » de septembre 1984. Quand il a repris son bureau d'avocat, Place Victoria à Montréal, ses collègues ne se sont pas gênés pour lui reprocher son arrogance et surtout la façon dont il a traité le Québec pendant l'opération du rapatriement.

« Quand on "revient" comme moi, à Montréal, on s'aperçoit qu'une société est dynamique, qu'elle change, dit Fox. Et si une société est dynamique, ses institutions doivent changer elles aussi. Que le Québec soit une société distincte, c'est une évidence. Que le Québec ait un visage français, c'est non seulement désirable, c'est essentiel ! J'ai vu l'Europe de 1992 se faire : un changement majeur, peut-être une "révolution". Mais ici, on a l'impression que si on change quoi que ce soit, ça va être la fin du monde... »

Serge Joyal, un autre disciple de Pierre Trudeau, va encore plus loin. Il se demande si le Parti libéral du Canada n'a pas un problème québécois... « Les Québécois ont au moins gardé une chose de toutes ces années de grands rêves brisés. Ils ont découvert qu'ils n'avaient plus qu'une seule valeur commune : la langue, et que c'est celle-là qu'ils partagent, qui les cimente, qui les protège, qui les différencie des autres.

« Les Québécois ont perdu leurs héros : Drapeau, Lévesque, Trudeau. Ils ont perdu la foi politique, la foi familiale, la foi religieuse. Ils ont maintenant sublimé leur unité linguistique. »

Pierre Trudeau, comme Joyal, Fox et bien d'autres, est lui aussi « revenu à Montréal » en 1984. Il ne fréquente pas tout à fait le même type de professionnels : hormis quelques fidèles comme

Gérard Pelletier et Marc Lalonde, ce sont surtout les Anglo-Montréalais et l'élite de Toronto qui le courtisent encore.

L'homme a pourtant reconnu qu'il aurait bien besoin de refaire sa garde-robe d'intellectuel : « Avant mon entrée en politique, j'ai passé près d'une quinzaine d'années à accumuler des idées sur la société et sur la façon de la mener, à me tenir au courant de toute la littérature, à lire ce qui se disait, et tout le reste… Dans un certain sens, ce bagage de savoir, intellectuel et autre, que j'avais à mon arrivée dans le Parti, je suis incapable de le renouveler. »

Brian Mulroney et David Peterson ont essayé d'amener Pierre Trudeau à faire preuve d'un peu plus de modération dans ses propos. D'anciens collaborateurs de la haute fonction publique fédérale ont tenté de lui expliquer la portée de l'Accord du lac Meech. Son entêtement et son acharnement contre la reconnaissance du caractère distinct de la société québécoise en ébranlent certains, en chagrinent d'autres. Ses positions extrêmes l'isolent et le font peut-être souffrir… « Trudeau se sent délaissé, constate Paul Tellier. Des individus qu'il croyait ses disciples, comme Joyal et Fox, ne sont plus là. »

En effet, certains de ses anciens ministres qui partagent encore avec lui un bon déjeuner dans quelque restaurant à la mode de Montréal n'osent plus aborder avec lui la question du Québec, tant cela les attriste de toujours l'affronter. « À cause de sa position sur le lac Meech, Trudeau ne se sent plus à l'aise dans son propre parti », confie l'un d'eux.

Alors, tel un vieux lion blessé, Trudeau serre les dents, devient cruel, et décide de se battre jusqu'au bout.

En novembre 1987, l'ancien ministre John Roberts, qui venait de le rencontrer à Montréal et parlait aussi en son nom, lançait un premier avertissement : « La bataille va se livrer au niveau des législatures provinciales et nous tentons d'obtenir l'appui des libéraux dans ce combat. »

Le patriarche se rend donc disponible pour les chefs des partis libéraux provinciaux du Manitoba et du Nouveau-Brunswick, Sharon Carstairs et Frank McKenna. Trudeau compte surtout sur le nouveau Premier ministre de Terre-Neuve, Clyde Wells, un ancien ministre de Joe Smallwood — l'homme du «For Quebec? Nothing! Nothing! Nothing!».

Wells a en effet le pouvoir de défaire à la dernière minute, le 23 juin 1990, une entente qui se conclurait malgré tout et malgré Trudeau. Et Marc Lalonde se dit convaincu que le chef du gouvernement de Terre-Neuve aura l'audace d'aller jusque-là. On y reviendra…

Mais c'est surtout à la faveur de la course au leadership du Parti libéral du Canada que Pierre Trudeau a décidé de livrer sa dernière bataille. Déjà, au moment de son premier départ, en 1979, il avait dit: «Je voudrais m'assurer que ce parti-là ne tombe pas entre les mains d'une personne ayant une orientation très différente de la mienne.»

En 1984, Trudeau ne s'est pas vraiment mêlé de sa succession. Il soupçonnait sans doute, comme bien d'autres, que quoi qu'il arrive dans son propre parti, ce serait Brian Mulroney qui lui succéderait. Et n'avait-il pas dit que les positions du «petit gars de Baie-Comeau» étaient fort proches des siennes?

Maintenant que Mulroney se conduit comme un «pleutre», que David Peterson, Robert Bourassa et tous leurs collègues des provinces qui ont signé l'Accord du lac Meech sont des «eunuques», il ne reste plus à Pierre Trudeau que son propre parti pour se battre.

«Il a appelé Marc Lalonde et lui a promis de se mettre à son service, dit un proche des deux hommes. Trudeau s'est dit prêt à faire pour Lalonde ce que Lalonde a fait pour Trudeau en 1968.»

Du coup, plusieurs libéraux influents, de Montréal surtout, ont offert leur appui à Lalonde. «Si Lalonde y va, je l'appuierai», ont indiqué d'anciens députés et des ministres qui se sont pourtant déjà engagés en faveur de Paul Martin ou de Jean Chrétien.

Bien que Lalonde soit certainement le plus brillant dauphin de Pierre Trudeau, il s'est fait beaucoup d'ennemis dans le Parti. En vieillissant, l'ancien Père Fouettard des années soixante-dix a certes adouci l'aigreur de ses propos. Il se fait plus charmeur et sa supériorité intellectuelle séduit toujours autant. Mais il n'a rien perdu de son arrogance et il sait très bien que, contre le comportement familier et populiste de Jean Chrétien, il a peu de chances. Il a donc dit non, pour le moment.

Après avoir essuyé le refus de Marc Lalonde de reprendre le flambeau de l'orthodoxie «trudiste», Pierre Trudeau s'est retourné vers son éternel «lanceur de relève», Jean Chrétien, dans le courant de l'été 1989, et lui a posé des conditions.

Le «petit gars de Shawinigan» ne reculerait certainement pas devant une bonne bataille contre cette intelligentsia du Québec qui l'a toujours méprisé lui aussi. Mais il rêve maintenant de se réconcilier avec elle. Ses critiques contre l'Accord du lac Meech sont donc modérées. En fait, il n'a qu'une seule exigence: qu'on s'assure que la Charte canadienne des droits et de la personne aura toujours préséance sur les lois de l'Assemblée nationale du Québec, société distincte ou non.

Ce n'est pas assez pour Pierre Trudeau qui a menacé Jean Chrétien à mots couverts: «Mon appui n'est pas inconditionnel», lui a-t-il dit au cours de l'été précédent.

Une succession d'événements, tous plus dramatiques les uns que les autres, marquent les six premiers mois de l'année 1990: les membres du Parti libéral du Canada se choisissent un nouveau chef, conscients qu'il sera aussi, selon toutes probabilités, le prochain Premier ministre du Canada; Brian Mulroney et ses collègues des provinces tentent fébrilement, mais en vain, de sauver ce qu'il reste de l'Accord du lac Meech; une nouvelle étoile, Lucien Bouchard, monte dans le firmament politique du Québec et un nouveau parti naît sur la scène fédérale, le Bloc québécois, un parti souverainiste qui formera bientôt l'Opposition officielle au Parlement du Canada. Pierre Elliott Trudeau sera au cœur de tous ces événements, d'autant plus que le livre édité par Tom Axworthy — *Les années Trudeau* — sort enfin.

Jean Chrétien lance sa campagne pour la direction du Parti libéral le 16 janvier 1990 à l'université d'Ottawa. Son public, composé d'étudiants qui rêvent pour la plupart de couronner leur carrière par un séjour au Parlement tout proche, est acquis d'avance. Mais ce n'est pas pour eux que George Radwanski et Eddie Goldenberg ont choisi les mots de son discours. Non plus que pour les militants libéraux qui ont déjà décidé que « c'est le tour de Jean Chrétien ».

Quelques semaines plus tôt, les rédacteurs avaient eu la sage précaution de soumettre leur projet de discours à Pierre Trudeau. « Il a soulevé des problèmes et je lui en ai parlé au téléphone », finit par admettre Jean Chrétien.

Tous les candidats à la direction du Parti libéral du Canada – Jean Chrétien, Sheila Copps et Paul Martin en particulier – ont sollicité un entretien avec le patriarche. Il n'y a rien de surprenant à cela : le choix du chef a été fixé au 23 juin, à Calgary, ce qui est aussi la date limite à laquelle l'Accord du lac Meech doit être ratifié par les Premiers ministres du pays. Ou rejeté.

Les deux questions, de la place du Québec dans la confédération d'une part, et de l'avenir du Parti libéral du Canada d'autre part, sont donc de plus en plus étroitement tissées sur une trame que Pierre Trudeau lui-même a choisie.

Dans un dernier quitte ou double – mais y eut-il jamais une « dernière fois » avec cet homme ? –, l'ancien chef oblige donc son propre parti à choisir entre lui et le Québec. Il ne se rend pas compte que son acharnement risque d'avoir, sur l'avenir du Parti libéral du Canada, le même effet que la détermination de Sir John A. Macdonald à pendre Louis Riel en eut sur celui du Parti progressiste-conservateur.

Six ans après sa retraite, Trudeau le chef domine les débats qui secouent son propre parti. Et Trudeau l'ancien premier ministre s'invite encore à la table des chefs de gouvernement, se jugeant sans doute un interlocuteur incontournable.

Jean Chrétien adopte finalement la ligne dure, celle de Trudeau, prétendent ses adversaires. « Je reconnais le caractère distinct de la société québécoise, dit-il à un étudiant de l'université d'Ottawa, mais ça ne doit pas dire qu'il faut détruire le Canada pour y parvenir. » Il réclame de nouvelles négociations sur un projet révisé, modifié, des négociations « qui prendront le temps qu'il faudra ».

Tout le monde, à commencer par les ministres québécois de Brian Mulroney, voit dans ce discours l'influence néfaste de Pierre Trudeau. « Chrétien est l'homme de bras de Pierre Trudeau », accuse Benoît Bouchard. «C'est un désastre constitutionnel!» juge celui qui est encore ministre de la Couronne du Canada pour quelques mois, Lucien Bouchard. Le gouvernement a compris que, loin de s'estomper, l'opposition de Pierre Trudeau à son projet de réconciliation nationale va être amplifiée par la campagne à la direction du Parti libéral du Canada.

L'enjeu n'est plus Jean Chrétien contre tous les autres candidats à la direction du Parti – ce qui devrait effectivement être le cas – mais le choix entre deux visions du Canada, celle de Pierre Trudeau d'une part, et celle de Brian Mulroney, de Robert Bourassa et de tant d'autres fédéralistes du Québec.

«Jean Chrétien parle pour une autre personne, Pierre Trudeau, qui a été un bon chef mais qui ne l'est plus, dit Sheila Copps. Si Chrétien est élu, c'est la vieille garde qui dirigera le pays.»

Et un autre candidat d'envergure, Paul Martin, déplore que l'ancien Premier ministre n'ait pas de solution nouvelle à offrir: «Il est dommage que Trudeau revienne avec cette vieille vision dépassée qui fait courir le risque énorme que tout soit déchiré. C'est très dommage et il a manqué une belle occasion de se faire valoir…»

Pierre Trudeau tient tellement de place dans la course à la direction du Parti libéral du Canada que Jean Chrétien se sent obligé de prendre ses distances. «Je suis très différent de M. Trudeau, dit-il. Et de toute manière, il ne fera pas partie de mon cabinet!» L'agacement du «petit gars de Shawinigan», en ce début de mars 1990, se comprend: le livre *Les années Trudeau*, dont il signe lui-même un chapitre sur «L'épopée du rapatriement de la Constitution», doit sortir dans quelques jours. Et les éditeurs ont prévu une tournée de promotion de Pierre Trudeau à Montréal, Ottawa et Toronto.

«Il faudrait susciter un peu de *Trudeaumanie*», avait dit Jeffrey Goodman, le relationniste chargé de mousser les ventes du livre. Le résultat dépassera ses espérances. En mars 1990 en effet, Pierre Trudeau n'aura jamais autant fait parler de lui au point où, dans les coulisses, on évoque la folle hypothèse de son retour en politique.

Le vieux compagnon de voyages de Pierre Trudeau, Jacques Hébert, donne même quelque crédit à cette rumeur: «Je ne pense pas qu'il voudrait revenir, dit-il. Mais s'il y avait, d'un bout à l'autre du pays, un grand mouvement pour dénicher quelqu'un qui sait parler au nom du Canada, pourquoi ce bon vieux Pierre ne reprendrait-il pas du service pour quelque temps?»

Le livre ne réserve pourtant pas beaucoup de surprises. Les quinze essais qu'il contient, sur les seize années de gouvernement que Pierre Trudeau a dirigé de 1968 à 1984, ont été écrits par de proches collaborateurs qui veulent montrer «comment une équipe au pouvoir s'en est tirée». M. Trudeau lui-même n'a écrit que dix-sept des quatre cent-sept pages qu'il contient.

Certes, sa «plume ébréchée» égratigne au passage les nationalistes québécois qui ont combattu son projet constitutionnel de 1981. Mais il réserve ses plus virulentes attaques à Brian Mulroney. En deux pages bien serrées, il accuse le Premier ministre fédéral de «troquer l'âme canadienne contre un succès électoral» et les dix Premiers ministres provinciaux, avides d'accroître leurs pouvoirs, de «spolier l'État canadien». Il reproche aussi à son successeur d'avoir conclu, avec son Traité de libre-échange, «un marché de dupes aux termes duquel le gouvernement canadien cédait aux États-Unis d'Amérique de larges tranches de sa souveraineté».

Bref, après six ans de gouvernement Mulroney, «il était devenu évident, hélas! qu'à moins d'un vigoureux et improbable coup de barre, notre Grand Timonier pilotait le Canada vers la réconciliation et la paix, celles précisément qu'on trouve dans les cimetières marins».

À soixante-dix ans, l'homme n'a rien perdu de sa verve. On s'en rend compte à sa première conférence de presse à Montréal qui attire cent-vingt-cinq représentants des médias, du rarement vu dans la métropole. Rose à la boutonnière, il se fait tour à tour cajoleur, caustique ou drôle. Il s'excuse presque de s'être laissé entraîner dans cette campagne médiatique puis explique qu'il a accepté parce qu'il n'y a plus de voix qui s'élève pour défendre un Canada fort et uni… Jacques Hébert n'avait donc pas tout à fait tort!

Au Théâtre de la presse nationale à Ottawa, il retrouve les figures familières qu'il a fréquentées pendant toute sa carrière politique. Elles sont plus de cent, subjuguées par ce *has been* qui leur donnera de si belles manchettes dans les journaux du lendemain. Et à Toronto, c'est le triomphe : le *New York Times* et le *Times* de Londres ont dépêché leurs correspondants.

Toujours aussi énigmatique, « le sphinx » y va d'une remarque suzeraine sur ce Québec où il a décidé de vivre avec ses enfants : « Si le Québec se sépare, il se sépare, dit-il. Tout ce que je demande, c'est qu'il se décide. Moi je n'irai pas me pendre au grenier si le Québec se sépare. Je continuerai de vivre dans ma maison de l'avenue des Pins. Et puis, j'irai à la campagne aussi. Mes fils continueront de parler français et d'étudier l'anglais. »

À cette époque-là, l'appui à la souveraineté dans la population québécoise tourne autour de 50 %. Dans quelques mois, après la mort de l'Accord du lac Meech à laquelle il aura largement contribué, ce sera 60 %.

Mais tout cela est la faute de Brian Mulroney et de Robert Bourassa...

Le septuagénaire a peut-être une autre raison, encore secrète celle-là, d'être heureux dans ces premiers jours du printemps de 1990.

Comme John Roberts l'avait prédit et Marc Lalonde confirmé, la bataille contre l'Accord du lac Meech s'est maintenant transportée dans les capitales provinciales. En effet, ce ne sont pas les quatre-vingt-deux libéraux de John Turner élus à la Chambre des communes en 1988 — Jean Chrétien n'en fait même plus partie — qui arrêteront Brian Mulroney. Mais, ces mêmes libéraux gouvernent la moitié des provinces. Deux premiers ministres en particulier, Franck McKenna au Nouveau-Brunswick et Clyde Wells à Terre-Neuve, ont fait connaître leur opposition. Ce sont eux, avec la complicité d'un leader autochtone du Manitoba, Elijah Harper, qui finiront par avoir raison de ce projet de réconciliation nationale... « Tramé dans le secret d'une profonde nuit, au bord d'un joli petit lac québécois du nom de Meech », précise Trudeau.

La mort de l'Accord du lac Meech à la fin de juin 1990, comme sa naissance en avril 1987, est l'occasion de bien des tractations en effet. Dans la troisième semaine de juin, les premiers ministres, venus à Ottawa pour un dîner de travail, restent enfermés pendant six jours. Une armada de conseillers les accompagnent, qui passent la journée au Centre des conférences de la capitale et campent la nuit dans les hôtels du centre-ville... Dans la délégation de Terre-Neuve, une jeune avocate de trente-cinq ans, professeur de droit à l'université de Toronto, conseille le Premier ministre. Tous ont remarqué son acharnement contre l'Accord du lac Meech... Mais il y en a tant à ce moment-là!

Seuls quelques initiés connaissent son nom. Car dans les derniers jours de juin 1990, c'est le nom de son patron, Clyde Wells, lui-même constitutionnaliste brillant, qui est sur toutes les lèvres. Après avoir promis de soumettre l'Accord du lac Meech à un vote des députés de l'Assemblée législative ou à l'ensemble de la population par référendum, l'homme s'est récusé.

Le nom de sa conseillère pour les affaires constitutionnelles, Deborah Margaret Ryland Coyne, ne deviendra vraiment connu qu'après le 5 mai 1991. À cette date précise en effet, il apparaît sur un certificat de naissance enregistré à Saint-Jean de Terre-Neuve et fait au nom d'une petite fille, Sarah Elisabeth. Le nom du père de l'enfant: Pierre Elliott Trudeau!

Au Québec, les sentiments sont partagés entre l'incrédulité et la révolte. La bataille contre la reconnaissance du caractère distinct de la province de Québec, dont Pierre Trudeau a été l'inspirateur, et Clyde Wells l'exécuteur, aurait-elle donc été conçue, en même temps que Sarah, dans quelque chambre d'hôtel de la capitale. L'histoire en a vu bien d'autres il est vrai...

Il est cependant plus fascinant, et plus flatteur pour Trudeau, de retenir l'extraordinaire longévité de ce septuagénaire qui, séparé de Margaret Sinclair depuis le 27 mai 1977, se consacrait sagement, croyait-on, à l'éducation de ses trois fils.

En semaine, Pierre Trudeau quitte toujours son bureau d'avocat, à la firme Heenan Blaikie, vers 17 heures, pour superviser les devoirs de Justin et de Sacha, qui étudient à l'université McGill, et de Michel, qui fréquente encore le collège Brébeuf. Et il passe ses étés à leur faire découvrir la France, l'Angleterre, l'Irlande et surtout l'Écosse où il retrouve les traces de ses ancêtres Elliott, en Chine aussi qu'il parcourt à vélo ou en train, en Asie du Sud-Est, en Sibérie et au Japon.

Peu à peu, après ce printemps agité de 1990, Pierre Elliott Trudeau se fait oublier. Seuls quelques badauds, surpris, le croisent à l'occasion sur le chemin qui le conduit de sa résidence de l'avenue des Pins, aux pieds du mont Royal, à son bureau du boulevard René-Lévesque.

«Trudeau a gagné» pensent ses amis comme ses ennemis. Mais à quel prix? Lorsque, six mois plus tard, un proche veut organiser une réunion de soixante-dix de ses confidents et anciens collaborateurs à l'occasion de ses soixante-dix ans, il doit renoncer à son projet. Plusieurs parmi eux, des Québécois surtout, déclinent l'invitation d'appartenir à ce «club des soixante-dix».

Au fait, Trudeau a-t-il vraiment gagné? Le Québec est alors secoué par les travaux de la Commission Bélanger-Campeau qui, à l'exception d'un ancien ministre libéral, André Ouellet, s'entend rapidement sur un point: l'œuvre de réconciliation nationale est inachevée. Et le Canada risque un jour de payer le prix de son refus.

Brian Mulroney relance donc, avec un certain courage d'ailleurs, l'entreprise avortée en juin 1990.

Les négociations présidées par Joe Clark — cet ancien Premier ministre que Pierre Trudeau appelait avec mépris «le valet des provinces» — reprennent avec les dix premiers ministres des provinces, puis les chefs des Territoires du nord, puis les chefs des Nations autochtones.

Trudeau est en Afrique du Sud à ce moment-là et fréquente les bars clandestins de Soweto. Mais à vrai dire, il n'a aucune raison de se préoccuper de ce qui se passe au Canada. À dix-sept autour de la table, les négociateurs de Charlottetown comme on les appellera bientôt accouchent d'un texte tellement confus qu'ils n'arriveront même pas à s'entendre sur une version juridique qui doit être soumise à la population canadienne, par référendum, le 26 octobre 1992.

La confusion des textes n'empêche certainement pas Pierre Trudeau d'en faire une critique serrée. Une Clause Canada, qui reconnaît notamment des pouvoirs particuliers au Québec et aux communautés autochtones, revient selon lui à créer deux classes de citoyens. Une réforme du Sénat, dont les membres pourraient être élus par les assemblées législatives des provinces, affaiblirait le gouvernement central. D'autant plus que son pouvoir de dépenser, qui lui permet de lancer de nouveaux programmes nationaux, serait soumis à un droit de veto des provinces.

« Des politiciens essaient de nous faire croire que le OUI est un oui au Canada et le NON est un non au Canada. C'est un mensonge qu'il faut dénoncer », s'apprête à lancer Pierre Trudeau devant un petit groupe de fidèles réunis dans un restaurant chinois de Montréal qui répond au nom curieux — en français du moins — de *La maison du egg roll*.

Car il s'inquiète surtout de l'unanimité des élites du pays qui se dessine en faveur de « ce gâchis qui mérite de recevoir un gros NON ! » Tous les premiers ministres en effet, et même son successeur à la direction du Parti libéral et chef de l'Opposition, Jean Chrétien, font campagne en faveur de l'Accord de Charlottetown.

« C'est surtout à cause de cette unanimité que j'ai senti le besoin d'intervenir, explique-t-il. Je craignais que beaucoup de Canadiens, écrasés sous une avalanche de votes favorables, que ces Canadiens, dis-je, opposés à l'entente, se sentent orphelins parce que personne n'aurait défendu leur position. Je me suis donc résolu à plaider la cause de ceux qui allaient voter NON, aussi bien au Québec que dans le reste du pays... » Ce serait faire injure à Pierre Trudeau de rappeler que la présidente de l'un des « comités du NON », pendant cette campagne référendaire sur l'Accord de Charlottetown, s'appelait Deborah Coyne.

Face à une telle coalition de premiers ministres, de chefs de partis d'opposition et de commentateurs politiques, Pierre Trudeau frappe très fort.

Le 21 septembre 1992, alors que la campagne référendaire s'engage à peine, il fait publier un essai de six pages dans les magazines *Maclean's* et *L'actualité*. Il attaque le projet constitutionnel par son point le plus faible : les concessions faites au Québec. C'est une diatribe dont quelques extraits, mis en évidence par l'éditeur du magazine français, suffisent à en démontrer la virulence...

« De mythe en mensonge, les prétendues élites québécoises falsifient l'histoire pour prouver que tous nos échecs politiques sont la faute des autres et doivent être attribués à quelque noire conspiration ourdie contre nous...

« Les droits fondamentaux et inaliénables de tous les Canadiens sans distinction pourront être supprimés par des lois provinciales dont le but est de promouvoir une société distincte, et plus précisément d'avantager la "majorité francophone".

« De droits collectifs en société distincte, l'appétit de pouvoir des uns, joint à la lassitude et parfois à la bêtise des autres, auront posé comme fondement de la société qu'une majorité législative sera justifiée de supprimer arbitrairement les droits fondamentaux...

« Le Québec ne permettrait jamais que la constitution trouve domicile au pays, à moins que le pays ne paye une rançon au Québec. La rançon varie d'année en année, la seule constante étant que dès qu'elle a été payée, le gouvernement québécois en invente une nouvelle...

« Un pays doit choisir d'être ou de ne pas être ; on ne sauvera pas le Canada en le démantelant ; on ne peut pas permettre aux nationalistes de jouer à qui perd gagne, ni de refaire un référendum sur l'indépendance à tous les dix ans. On ne peut pas croire vraiment au Canada et réclamer en même temps le droit à l'autodétermination de ses provinces... »

Personne n'a noté qu'entre cette campagne référendaire d'octobre 1992 et celle de mai 1980, les arguments de Pierre Elliott Trudeau sont totalement renversés. En mai 1980 au Centre Paul-Sauvé de Montréal, le Premier ministre « s'adresse solennellement aux Canadiens des autres provinces. Nous mettons notre tête en jeu, nous du Québec, quand nous disons aux Québécois de voter NON, annonçait-il ; nous vous disons que nous n'accepterons pas qu'un non soit interprété par vous comme une indication que tout va bien, que tout peut rester comme avant... »

En octobre 1992, Pierre Trudeau s'adresse encore aux Canadiens des autres provinces. Mais cette fois, c'est pour les mettre en garde contre un Québec qui les fait chanter depuis vingt-deux ans et à qui ils doivent dire NON une fois pour toutes.

« Nous voulons des changements », avait encore dit M. Trudeau en 1980. Que ces changements, qui sont effectivement survenus avec le rapatriement de la Constitution en 1982, aient été rejetés par tous les partis politiques du Québec, fédéralistes comme souverainistes, et que le Premier ministre du Canada, comme tous les chefs des gouvernements provinciaux, aient convenu qu'ils n'étaient pas satisfaisants, tout cela n'ébranla jamais M. Trudeau.

On mesura alors le poids politique de cet homme qui, depuis plus d'un quart de siècle, défendait une vision du Canada tellement pluraliste qu'il en faudrait gommer toutes les différences. Dans les quarante-huit heures qui suivirent le discours de Pierre Trudeau à *La maison du egg roll*, les sondages indiquèrent que les intentions de vote en faveur du OUI avaient chuté de quatorze points, de 43 à 29 %. Les intentions de vote en faveur du NON passèrent quant à elles de 34 à 46 % !

Le NON va finalement l'emporter avec 54,3 % des voix dans l'ensemble du Canada, dont 55,4 % au Québec et jusqu'à 67,7 % en Colombie-Britannique.

« Et la vie continue… » écrit Pierre Trudeau dans ses Mémoires, publiés en même temps que la diffusion d'une série de trois cent-trente minutes d'entrevues télévisées sur les ondes des réseaux anglais et français de Radio-Canada. La vie continue, la vie politique surtout…

Depuis le 4 novembre 1993, alors que Jean Chrétien est devenu Premier ministre du Canada, Trudeau s'abstient généralement de commenter l'actualité. Tout au plus s'impose-t-il, chaque année, de s'asseoir à la table d'honneur du grand dîner-bénéfice qu'organise le Parti libéral du Canada à l'hôtel Reine-Elizabeth. Il écoute, plutôt distraitement et sans réaction apparente, le discours de son élève. Et les invités remarquent, d'année en année, que l'homme commence à vieillir. Des tics crispent son visage de plus en plus émacié. La rumeur veut qu'il souffre de la maladie de Parkinson. Mais ceux qui sont assis à sa table remarquent aussi avec envie qu'il n'a pas perdu son habituelle et légendaire vivacité d'esprit.

I grow old… « Je me fais vieux », dit-il un jour, citant le poète T.S. Eliot. Pourtant, il n'en a pas encore fini avec les séparatistes. Le 12 septembre 1994, Jacques Parizeau devient Premier ministre du Québec. Et cet homme, un ami de jeunesse chez qui il lui est arrivé de danser la polka, dans son salon de la rue Robert à Outremont, a un vrai plan.

De bien des façons, Jacques Parizeau est un adversaire à la mesure de Pierre Elliott Trudeau. De fait, le nouveau Premier ministre du Québec a annoncé que la question référendaire sera claire : « Voulez-vous que le Québec soit un pays indépendant en date du... » C'est exactement ce que Trudeau a toujours souhaité.

La campagne référendaire de 1995 commence dans l'euphorie pour les fédéralistes : les sondeurs leur promettent une victoire à plus de 60 %, un résultat plus décisif qu'en 1980. Du coup, Jean Chrétien retient ses troupes, demande même à tous ceux qui ne sont pas directement concernés — mais Trudeau peut-il être de ceux-là ? — de s'abstenir.

À mi-campagne, le camp du OUI en arrache effectivement. C'est la personnalité de Jacques Parizeau qui accroche, ce que l'on commence à dire ouvertement dans les officines souverainistes. C'est alors que la bombe éclate, à l'occasion d'une réunion du Conseil national du Parti québécois à l'Université de Montréal : Lucien Bouchard sera le négociateur en chef de l'entente de partenariat que le Québec proposera au reste du Canada, après que les Québécois se seront prononcés en faveur de la souveraineté. La foule des militants se met à scander : « On va gagner ! On va gagner ! »

Et c'est bien ce qui a failli arriver... Lucien Bouchard, le champion de l'Accord du lac Meech, le héros de la « énième dernière chance », se fait professeur d'histoire. Il rappelle tous les sombres moments des vingt dernières années, auxquelles Pierre Trudeau a été associé. Le soir du 25 octobre, dans une allocution télévisée en direct sur tous les réseaux du pays, il brandit la première page du *Journal de Québec,* daté du 6 novembre 1981, où on voit les visages de Pierre Trudeau et de Jean Chrétien, hilares, coiffés d'un gros titre « Le Québec est trahi ! » Cette fois, Bouchard pointe du doigt le véritable ennemi du Québec, qui n'a pourtant encore rien dit : Pierre Elliott Trudeau.

Cette semaine-là, la panique s'installe dans le camp fédéraliste. Le 26 octobre, à la veille d'un rassemblement monstre sur la Place du Canada à Montréal, les sondeurs donnent sept points d'avance au camp souverainiste. Pierre Trudeau souhaite intervenir, encore une fois. Mais Jean Chrétien refuse.

C'est de la fenêtre de son bureau, au vingt-cinquième étage du 1250, boulevard René-Lévesque, que le vieil homme contemple la foule, ces soixante à soixante-dix mille personnes venues de tous les coins du pays, parfois en avion nolisé, brandir le drapeau du Canada et scander : « Québec, on vous aime. »

« Les organisateurs ont jugé qu'ils n'avaient pas besoin de moi, expliquera Trudeau, d'un ton désabusé. C'était leur *show* et ils pensaient qu'ils savaient ce qu'ils faisaient. » Ce midi-là, alors que la foule ne s'est pas encore dispersée, Pierre Trudeau s'engagea avec un ami sur le boulevard René-Lévesque, dans la direction opposée à la manifestation. Et pour une fois, il prolongea son déjeuner jusqu'à une heure avancée de l'après-midi...

Les organisateurs savaient-ils vraiment ce qu'ils faisaient d'ailleurs ? Trois jours plus tard, le pays passe à quelques décimales d'éclater : 50,48 % des suffrages exprimés en faveur du NON. 49,52 % pour le OUI. Une marge de 54 288 votes sur 4 757 509 suffrages exprimés.

Pierre Trudeau est furieux et ne se gêne pas pour le faire savoir aux amis qu'il rencontre pendant la période des Fêtes. Il commande la transcription de toutes les déclarations que Lucien Bouchard a faites entre le 14 et le 27 octobre 1995 — car c'est à lui qu'il en veut plutôt qu'à Jacques Parizeau — et les analyse ligne par ligne.

Le 3 février 1996, il réplique enfin, dans *La Presse*, à celui qui, six jours plus tôt, est devenu Premier ministre du Québec : « J'accuse Lucien Bouchard d'avoir trompé la population du Québec durant la campagne référendaire d'octobre dernier. En dénaturant l'histoire politique de sa province et de son pays, en semant la discorde entre les citoyens par son discours démagogique, en prêchant le mépris pour les Canadiens qui ne partagent pas ses opinions, Lucien Bouchard a outrepassé les bornes de l'honnête débat démocratique... » Il ne mérite pas, selon lui, la confiance des honnêtes citoyens de sa province.

Sept jours plus tard, Lucien Bouchard remplit à son tour une autre page du journal *La Presse*. Il n'y a pas vraiment de débat entre les deux hommes puisque chacun a sa propre version de l'histoire. Bouchard s'estime toutefois en bonne compagnie : « Au

Québec, les Jean Lesage et René Lévesque, Daniel Johnson père et fils, Jacques Parizeau, Claude Ryan et Brian Mulroney... tous, à un moment ou à un autre, ont été répudiés, conspués, accusés par Pierre Elliott Trudeau. Me voici introduit dans ce club de démocrates. Avec eux, et tous les Québécois, je plaide coupable. »

Une autre semaine se passe avant que Pierre Trudeau mette un point final au débat. « Mais non, M. Bouchard. vous m'avez mal lu, je ne vous ai jamais accusé d'être démocrate ! » raille-t-il. Et il conclut, cinglant : « Je respecte toujours assez l'engagement politique pour reconnaître qu'à votre manière vous croyez travailler pour le bien du Québec. Comme je ne pense pas que votre manière soit la bonne, je ne vous souhaite pas de réussir. Mais je vous dis quand même : Dieu vous garde ! »

Telle est la dernière contribution publique de Pierre Elliott Trudeau au débat politique qui a ébranlé le Canada, et qu'il a dominé de toute sa personne pendant trente-cinq ans.

Car la fin du siècle est bien triste pour le patriarche. Le 22 juin 1997, Gérard Pelletier disparaît, à l'âge de soixante-dix-huit ans, emporté par le cancer. « C'est un peu de mon âme qui s'en va », murmure Pierre Trudeau sur le parvis de l'église Saint-Léon de Westmount. Après Jean Marchand, c'est une autre colombe qui s'envole vers l'éternité. Trudeau reste seul, avec ses alliés de 1968, Marc Lalonde et Michael Pitfield, eux aussi ébranlés par la maladie.

Le lundi 19 janvier 1998, il fera bien une brève apparition au Metro Hall de Toronto pour le lancement de la version anglaise de *Cité libre*, mais le magazine, ressuscité en juillet 1991 après trente-cinq ans de silence, est devenu une feuille marginale, qui n'inspire plus que quelques nostalgiques de l'époque Trudeau. Sans les fameux soupers de *La maison du egg roll*, son influence eût été nulle et il fût passé inaperçu.

On sent quand même, à l'occasion de cette réception de cinq cents personnes — surtout d'anciens ministres et d'obscurs députés et conseillers politiques — que le grand personnage s'enfonce lentement dans la discrétion réservée aux vieillards. Déjà on ne se demande plus, comme Brian Mulroney ou Jean Chrétien au moment des grandes décisions : « Que va dire Trudeau ? » C'est plutôt : « Comment est Trudeau ? » dont on s'inquiète à l'occasion.

C'est un tragique accident de ski de son fils Michel, son préféré peut-être parce que rebelle comme lui, qui le ramène dans l'actualité. Le 13 novembre 1998 — un vendredi 13 constateront certains — le jeune homme de 26 ans est emporté par une avalanche dans le parc provincial du glacier Kokanee, en Colombie-Britannique.

« La perte de Michel a été dure pour lui », confie Justin qui est devenu le porte-parole de la famille. L'homme fêtera ses 80 ans un mois plus tard. C'est dans l'indifférence qu'il voit les médias, surtout ceux du Canada anglais, souligner l'événement par des numéros spéciaux et de longs documentaires.

Tout de même, les éditeurs des journaux de tout le pays, membres de *La Presse canadienne*, l'élisent « personnalité la plus marquante du XXe siècle ». Pour les seuls médias francophones cependant, Pierre Elliott Trudeau est devancé par son éternel rival, René Lévesque.

L'homme ne savourera pas ce triomphe, pas plus qu'il ne fêtera le nouvel an avec les deux fils qu'il lui reste, dans son chalet des Laurentides. Le 31 décembre, il est admis à l'hôpital Royal-Victoria pour une mauvaise pneumonie. L'alerte est sérieuse, et l'attaque suffisamment grave, pour qu'il ne s'en remette jamais totalement. Il reste désormais de plus en plus enfermé dans sa grande maison de l'avenue des Pins où il relit la Bible, comparant les diverses versions qui en ont été publiées et notant les erreurs des traducteurs ou des éditeurs.

« C'est un homme très distant, explique Sacha. Il reste privé, même pour nous. J'imagine qu'il a eu une vie solitaire et je crois que cela fait partie de son personnage. Il restera toujours, d'une certaine façon, assez distant de quoi que ce soit. »

Le jeudi 7 septembre 2000, à 12 heures 36, la « vie solitaire » de Pierre Elliott Trudeau est une fois de plus envahie, malgré lui. Ses deux fils viennent d'envoyer à *La Presse canadienne*, par télécopieur, une note de quatre lignes qui commence ainsi : « Notre père, le très honorable Pierre Elliott Trudeau, ne se porte pas bien… »

On mesure alors tout ce que cet homme représente pour son pays. Il a quitté la vie politique depuis seize ans, quatre autres premiers ministres lui ont succédé, sa maladie l'empêche de parler haut et fort comme autrefois et sa main tremblante a peine à tenir une plume, mais le pays est bouleversé comme si c'était le chef de l'État qui allait soudain être emporté.

Ce jeudi 7 septembre 2000, le temps s'est soudain arrêté et le Canada tout entier s'est mis à veiller aux portes de la maison de l'avenue des Pins. Pour la première fois peut-être, les Canadiens se sont rendu compte que la vie publique de Pierre Elliott Trudeau était bel et bien terminée, que leur infatigable champion ne serait plus des grandes batailles entre le Canada et le Québec.

Puis, le jeudi 28 septembre à 15 h, Pierre Elliott Trudeau s'éteignait en sa demeure, à Montréal. Margaret, Justin et Sacha étaient à ses côtés.

Le Canada feuilletait alors les pages de son histoire contemporaine. Les pages jaunies de *Cité libre* où, au fil de sa jeunesse, il promettait de «bâtir le socialisme», fouettait ce «dégueulasse peuple de maîtres chanteurs» — le sien! —, pourfendait le régime de Maurice Duplessis, annonçait un «fédéralisme fonctionnel».

Les pages de la *Gazette officielle du Canada* où sont répertoriées les lois de la société juste, juste pour les minorités de langues officielles, juste pour les régions défavorisées, juste pour les consommateurs de pétrole aux prises avec des chocs pétroliers à répétition. Des pages souvent amendées depuis, gommées par ses successeurs emportés dans le vent du néolibéralisme et de la mondialisation.

Les pages de la Constitution, où l'homme d'État intraitable sur les principes qui suspendit les libertés individuelles par la Loi des mesures de guerre, fit inscrire pour toujours une véritable Déclaration des droits et libertés de la personne.

Les pages des comptes publics enfin où, à coups d'interventions et au nom d'un nationalisme économique aujourd'hui dépassé, s'empilaient les déficits et s'allongeait la liste des créditeurs de la dette publique du Canada.

Les télévisions feront le reste, avec les images d'un premier ministre qui pirouette dans le dos de la Reine, d'un jeune ministre qui se dresse aux Communes dans une veste de cuir, d'un élégant qui fréquentait les stars de cinéma, les reines de beauté et des inconnues toujours jolies. Ce visage surtout, qui pouvait se faire doux, pincé, sarcastique, terrible. «Just watch me»: les photographes en avaient toujours pour leur dernier déclic.

«Nous devons nous rendre à l'évidence que le Canada n'est pas immortel. Mais s'il doit disparaître, que ce soit avec éclat, non en douce», dit-il un jour en volant au secours de sa Constitution. Le «Trudeau Canada!» de 1968 n'a jamais rien fait en douce. Et même quand il ne disait rien, ses successeurs au Parti libéral continuaient de craindre ses coups d'éclat. C'est pour cela que son courrier était si abondant et son téléphone si occupé. «Qu'en pense Trudeau? » se demandait-on jusqu'au 27 juillet dernier, quand il quitta pour la dernière fois son bureau d'avocat.

Après René Lévesque, voilà qu'un autre père fondateur a libéré son parti de son encombrante présence. Après Jean Marchand, puis Gérard Pelletier, la troisième colombe a pris son dernier envol.

Le pays tout entier a salué le départ de ce géant. Les notables du pays — Gouverneure générale, juges de la Cour suprême, premier ministre, membres du cabinet, diplomates — et des milliers de citoyens sont venus saluer sa dépouille. Puis une ultime salve de coups de canon a marqué son dernier départ de la capitale vers le Québec où il voulait être enterré.

Dans cette terre qui l'avait vu naître, Pierre Elliott Trudeau est enfin devenu, irrémédiablement et pour l'éternité, Trudeau le Québécois.

En guise d'adieu

« Mais il est mort avant que j'aie
jamais pu le heurter de front. »

Faut-il conclure ? Ce serait risquer d'avoir tort. Ou dispenser Trudeau de reconnaître qu'il s'est trompé.

Vingt-quatre juin 1968 ; 16 octobre 1970 ; 15 novembre 1976 ; 20 mai 1980 ; 5 novembre 1981 ; 27 août 1987, 1er octobre 1992... Du haut de sa colline parlementaire et même d'ailleurs, Trudeau a passé vingt années de vie publique à défier le Québec.

À Ottawa, les fenêtres de son bureau de Premier ministre donnaient, les unes sur ce Grand Nord où il aimait tant s'échapper, les autres sur le Canada anglais de l'Ontario et de l'Ouest. Entre sa table de travail et son peuple, il y a toujours eu ce Parlement dont il a su se servir à l'occasion pour lui bâtir une société plus juste, lui envoyer son armée ou l'enchâsser dans la loi de la majorité anglaise.

Arrogant, Trudeau ? Mais il le fut avec tout le monde : les pêcheurs de l'Atlantique, les orangistes de l'Ontario, les fermiers des Prairies, les « chiâleux » de la Colombie-Britannique, les Américains de Richard Nixon, les Français du général de Gaulle.

Un traître, Trudeau ? Non ! protestait Pierre Vadeboncœur : « À l'encontre de bien des choses qui s'écrivent sur lui, je n'ai pas la moindre hésitation à affirmer que Trudeau ne trahit pas, mais qu'il est au contraire scrupuleusement fidèle à sa pensée, qui est rigide, et qui est aussi droite qu'elle est, d'une certaine façon, étroite. »

D'ailleurs, comment trahir une cause dont on a toujours nié la légitimité ?

Un enfant difficile peut-être, ce Trudeau tiraillé entre deux cultures, privé de son père en pleine adolescence, sans cesse invité au voyage par une mère qui semblait ainsi le pousser hors du nid et l'obliger à voler de ses propres ailes.

Quand Pierre Trudeau parle de son père, on croirait entendre un Québécois évoquer sa propre mémoire : « Il possédait une certaine autorité, ce pourquoi je le respectais en même temps que, durant les dernières années de sa vie, j'étais parfois porté à le défier, comme le font tous les adolescents… »

Il y a comme une pointe de regret dans la manière dont Pierre Elliott Trudeau évoque le départ prématuré de son père. Comme s'il n'avait jamais pu liquider la réserve de combats qu'il aurait dû mener contre lui : il l'admira sans avoir le temps de lui montrer qu'il lui était supérieur ; il le respecta sans jamais lui prouver qu'il pourrait se passer de ses conseils ; il fut jaloux de son succès avant d'établir sa propre réussite.

Peut-être Trudeau souffre-t-il de ne pas avoir vécu le rite initiatique de l'affrontement qui l'aurait sacré membre de la « tribu ». Adulte précoce plutôt qu'enfant prodige, Trudeau reporte son agressivité sur un Québec encore adolescent, se défoule avec hargne sur « un dégueulasse peuple de maîtres chanteurs », méprise les Canadiens français du Québec qui parlent un « français négligé », qui se font endoctriner par les curés et se laissent acheter par les Anglais.

Trudeau voyage, comme pour fuir une société recroquevillée sur ses tares et à laquelle il refuse d'appartenir. Tel un père trop souvent absent de la maison, il ne voit pas le Québec grandir, s'émanciper. Il n'est pas là, non plus, pour se mesurer à lui.

Quand il ne lui reste plus rien à découvrir ailleurs, Trudeau revient au pays. Et comme s'il voulait encore une fois se couper d'un peuple auquel il refuse d'appartenir, il s'installe au pouvoir pour dire : « Non ! » Seul, tellement loin, impatient pour ceux qui ne le comprennent pas, méprisant pour ceux qui refusent de le suivre.

Il est toujours resté l'enfant terrible, celui qui cherche les bagarres, qui lance les défis, qui dit : « Non ! »

Les taloches du « Cité-libriste » effleuraient à peine le Québec. Mais les coups du Premier ministre du Canada marquent le destin collectif des Québécois. Et son « Non ! », une majorité, quoique de plus en plus faible parmi son peuple, l'a endossé.

Dans le grand psychodrame de l'histoire du Québec, au lendemain de la « grande noirceur », au-delà du référendum de 1980 et bien après, quand lui prenait l'envie de se mêler des affaires de l'État, Trudeau resta l'«esprit qui toujours nie».

Entre le «Oui!» de René Lévesque et le «Non!» de Pierre Trudeau, le Québec a vécu ses contradictions avec une déchirante intensité. Roger Marcotte dresse un triste bilan: «Les affrontements de Trudeau avec Lévesque ont nui aux deux hommes et au peuple qu'ils voulaient servir.» Car il y a quelque chose de profondément schizophrène à porter, d'un même mouvement des tripes, Lévesque au pouvoir à Québec et Trudeau à Ottawa.

Triste destin que celui d'un peuple qui ne put même pas choisir, puisque, après la mort de Lévesque, Trudeau continua de dire: «Non!» Car le Québec a grandi tout de même depuis la mort de Maurice Duplessis. Mais Trudeau en a parlé comme de l'enfant prodigue qui l'a quitté, comme du voyou de la famille qu'on dénonce à la police et qu'on fait jeter en prison.

«… Mais il est mort avant que j'aie jamais pu le heurter de front», dit encore Trudeau à propos de son père.

Orphelin, Pierre-Philippe devient Pierre Elliott et corrige son accent de Canadien français, comme s'il voulait secouer la poussière venue de la terre de ses ancêtres.

Un homme aussi cruel pouvait-il vraiment prétendre être un homme heureux?

L'érudit qu'il est devrait pourtant avoir compris la leçon de l'histoire de Julien l'Apostat. Au cours d'un séjour en Grèce, cet empereur romain subit l'influence du néoplatonisme et renia la foi catholique qu'il avait héritée de son père, Constantin. C'était, dit-il, «une religion destinée à des esclaves, incapable de susciter des âmes généreuses et héroïques». Préoccupé d'effacer toute trace de sa religion paternelle, il s'en prit à son symbole, le baptême: chaque matin, il se frottait longuement le front, pour y gommer l'empreinte des saintes huiles…

Il y a de l'Apostat dans le Trudeau qui rejette avec hargne cette «boîte québécoise» où il ne veut pas se laisser enfermer. Et à force de s'isoler des autres il finit par être prisonnier de sa propre boîte.

Lui qui a passé sa vie à refouler ses émotions, la passion de son pays aura été son arme. Contre la tartufferie d'un Canada anglais qui n'avait plus peur de ses réquisitoires. Contre les crises d'adolescence d'un Québec qui méritait encore parfois ses taloches.

Ptolémée des temps modernes, il a porté à bout de bras l'histoire de son pays, espérant qu'elle lui donne enfin raison et qu'elle le laisse entrer dans la légende.

À quoi pensait donc Pierre Elliott Trudeau quand le Canada anglais, sur son ordre, a craché un «No!» méprisant à la figure du Québec? Était-il content au moins de voir son peuple quêter une place particulière à la table familiale et subir l'humiliation de se la faire refuser? Tel un père qui provoque son fils jusqu'à voir des larmes couler sur ses joues, Trudeau n'a jamais cessé de rabaisser le Québec.

Pourtant, c'est bien le Québec qu'il a choisi pour y enraciner ses fils. Et pour y mourir…

Un jour peut-être, comme ce René Lévesque qui fit ériger la statue de Maurice Duplessis devant l'Assemblée Nationale, un président de la République indépendante du Québec aura l'idée de lui rendre cet hommage.

«Il est Québécois après tout», dira-t-on.

Le peuple du Québec applaudira. Et Trudeau ne sera plus là pour protester…

Bibliographie

Journaux et revues

BRÉBEUF, Journal publié par les élèves du Collège Jean-de-Brébeuf, années 1938-1940.

CANADA. BIBLIOTHÈQUE DU PARLEMENT, Coupures de journaux (62 volumes). Ottawa, armées *1962-1984*.

CITÉ LIBRE, juin 1950 (n° 1) à octobre 1965 (n° 80).

LE QUARTIER LATIN, Journal des étudiants de l'Université de Montréal, années 1941-1944.

Livres

AXWORTHY, Thomas. *Les années Trudeau*, Le Jour, éditeur, 1990.

BOURASSA, Robert. *Bourassa Québec*, Les Éditions de l'Homme, 1970.

CHRÉTIEN, Jean. *Dans la fosse aux lions*, Les Éditions de l'Homme, 1985.

COLLECTIF. *Le Québec et le Lac Meech* (Un dossier du *Devoir)*, Guérin littérature, 1987.

FOURNIER, Louis. *FLQ: histoire d'un mouvement clandestin*, Québec/Amérique, 1982.

FRASER, Graham. *Le Parti québécois*, Libre Expression, 1984.

GINGRAS, Pierre-Philippe. *Le Devoir*, Libre Expression, 1985.

GODIN, Pierre. *Daniel Johnson (Tome II)*, Les Éditions de l'Homme, 1980.

GWYNN, Richard. *Le Prince*, Montréal, France-Amérique, 1981.

JOHNSON, Daniel. *Égalité ou indépendance*, Les Éditions de l'Homme, 1965.

LAURENDEAU, André. *Witness for Quebec*, Macmillan, 1973.

LÉVESQUE, René. *Attendez que je me rappelle*, Québec/Amérique, 1986.

MACDONALD, Ian. *Mulroney*, Les Éditions de l'Homme, 1984.

MCCALL-NEWMAN, Christina. *Les Rouges*, Les Éditions de l'Homme, 1982.

MCKENZIE, Robert. *Pierre Trudeau*, Toronto Daily Star, 1968.

MOIN, Claude. *L'Art de l'impossible*, Boréal, 1987.

MOIN, Jacques-Victor. *Les Années de « grande noirceur »*, (inédit).

NIELSEN, Erik. *The House Is Not a Home*, Macmillan of Canada, 1989.

PELLETIER, Gérard. *Les Années d'impatience (1950-1960)*, Stanké, 1983.

PELLETIER, Gérard. *Le Temps des choix (1960-1968)*, Stanké, 1986.

RADWANSKI George. *Trudeau*, Fides, 1979.

SHEPPARD, Robert et VALPY, Michael. *The National Deal*, Fleet Books, 1982.

SIMPSON, Jeffrey. *Spoils of power*, Collins, 1988.

STANKÉ, Alain. *Pierre Elliott Trudeau*, Stanké, 1977.

STEWART, Walter. *Shrug; Trudeau inpower*, New Press, 1971.

TRUDEAU, Pierre. *La Grève de l'amiante*, Cité Libre, 1956.

TRUDEAU, Pierre. *Le Fédéralisme et la Société canadienne-française*, Éditions HMH, 1967.

TRUDEAU, Pierre. *Réponses*, Le Jour, éditeur, 1968.

TRUDEAU, Pierre. *Les Cheminements de la politique*, Le Jour, éditeur, 1970.

TRUDEAU, Pierre. *Mémoires politiques*, Le Jour, éditeur, 1993.

VADEBONCŒUR, Pierre. *La Dernière heure et la Première*, l'Hexagone-Parti pris, 1970.

WESTELL, Anthony. *Trudeau, le paradoxe*, Les Éditions de l'Homme, 1972.

Références historiques

BUREAU DU PREMIER MINISTRE. Discours et Transcriptions d'entre-vues.

DÉBATS. Comptes rendus officiels de la Chambre des Communes et du Sénat (Hansard).

LACOURSIÈRE, Jacques et VAUGEOIS, Denis. *Canada-Québec*, Éditions du Renouveau Pédagogique, 1978.

McINNIS, Edgar. *Canada; A Political & Social History*, Holt, Rinehart and Winston, 1982.

PARTI LIBÉRAL DU CANADA. *Pierre Elliott Trudeau : une biographie*, 1981.

RÉMILLARD, Gil. *Le Fédéralisme canadien (Tableaux synoptiques)*, Québec / Amérique, 1985.

Table des matières

Cet ouvrage a été achevé d'imprimer
au Canada en novembre 2000.

Transcontinental
IMPRESSION
IMPRIMERIE GAGNÉ